W9-BNQ-190

Лев ЛАЙНЕР

# ПОГОНЯ ЗА «ЭНИГМОЙ»

ДЕЛО №...

Лев ЛАЙНЕР

# ПОГОНЯ ЗА «ЭНИГМОЙ»

Как был взломан немецкий шифр

МОСКВА
МОЛОДАЯ ГВАРДИЯ
2004

УДК 94(47+57)
ББК 63.3(2)622
Л 18

*Серия основана в 2004 году*

*Серийное оформление*
*ИГОРЯ СУСЛОВА*

ISBN 5-235-02664-0

## Чисто английское трюкачество

*(Вместо предисловия)*

На рубеже 20—30-х годов XX века самым богатым опытом в области перехвата и чтения шифровок других государств обладала Англия. Особенно заметных успехов английским дешифровальщикам удалось добиться, читая немецкие шифровки в ходе Первой мировой войны и советские шифрованные сообщения в 20-е годы.

Как только началась Первая мировая война, английское адмиралтейство незамедлительно приняло весьма эффективные меры, чтобы лишить Германию возможности пользоваться собственной кабельной линией связи, проложенной через Атлантику. Уже на пятый день войны английское судно «Телькония» отправилось в Северное море, и там за борт было сброшено специальное цепляющее устройство. Вскоре из морских глубин показались длинные змееобразные чудовища, они были покрыты водорослями, с них ручьями стекала вода. Приглушенные голоса, звуки ударов — и вскоре поднятый кабель, перерезанный и бесполезный, снова был выброшен в море. Эта акция была спланирована англичанами еще в 1912 году и стала первым звеном в той цепи операций, которые в конечном итоге помогли Англии вместе с союзниками выиграть Первую мировую войну.

Вскоре после проведения этой операции были ликвидированы немецкие радиостанции в Африке, Китае и на острове Самоа. В результате для связи с другими материками Германия могла пользоваться только линиями связи, принадлежавшими нейтральным странам, — Голландии, Дании и Швеции, а также ее союзникам — Австро-Венгрии и Турции. Все эти линии были проложены через территории, находившиеся под контролем англичан, что создало им отличные условия для перехвата немецких сообщений.

Растущий объем перехвата сделал необходимым привлечение специалистов к работе над чтением немецких шифровок. Вскоре на работу в английское адмиралтейство были приняты несколько добровольцев, знавших немецкий язык. Они-то и занялись изучением шифров, в первую очередь немецких. Успеху в их работе способствовало несколько событий первого года войны.

30 августа 1914 года преследуемый на Балтике двумя российскими военными кораблями сначала сел на мель, а потом затонул немецкий крейсер «Магдебург». Пару часов спустя русские водолазы достали с затонувшего крейсера кодовую книгу. Российское военно-морское командование позаботилось о том, чтобы немцы не узнали о компрометации своего кода. Водолазам, обследовавшим затонувший «Магдебург», был объявлен строгий выговор за якобы нерадивую работу, которая не дала ничего ценного. Эта информация как бы между прочим была доведена до сведения капитана «Магдебурга» и членов его команды, взятых в плен. Попав месяцем позже в английское адмиралтейство, немецкий код стал ценнейшим подарком для английских дешифровальщиков.

Фотокопия второй немецкой кодовой книги была прислана в Англию из Австралии в сентябре 1914 года — англичане захватили ее у австралийских берегов на немецком торговом судне. 17 октября 1914 года в Атлантике немецкий военный корабль вступил в неравный бой с английскими крейсерами. Когда стало совершенно очевидно, что корабль будет потоплен, его капитан выбросил за борт водонепроницаемый ящик с секретными документами. Через месяц английский тральщик выловил этот ящик со дна моря. В нем была обнаружена третья по счету немецкая кодовая книга.

Благодаря наличию трех кодовых книг, английским дешифровальщикам удалось выяснить принципы, которыми немцы руководствовались при смене ключевых установок для своих шифров. Дешифровальщики составили список часто используемых морских терминов. В этом списке рядом с каждым термином указывались возможные пятибуквенные комбинации, на которые термин мог быть заменен при шифровании. Англичанам достаточно было узнать, на какую комбинацию в данном сообщении заменялся хотя бы один морской термин, и тогда устанавливалось однозначное соответствие между другими словами и пятибуквенными комбинациями в списке и могла быть прочитана оставшаяся часть перехваченной немецкой шифровки.

В ходе Первой мировой войны англичане не только читали немецкие шифровки, но и посылали фальшивые шифрованные сообщения от имени военно-морского командования в Берлине. Одна из таких шифртелеграмм привела к крупной победе Англии на море. Осенью 1914 года недалеко от Южной Америки была уничтожена целая немецкая эскадра, в составе которой находились крейсеры с новейшими дальнобойными орудиями. Ложным приказом, переданным командующему эскадрой, англичане заставили ее корабли совершить переход из чилийского порта Вальпараисо к Фолклендским островам, где их поджидали английские крейсеры и линкоры, расстрелявшие немцев в упор. Этот приказ отправил с берлинского телеграфа агент английской разведки. Записанная на бланках, заверенная необходимыми печатями и зашифрованная по всем правилам депеша была безо всяких подозрений принята на телеграфе и отправлена по назначению. Выполняя содержавшийся в депеше приказ, немецкая эскадра добровольно отправилась к месту своей гибели.

В 1915 году англичане задумали подбросить немцам подложный код, чтобы передавать по радио зашифрованные с его помощью фальшивые приказы и тем самым вводить противника в заблуждение. Подбросить этот код надо было так, чтобы у немцев не возникло ни малейших сомнений в его подлинности.

В голландском городе Роттердаме был отель, в котором часто останавливались англичане. Этот отель находился под пристальным наблюдением немецких шпионов, на службе у которых состоял его портье. Была замечена следующая закономерность: после того как в отель вселялся очередной англичанин, в соседнем номере вскоре появлялась шикарная блондинка.

22 мая 1915 года в Роттердам прибыл важный англичанин со специальным служебным паспортом. Этот англичанин явно был особо доверенным дипломатическим курьером. Среди его вещей находилась дорожная сумка, с которой он никогда не расставался. Очевидно, она была предназначена для перевозки документов.

22 мая пришлось на субботу. Английское консульство в Роттердаме было уже закрыто до понедельника. А это означало, что сумка с документами в течение полутора дней будет находиться в номере у приезжего.

В воскресенье после полудня в отель приехала белокурая дама, которая по сложившемуся обычаю разместилась по соседству с англичанином. А тот скучал, не зная как убить время в незнакомом городе. Портье счел своей обязанностью помочь постояльцу и доверительно сообщил, где можно скоротать вечер. Гость поспешил последовать доброму совету и через несколько минут покинул отель. Причем настолько торопился, что забыл захватить с собой сумку с документами.

До места, указанного ему портье, англичанин так и не добрался. Свернув за угол, он сделал крюк и вернулся на укромное место около отеля, откуда мог скрытно наблюдать за окном своего номера. Дело в том, что это был не обычный дипломатический курьер, а секретарь одного из членов английского парламента Гай Локок, специально приглашенный сыграть роль курьера. Локок несколько лет прослужил в министерстве иностранных дел Англии и был хорошо знаком с манерами, которые иностранцы считали типичными для английских дипломатов за границей. В его дорожной сумке, кроме прочих документов, лежала копия подложного кода, предназначенного для немцев.

Локок прождал недолго. Через полчаса в его комнате загорелся свет, в окне замелькали тени. Затем вновь стало темно: немцы нашли то, что искали. Уходя из отеля,

Локок сказал портье, что вернется часа через три, так что времени должно было с лихвой хватить, чтобы сделать фотокопии всех страниц кодовой книги. Лококу оставалось дождаться, когда в его комнате вновь загорится свет.

Около часа ночи свет включился всего на пару минут. Выждав полчаса, Локок «навеселе» вернулся в отель. Внимательный портье помог подвыпившему гостю добраться до номера. Все стороны остались крайне довольны друг другом. А через год тот же Локок был послан в Брюссель с изменениями к ранее подброшенному немцам коду: это должно было убедить их, что англичане и не подозревают о компрометации своего кода.

С помощью подложного кода англичанам удавалось не раз вводить в заблуждение немецкое командование. Например, в сентябре 1916 года с помощью этого кода был передан «приказ» ряду английских военных кораблей, из которого следовало, что им предстояло вскоре принять участие в каких-то десантных операциях. Этих данных вполне хватило для того, чтобы заставить немецкое командование начать спешно перебрасывать войска с фронта для отражения мифической английской атаки.

Другой английский код попал в руки немцев случайно — это был код, которым англичане шифровали свои сообщения о расчистке минных полей, установленных немецкими подводными лодками. Но вскоре англичане узнали об этом и сумели воспользоваться сложившимся положением. Была послана радиограмма о том, что у входа в один из портов на побережье Ирландии выловлено много немецких мин. Вскоре туда явилась немецкая субмарина, чтобы поставить новые, и подорвалась на одной из своих прежних мин, которые англичане и не собирались убирать.

Первым из английских государственных деятелей, кто в полной мере оценил важность и полезность дешифрования, был Уинстон Черчилль. В качестве главы адмиралтейства осенью 1914 года он оказался, по его собственным словам, «до некоторой степени ответственным» за возрождение английской дешифровальной службы, от которой в Англии отказались в 1844 году в связи с протестами английского парламента против вскрытия почтовой корреспонденции. По приказу Черчилля в составе военно-морских сил Англии был создан дешифровальный центр, разместившийся в здании адмиралтейства в комнате под номером 40, вошедшей в историю как «Комната 40». Дешифровальщики из «Комнаты 40» были подчинены непосредственно начальнику военно-морской разведки Уильяму Реджинальду Холлу. В его руках информация, добытая в «Комнате 40», стала грозным оружием против немецких шпионов.

В начале 1916 года в «Комнате 40» была прочитана немецкая шифровка, в которой содержалась просьба оказать поддержку «живой силой, вооружением и снаряжением» Кейсменту[1]. В другой перехваченной англичанами шифровке сообщалось, что приближается время отплытия Кейсмента в Ирландию на немецкой подводной лодке и что будет передано кодовое слово «овес», если субмарина с Кейсментом на борту выйдет в море в запланированный срок. Если же возникнет какое-либо препятствие — будет использовано кодовое слово «сено». 12 апреля 1916 года среди ежедневного обычного потока прочитанных англичанами немецких шифровок прошло сообщение, содержавшее слово «овес». Десять дней спустя, когда Кейсмент высадился в Ирландии, он был тотчас арестован поджидавшими его английскими полицейскими.

В знаменитом Ютландском морском сражении[2] между Англией и Германией, как известно, обе противоборствующие стороны признали себя победителями. У этой битвы были два интересных аспекта с точки зрения дешифрования.

Во-первых, незадолго до сражения командующий английской эскадрой получил сообщение из адмиралтейст-

---

[1] Кейсмент Роджер (1864—1916) — английский дипломат ирландского происхождения, ярый националист. В 1916 г. отправился в Германию, чтобы заручиться поддержкой для подготовки восстания в Ирландии.

[2] Крупнейшее морское сражение Первой мировой войны. Состоялось в Северном море западнее Ютландского полуострова 31.05—1.06 1916 г.

ва о задержке выхода немецкой эскадры в море. Главнокомандующий решил, что до начала сражения еще далеко. На самом деле в это время немецкая эскадра, соблюдая полное радиомолчание, на всех парах шла навстречу английской. А произошло следующее.

Один немецкий офицер, проанализировав кодовые сигналы военно-морских сил Англии, составил меморандум, в котором рекомендовал время от времени менять позывные кораблей. Незадолго до Ютландского сражения такая замена была осуществлена: флагман немецкой эскадры поменялся позывными с береговой радиостанцией. Перед самым сражением в «Комнате 40», перехватив сигнал этой береговой радиостанции, решили, что он принадлежит немецкому флагману, и сделали ошибочный вывод, что боевые корабли противника все еще находятся в порту.

Во-вторых, когда во время сражения немецкая эскадра начала отступать, то сделано это было по самому короткому маршруту из четырех возможных. А в это время английская эскадра закрывала для отступления совсем другой путь, несмотря на то, что дешифровальщики из «Комнаты 40» располагали правильной информацией. В ходе Ютландского сражения ими были перехвачены и прочитаны несколько шифровок, имевших отношение к этому сражению. Их содержание было доведено до сведения главнокомандующего английским флотом. К сожалению, в одной из них содержались неверные данные: координаты арьергардного корабля немецкой эскадры были указаны с ошибкой на двадцать километров. Ошибку в определении своего местонахождения совершили сами немцы. Доверие к достоверной информации из других шифровок было подорвано, и английское командование ею не воспользовалось.

Немецкий военно-морской код, знание которого сослужило англичанам плохую службу в завершающей стадии Ютландского сражения, был похищен английской шпионкой, известной под именем Флора. В самый разгар войны Флора свободно разъезжала по всей Германии с голландским паспортом. Заведя любовные связи с несколькими немецкими офицерами, Флора похитила у одного из них военно-морской код, а ее незадачливый любовник побоялся сообщить своему начальству о краже.

В октябре 1917 года немцы провели самый крупный налет своих боевых дирижаблей на Англию. Но на обратном пути победоносный воздушный флот Германии был рассеян сильной бурей. Один из дирижаблей прибило к земле во Франции недалеко от ставки командования американскими войсками в Западной Европе. Дирижабль был захвачен французами невредимым, но на его борту не было найдено никаких документов. Только на следующее утро случайно выяснилось, почему. Два молодых американских офицера оказались вблизи дирижабля сразу после того, как после приземления его покинула команда. Они проникли в рубку дирижабля и забрали оттуда в качестве трофея кодовую книгу. Вскоре кодовая книга была передана Холлу. Регулярно перехватывая и читая немецкие шифровки, англичане захватили врасплох и уничтожили немало воздушных «хищников» из Германии.

Сражения Первой мировой войны разворачивались не только в Европе, но и в Восточной Африке, где, имея огромное превосходство над противником, английские войска на протяжении нескольких лет никак не могли добиться успеха в борьбе против экспедиционного отряда немецкого полковника Форбека. Англичане регулярно перехватывали и читали шифровки, которыми обменивались Форбек и его командование в Берлине. Из них стало известно, что в ноябре 1917 года Форбек запросил военное снаряжение, чтобы продолжить свою полупартизанскую войну, которая сковывала в Восточной Африке около трехсот тысяч солдат Антанты. Через свою агентуру в Болгарии англичане узнали, что немцы по частям привезли и собирают там дирижабль, на котором планируют перебросить в Восточную Африку боеприпасы и медикаменты.

16 ноября 1917 года немецкий дирижабль вылетел из Болгарии в направлении Африки. Но, достигнув цели, напрасно кружил в ожидании условленного сигнала с

земли (в этот момент Форбек совершал один из своих рейдов против англичан). Тем временем из Берлина пришло сообщение, что Форбек окружен и дирижаблю следует немедленно вернуться обратно в Германию. После возвращения выяснилось, что радиограмма из Берлина, полученная командиром дирижабля, стала следствием депеши Форбека. Проведенная проверка показала, что эта депеша была фальшивой. Ее послали англичане, знакомые и с тогдашним местонахождением Форбека, и с секретным кодом, который он использовал для переговоров со своим командованием в Берлине.

19 января 1918 года английскими дешифровальщиками была частично прочитана шифртелеграмма, отправленная министром иностранных дел Германии Артуром Циммерманом немецкому послу в Мексике. В ней говорилось, что с 1 февраля Германия начинает неограниченную войну на море с использованием своего подводного флота. Англичане сведения о содержании шифртелеграммы Циммермана попридержали, опасаясь скомпрометировать их источник. Тем временем Германия успела сделать ряд практических шагов для претворения в жизнь своих планов.

Одним из них стало вручение 31 января 1918 года ноты, объявившей о начале беспощадной подводной войны, американскому послу в Берлине. Эта военная акция Германии непосредственно затрагивала интересы и престиж Соединенных Штатов. Поэтому уже 3 февраля президент США Вудро Вильсон принял решение разорвать дипломатические отношения с Германией. Все же и после разрыва американо-немецких отношений наряду с усиливавшимся течением в пользу войны с Германией в США еще очень прочно удерживалось мнение о том, что дальнейшее сохранение нейтралитета тоже имеет свои выгодные стороны. Однако роковая для Германии ошибка ее дипломатии в эти критические дни нанесла окончательный удар всем американским приверженцам нейтралитета и значительно облегчила сторонникам войны их игру.

К середине февраля 1918 года англичане дочитали шифртелеграмму Циммермана до конца и обнаружили, что в ней, помимо всего прочего, Германия предлагала Мексике вступить в войну против США, с тем чтобы вернуть потерянные ею территории. Трудно было представить себе другое предложение со стороны Германии кому-либо, которое до такой степени могло бы разозлить американцев. И вот 20 февраля содержание этой шифртелеграммы было доведено до сведения посла США в Лондоне Пейджа. Ему рассказали «сказку» о том, что копия шифртелеграммы Циммермана была добыта в Мексике, привезена в Лондон и тут дешифрована. Мол, именно поэтому ее открытый текст передается в распоряжение американского посла с таким запозданием. Пейдж этой «сказке» поверил, о чем англичане с удовлетворением узнали, прочитав его шифртелеграмму Вильсону. А уже 1 марта открытый текст шифртелеграммы Циммермана был в полном объеме опубликован в английской прессе.

Первоначально большинство представителей правящих кругов США выразили серьезные сомнения в достоверности этой информации. Во-первых, Вильсон не говорил им, как в его руки попал открытый текст шифртелеграммы Циммермана. А значит, можно было предположить, что американский президент стал жертвой мистификации или злобного розыгрыша. Во-вторых, представлялось слишком абсурдным содержание документа. Предлагать Мексике, население которой почти в восемь раз меньше населения США и которая в сотни раз слабее и беднее их, напасть на могучего соседа, чтобы отнять у него территорию, равную всей Мексике, — уже одно это казалось вопиющей нелепостью.

Развеять сомнения помогло то обстоятельство, что шифртелеграмма Циммермана шла через Вашингтон и там на почте сохранилась ее копия. Эта копия была переправлена из столицы США в Лондон, где английские дешифровальщики в присутствии Пейджа продемонстрировали свое искусство. К тому же они вскоре дешифровали ряд инструкций из Берлина, уточнявших депешу немецкого министра иностранных дел, и передали их в распоряжение американского правительства. И что удивительно, Циммерман, вместо того чтобы отрицать подлинность текста своей телеграммы, опубликованного в английской печати, признал его аутентичность. История с шифртелеграммой Циммермана заставила одну немецкую газету весьма остроумно заметить, что вот, мол, «все говорили, что наша дипломатия заполняется неспособными аристократами и что пора дать дорогу талантам из буржуазии», а назначили в виде первого опыта Циммермана «из буржуазии», и он наделал таких дел, которые не пришли бы в голову и десятку самых дегенеративных аристократов.

Конечно же, отнюдь не злополучная шифртелеграмма Циммермана в Мексику предопределила решение Вильсона объявить войну Германии. К участию в Первой мировой войне американцев влекли их собственные корыстные интересы. Однако для оправдания в глазах общественности решения выступить на стороне Антанты шифртелеграмма Циммермана сыграла решающую роль. Примечательно, что немцы наотрез отказались признать слабости своего шифра и предположили, что вражеские шпионы получили доступ к открытому тексту шифртелеграммы Циммермана.

После войны появились многочисленные версии того, каким образом англичане добыли немецкий дипломатический код, позволивший им прочесть шифртелеграмму Циммермана. Сами немцы утверждали, что этот код выдал молодой австрийский радиоинженер Александр Сцек. Он имел доступ в помещение радиостанции в Брюсселе, из которого отправлялись правительственные радиограммы немецким дипломатам за границей. Мать Сцека была англичанкой. Именно через нее Сцеку была обещана крупная сумма денег, если он добудет секретный немецкий код. По немецкой версии, Сцек сбежал в Англию, имея на руках вожделенный код. После этого его след был потерян. По окончании войны отец Сцека пытался разыскать сына, но на просьбу сообщить сведения, могущие пролить свет на судьбу Сцека, английские власти ответили категорическим отказом.

По мнению Черчилля, решающую роль в прочтении шифртелеграммы Циммермана сыграла кодовая книга с германского крейсера «Магдебург». Именно благодаря ей английским дешифровальщикам удалось нащупать подходы ко взлому немецкого дипломатического кода.

Третья версия связана с именем немецкого консула в Иране Карла Васмуса, который вел там активную диверсионную деятельность против английских войск. В частности, он собирался взорвать английский нефтепровод. Однако англичане сумели нанести упреждающий удар по расположившемуся на отдых диверсионному отряду Васмуса. Консул, поднятый со сна, в одной пижаме успел вскочить на коня и ускакать, но у него не было времени прихватить с собой багаж. Имущество Васмуса англичане отправили в Лондон, где оно нашло приют в подвале одного из столичных административных зданий. Позднее, в случайном разговоре с офицером, прибывшим из Ирана, о вещах Васмуса узнал Холл и приказал немедленно доставить к себе. Среди них оказался шифрблокнот, вошедший в историю как «код 13040». А затем случилось так, что главный инженер немецкой радиостанции в Константинополе давал обед в честь своего возвращения из отпуска, проведенного им на родине. После обеда он на радостях разослал шесть одинаковых сообщений своим коллегам на радиостанциях немецких консульств по всему миру, каждый раз используя для этого соответствующий консульский шифр. Зная «код 13040», англичане без особого труда взломали шифры еще пяти консульств Германии в разных точках земного шара, что позволило им ознакомиться с содержанием шифртелеграммы Циммермана.

Наконец, согласно четвертой версии, немецкий дипломатический код, с помощью которого была прочитана шифртелеграмма Циммермана, добыл некий английский разведчик по кличке «Смит». Его послали в Брюссель с заданием украсть немецкие шифры. В бельгийской столице «Смит» нашел ценную помощницу в лице официантки кафе Ивонны, в которую влюбился немецкий офицер, работавший на местной радиостанции. Под предлогом обучения радиоделу «Смит» выудил из него сведения о главных элементах немецкого дипломатического кода и благополучно пересек линию фронта в обратном направлении. Сразу же после ухода «Смита» немцы арестовали Ивонну, поскольку давно следили за подозрительными визитами к ней молодого немецкого радиста, но докопаться до истинного смысла их «радиоуроков» так и не смогли.

Приведенные выше версии не обязательно противоречат друг другу, поскольку один и тот же секретный код мог быть получен разными путями, а открытый текст шифртелеграммы Циммермана добыт за счет совместных усилий дешифровальщиков и агентуристов. Однако покров тайны, окутывающий это дело уже много лет, заставляет предположить, что его суть все еще остается нераскрытой.

1 ноября 1919 года в Англии была создана государственная дешифровальная служба — так называемая Правительственная криптографическая школа (ПКШ). Главой «русской» секции ПКШ был назначен некий Эрнест Феттерлейн, по прозвищу Фетти, эмигрант из России. По словам Феттерлейна, он был ведущим специалистом в области криптографии в царской России и имел ранг адмирала. Его коллеги по ПКШ признавали, что Фетти был лучшим среди них при взломе шифров, работа над которыми требовала широких познаний.

На указательном пальце правой руки Феттерлейн носил кольцо с огромным рубином. Проявлявшим интерес к этому необычному драгоценному камню он охотно и с гордостью рассказывал, что кольцо сие было жаловано ему высочайшим повелением в знак признательности и в благодарность за криптографические подвиги во славу последнего русского царя-императора Николая Александровича Романова. Фетти говорил по-английски с сильным русским акцентом. Английский он выучил, главным образом, читая дешевые детективные романы. Иногда Феттерлейн тешил своих коллег в ПКШ такими непривычными для слуха образованного англичанина выражениями, как «Кто замел мой карандаш?» или «Да он был просто стукачом!».

Феттерлейн редко вспоминал дореволюционную Россию. Но иногда коллегам удавалось вызвать его на откровенность, сказав что-нибудь такое, что наверняка должно было вызвать возражения с его стороны. Например, на вопрос: «А правда, господин Феттерлейн, русский царь был физически очень сильный и здоровый человек?» — они слышали возмущенный ответ: «Царь был тряпка, без единой мысли в голове, хилый, презираемый всеми». Что отнюдь не мешало Фетти с гордостью выставлять на всеобщее обозрение полученную от русского царя награду.

Правительство Советской России отказалось от использования царских шифров ввиду их чрезмерной сложности и громоздкости. Может, и к лучшему, ибо Феттерлейн, предположительно, был автором некоторых из них. Однако взамен были введены в действие новые шифры слабой стойкости, которые взламывались Феттерлейном без особого труда.

Большой интерес для англичан представляла дипломатическая переписка советского правительства в Москве с Ближним Востоком, из которой следовало, что оно финансирует оппозиционное движение в Индии. Официальные заявления советских руководителей настолько отличались от содержания этой переписки, что правительство Ллойд Джорджа решило опубликовать ее в печати, рассчитывая заставить Москву больше никогда не вмешиваться во внутренние дела Англии.

Не последнюю роль в решении обнародовать содержание советской дипломатической переписки, вероятно, сыграло желание Ллойд Джорджа поставить в неловкое положение советское правительство, которое не стеснялось в выборе выражений для инструкций членам советской торговой делегации, находившейся в Лондоне. Так, еще в самом начале переговоров в июне 1920 года Ленин писал заместителю главы делегации:

«Эта свинья Ллойд Джордж пойдет на обман без тени стыда или сомнения. Не верьте ни единому его слову и в три раза больше дурачьте его».

«Эта свинья» Ллойд Джордж явно решил отомстить за оскорбление.

17 августа 1921 года лондонская газета «Таймс» поместила на своих страницах статью, обвинявшую другую

английскую газету «Дейли геральд» в получении денег от советского правительства. В «Таймс» приводились открытые тексты восьми советских шифртелеграмм, перехваченных английским правительством. Тем самым «Таймс» нарушила данное ею обязательство: английский правительственный кабинет передал этот материал в распоряжение «Таймс» с условием, что газета сошлется на получение его из нейтральной страны. Давая разрешение на такую публикацию, кабинет министров рассчитывал, что советское правительство решит, будто утечка произошла после того, как телеграммы были расшифрованы.

Н. Клышко, резидент нашей разведки, работавший в составе торговой делегации в Лондоне, был мало знаком с азами криптографии. Скорее всего, он просто решил, что был взломан один-единственный шифр, использованный для зашифрования опубликованных в «Таймс» телеграмм, и продолжал ошибочно полагать, что применяемые шифры были достаточно надежными. Тревоги он не поднял, а вслед за ним и советские руководители сделали вид, будто ничего не произошло. Газетная шумиха продолжалась до сентября, когда в газеты «просочились» новые разоблачения секретного финансирования английского рабочего движения со стороны Советской России.

Нельзя сказать, что руководители советского внешнеполитического ведомства — Народного комиссариата иностранных дел (Наркоминдела) — не информировали правительство о неблагополучном состоянии дел в своей шифровальной службе. 20 августа 1920 года нарком иностранных дел Георгий Чичерин[1] написал в докладной записке на имя Ленина:

«Иностранные правительства имеют более сложные шифры, чем употребляемые нами. Если ключ мы постоянно меняем, то сама система известна многим царским чиновникам и военным, в настоящее время находящимся за границей. Поэтому чтение наших шифровок я считаю вполне допустимым».

---

[1] Чичерин Георгий Васильевич (1872—1936) — советский государственный деятель, дипломат.

Однако мнение Чичерина, видевшего причину утечки секретной информации в том, что одни использовавшиеся шифры были нестойкими, а разработчики других после революции оказались за границей, разделяли далеко не все. Вот письмо Леонида Красина[1] Ленину от 10 сентября 1920 года:

«Еще в мае в бытность в Копенгагене по некоторым признакам я начал подозревать, что с шифрованной перепиской через Наркоминдел не все обстоит благополучно. В Англии мои подозрения укрепились, и в последующий мой приезд в Москву я обращал внимание тов. Чичерина на необходимость коренной чистки в соответствующем отделе... Дело не в провале шифра или ключа, а в том, что в Наркоминделе неблагополучие, так сказать, абсолютное и лечить его надо радикально».

Ленин внимательно относился к таким сообщениям. 25 ноября он написал:

«Тов. Чичерин! Вопросу о более строгом контроле за шифрами (и внешнем, и внутреннем) нельзя давать заснуть. Обязательно черкните мне, когда все меры будут приняты. Необходима еще одна: с каждым важным послом установить особо строгий шифр для личной расшифровки, то есть здесь будет шифровать особо надежный товарищ, коммунист, а там должен шифровать или расшифровывать лично посол (или «агент»), не имея права давать секретарям или шифровальщикам».

Первым, кто в полной мере осознал масштаб рассекречивания советских шифрсистем, был Михаил Фрунзе[2], главнокомандующий Южной группой войск Красной Армии. 19 декабря 1921 года он доложил в Москву:

«Из представленного мне сегодня бывшим начальником врангелевской радиостанции Ямченко доклада устанавливается, что решительно все наши шифры вследствие их несложности взламываются нашими врагами. Вся

---

[1] Красин Леонид Борисович (1870—1926) — советский государственный и партийный деятель. В 1920—1923 гг. полномочный и торговый представитель Советской России в Англии.

[2] Фрунзе Михаил Васильевич (1885—1925) — советский партийный, государственный и военный деятель, военный теоретик.

наша радиосвязь является великолепнейшим средством ориентирования противника. Благодаря тесной связи с шифровальным отделением морфлота Врангеля[1], Ямченко имел возможность лично читать целый ряд наших шифровок самого секретного военно-оперативного и дипломатического характера; в частности, секретнейшая переписка Наркоминдела с его представительством в Европе и в Ташкенте слово в слово известна англичанам, специально организовавшим для подслушивания наших радио целую сеть станций особого назначения. К шифрам, не поддававшимся немедленному взлому, присылались ключи из Лондона, где во главе шифровального отдела поставлен англичанами русскоподданный Феттерлейн, ведавший прежде этим делом в России. Общий вывод такой, что все наши враги, в частности Англия, были постоянно в курсе всей нашей военно-оперативной и дипломатической работы».

Сообщение авторитетного военачальника не было оставлено без внимания. В конце декабря 1921 года вся дипломатическая переписка между Лондоном и Москвой с использованием радиосвязи внезапно прекратилась и вместо нее была введена курьерская почта. А в марте 1923 года в распоряжении советской торговой делегации появилась новая шифрсистема, более стойкая, чем предыдущая. Тогда же Ллойд Джордж подписал англо-советское торговое соглашение, по которому Англия и Советская Россия обязывались воздерживаться от враждебных действий в отношении друг друга. Кроме этого каждая договаривающаяся сторона брала на себя обязательство не вести вне пределов своей страны официальной пропаганды, направленной прямо или косвенно против правительственных институтов другой страны.

Через несколько недель после подписания договора Феттерлейн взломал новый шифр на линии Москва — Лондон и англичане убедились, что Советская Россия не

[1] Врангель Петр Николаевич (1878—1928) — барон, генерал-лейтенант, один из руководителей контрреволюционного движения на юге России.

собиралась соблюдать этот договор — тайное финансирование индийских националистов и английских коммунистов продолжалось. В результате в мае 1923 года министр иностранных дел Англии Керзон[1] послал ультиматум наркому иностранных дел Чичерину. В этом ультиматуме с издевкой цитировались открытые тексты советских шифртелеграмм:

«В советском Комиссариате иностранных дел наверняка узнают следующее сообщение, датированное 21 февраля 1923 г., которое было получено от Ф. Раскольникова[2]... В Комиссариате иностранных дел также должны припомнить и радиограмму, полученную им из Кабула и датированную 8 ноября 1922 г. Очевидно, им знакомо и сообщение от 16 марта 1923 г., посланное Ф. Раскольникову помощником комиссара иностранных дел Л. Караханом[3]...»

В ответ советское правительство заявило, что ультиматум Керзона составлен из открытых текстов перехваченных шифртелеграмм, причем сделано это тенденциозным и некорректным образом. То есть давалось понять, что тексты подлинные, но их содержание трактуется искаженно и произвольно. Чичерин отдал распоряжение о прекращении на время всех контактов советских граждан с подданными Англии, дабы предотвратить возможную утечку информации, и приказал произвести смену шифрсистем. К этому времени у советской стороны не оставалось никаких сомнений в отношении источника информации, попавшей в руки англичан. Сам Керзон публично признал, что ни одна из процитированных им советских телеграмм не была послана в незашифрованном виде.

Вместе с тем, бездумно пользуясь частыми провалами в советской системе обеспечения безопасности связи, английское правительство иногда само попадало впросак,

---

[1] Керзон Джордж Натаниел (1859—1925) — английский государственный деятель, дипломат.

[2] Раскольников Федор Федорович (1892—1939) — революционер, военный деятель, дипломат, журналист.

[3] Карахан (Караханян) Лев Михайлович (1889—1937) — советский государственный деятель, дипломат.

перехватывая фальсифицированную корреспонденцию. Белогвардейцы в Берлине, Ревеле и Варшаве часто занимались подделкой советских документов. Разные по качеству исполнения, эти фальшивки служили для их изготовителей как средством заработка, так и способом дискредитации Советской России. Уиндом Чайлдз, с 1921 по 1928 год состоявший на должности помощника особого уполномоченного английской Секретной разведывательной службы, назвал эти подделки нестерпимым безобразием, поскольку, по его мнению, «они позволяют русским кричать «фальшивка» каждый раз, когда им предъявляют подлинные документы».

Англичанам даже пришлось ввести градацию разведывательных данных по степени их достоверности, и произошло это по весьма унизительной причине.

Сотрудники английской разведки вступили в контакт с агентом «БП-11» в Ревеле, который сообщил, что имеет доступ в Наркоминдел и может предоставить Лондону краткое изложение содержания более двухсот шифртелеграмм этого ведомства. Для англичан наибольший интерес представляла информация о финансировании Советской Россией движения ирландских националистов. Кроме этого дословное знание открытых текстов советских шифртелеграмм могло оказать существенную помощь криптоаналитикам ПКШ в дешифровальной работе.

Однако вскоре сведения, полученные от «БП-11», были дезавуированы, в основном начальником английской полиции, который не подтвердил этих данных и заявил, что ирландские националисты, наоборот, испытывают серьезные финансовые затруднения. Когда по просьбе руководства ПКШ и для сравнения с ранее полученным резюме потребовали от «БП-11» оригиналы открытых текстов шифртелеграмм, тот начал юлить и таким образом окончательно подорвал к себе доверие. Проверка показала, что подавляющее большинство сведений «БП-11» подозрительно совпадало с данными из весьма сомнительных источников.

Снова взломать советский шифр Феттерлейну удалось лишь в 1925 году, а через два года ПКШ представился уникальный шанс. 12 мая 1927 года лондонская штаб-квартира советско-английского торгового общества «Аркос» была захвачена английской полицией. Согласно официальному заявлению английского правительства, эта акция проводилась с целью изъятия особо секретного документа, похищенного советской разведкой.

«Аркос» был учрежден и зарегистрирован советской торговой делегацией в 1920 году в Лондоне как частное акционерное общество с ограниченной ответственностью. В 1923 году советское правительство разрешило «Аркосу» ведение торговых операций на территории своего государства. К началу 1927 года «Аркос» стал крупнейшим экспортно-импортным объединением в Англии.

Англичане предполагали, что здание «Аркоса» служило респектабельным фасадом для советской разведки. И вот наконец в результате полицейского рейда контрразведывательная спецслужба Англии получила долгожданный доступ к тысячам советских документов, извлеченных из сейфов в подвале этого здания. Причем рейд продолжался несколько дней. Был проведен повальный обыск, захвачены почта и шифры. Несколько советских сотрудников «Аркоса» пытались воспрепятствовать вероломному обыску, и к ним была применена сила.

Советского шифровальщика Антона Миллера вломившиеся полицейские застали за сжиганием документов. Миллер развел костер в одном из сейфов в подвале здания и старался засунуть туда как можно больше секретных бумаг. Дальнейшие события покрыты мраком неизвестности, равно как и судьба Миллера. Через девять дней, когда большинство советских сотрудников «Аркоса» были отозваны в Москву, владелец левой газеты «Дейли геральд» сделал запрос в парламенте в адрес министра внутренних дел относительно судьбы Миллера. Полученный им ответ сводился к тому, что касаться этого вопроса публично — значило бы вступать в противоречие с государственными интересами Англии.

После лихого налета на «Аркос» чтение шифрпереписки работников советской дипломатической службы в Лондоне продолжалось лишь до конца мая 1927 года.

И вот почему. В выступлениях перед английским парламентом премьер-министр, министр иностранных дел и министр внутренних дел Англии стали обильно цитировать прочитанные в ПКШ советские шифртелеграммы. Более того, в середине мая, не обращая внимания на протесты руководства ПКШ, английский правительственный кабинет принял решение опубликовать избранные места из секретной советской переписки, чтобы оправдать разрыв дипломатических отношений с Советской Россией. В результате в конце мая Москва отдала приказ о введении трудоемкого, но при правильном использовании абсолютно надежного шифра.

Отдавая должное успехам английских дешифровальщиков, достигнутых в ходе Первой мировой войны и в 20-е годы, следует отметить, что первыми взломать немецкую «Энигму» англичане не смогли.

## Пролог

В 1918 году немецкий изобретатель Артур Шербиус и его близкий друг Ричард Риттер основали компанию «Шербиус и Риттер». Она занималась практически всем — от турбин до подушек с подогревом. Шербиус отвечал в ней за проектно-конструкторские разработки, и самым любимым его детищем был проект создания электромеханического устройства для автоматизации процесса шифрования сообщений. Свое изобретение Шербиус окрестил «Энигмой», что в переводе с древнегреческого означает «загадка».

Первая модель «Энигмы» была очень громоздкой. По своим размерам и форме она напоминала большой кассовый аппарат и вскоре была заменена другой моделью, представлявшей собой обычную пишущую машинку, дополненную шифрующим механизмом. Третья модель была портативной, буквы в ней не печатались на бумаге, а подсвечивались лампочками.

Шербиус развернул чрезвычайно энергичную деятельность по стимулированию спроса на «Энигму». В 1923 году он выставил «Энигму» на съезде Международного почтового союза, а на следующий год добился, чтобы германское почтовое ведомство обменялось с участниками очередного съезда этого союза приветствиями, зашифрованными с помощью «Энигмы». «Энигма» стала широко рекламироваться на радио и в прессе, о ней пространно рассказывалось в учебнике, написанном доктором Зигфридом Тюркелем, директором Криминологического института австрийской полиции. На немецком и английском языках были выпущены рекламные буклеты, в которых, в частности, говорилось:

> «Естественному любопытству конкурентов сразу же будет положен конец, так как "Энигма" позволяет вам хранить содержание ваших документов, или, по крайней мере, их самых важных частей, в полной тайне от любопытных глаз без каких-либо существенных затрат. Один хорошо защищенный секрет поможет разом окупить все затраты на приобретение этой машины».

Однако, несмотря на активную рекламную кампанию, дела у Шербиуса шли неважно. Потенциальных покупателей отпугивала слишком высокая цена — более 20 тысяч долларов в современном исчислении. Считанные экземпляры «Энигмы» были приобретены армиями различных государств и компаниями связи, но с массовыми закупками никто не спешил. Без особого энтузиазма отнеслись к предложению Шербиуса оснастить вооруженные силы Германии «Энигмой» и немецкие военные.

Однако не было бы счастья, да несчастье помогло. Оценить полезность «Энигмы» немецким военным помогли два английских документа, которые буквально повергли их в шок. В 1923 году Уинстон Черчилль опубликовал мемуары, в которых описал, как во время Первой мировой войны англичане взломали немецкий шифр:

> «В начале сентября 1914 года в Балтийском море был потоплен немецкий легкий крейсер "Магдебург". Несколькими часами позже русские вытащили из воды тело утонувшего немецкого младшего офицера. Закостеневшими руками мертвец прижимал к своей груди немецкий военно-морской код... 6 сентября меня навестил русский военный атташе. Из Петрограда он получил депешу, в которой его уведомили о случившемся и о том, что в русском адмиралтействе при помощи захваченного кода удалось частично дешифровать некоторые из немецких военно-морских сообщений. Русские полагали, что как ведущая морская держава Англия должна получить в свое распоряжение этот код... Нам было сказано, что если мы пришлем свой корабль в Архан-

гельск, то русские офицеры привезут на нем немецкий военно-морской код в Англию».

Согласно Черчиллю, полученные материалы помогли англичанам регулярно читать немецкие шифровки.

В том же 1923 году английское адмиралтейство выпустило многотомную официальную историю Первой мировой войны. В ней впрямую говорилось о том, что благодаря взлому немецкого кода Англия обладала явным преимуществом перед Германией. Это описание достижений английской разведки в Первой мировой войне заставило немецких военных признать, что «командование военно-морскими силами Германии, чьи сообщения по радио перехватывались и дешифровывались англичанами, образно говоря, играло в открытую против английского командования».

Всесторонне исследовав вопрос, немецкие военные пришли к однозначному выводу, что именно «Энигма» поможет им не допустить повторения подобной ситуации в будущем. В 1925 году Шербиус приступил к массовому производству «Энигмы», которой, начиная со следующего года, стали оснащаться вооруженные силы и спецслужбы Германии. В течение последующих двух десятилетий было изготовлено более 30 тысяч экземпляров «Энигмы».

К сожалению, Шербиус умер слишком рано, чтобы в полной мере насладиться грандиозным успехом своего изобретения. 12 мая 1929 года он ехал в экипаже, запряженном лошадьми; лошади понесли, он не смог их остановить, и на полном ходу экипаж разбился о стену. На следующий день Шербиус скончался не приходя в сознание.

## Государственная измена

1 ноября 1931 года 43-летний сотрудник шифрбюро министерства обороны Германии Ганс Шмидт снял номер в отеле «Гранд» в Вервьерсе, небольшом бельгийском городке, расположенном недалеко от границы с Германией. Там у Шмидта должна была состояться тайная встреча с агентом разведывательной спецслужбы Франции — так называемого Второго бюро. Это событие стало следствием шага, на который Шмидт решился четырьмя месяцами ранее. В июне 1931 года он посетил здание французского посольства в Берлине. Там Шмидт поинтересовался, с кем ему лучше всего связаться, чтобы продать правительству Франции имевшиеся у него секретные документы.

В результате три недели спустя, следуя совету, который ему дали сотрудники французского посольства, Шмидт написал письмо на адрес Второго бюро в Париже. В своем письме он сообщил, что по роду службы имеет доступ к конфиденциальным документам, которые могли представлять интерес для французов. Среди этих документов Шмидт особо выделил руководства по новейшей немецкой шифровальной машине «Энигма» и выразил готовность встретиться с представителем Второго бюро в Бельгии или Голландии. Именно в ответ на его письмо и была организована встреча в Вервьерсе.

Шмидт был типичным выходцем из средних слоев немецкой буржуазии. У него не было каких-то особых политических пристрастий. Не отличался он и чрезмерным тщеславием. Хотя мать Шмидта была баронессой, ее состояние было весьма скромным. К тому же она потеряла титул, выйдя замуж за отца Ганса — Рудольфа Шмидта, университетского профессора истории. В 1916 году Ганс женился на Шарлотте Шпеер, дочери состоятельного торговца шляпами, владевшего собственным магазином в Берлине. От Шпеера новобрачные получили шикарный свадебный подарок — большое загородное поместье недалеко от немецкой столицы. В 20-е годы для Ганса наступили трудные времена. Галопирующая инфляция и экономический спад заставили Шпеера закрыть свой магазин, и Гансу пришлось искать место на государственной службе. Младший брат Рудольф помог ему устроиться в шифрбюро министерства обороны. Однако зарплата у Ганса была мизерной, ее не хватало даже, чтобы содержать самого себя, не говоря уже о жене и двух детях, которыми он успел к тому времени обзавестись. Гансу удавалось сводить концы с концами только благодаря финансовой помощи, которую он получал от отца и брата.

Самое первое предательство, которое совершил Ганс Шмидт, не имело ничего общего с государственной изменой: он предал свою жену Шарлотту, изменив ей со служанкой. Возможно, Ганс и предпринимал какие-то шаги, чтобы скрыть от Шарлотты свою внебрачную связь, однако делал он это явно спустя рукава. Дети быстро сообразили, что в отсутствие матери надо очень осторожно передвигаться по дому, а не то можно попасть в очень неловкое положение. Иногда они отчетливо слышали, как их отец и служанка занимаются любовью в соседней комнате, когда Шарлотта уходила из дома за покупками. Догадывалась ли об этом Шарлотта? Дети считали, что нет. Однако вскоре служанки в доме стали меняться очень часто, причем становились все более уродливыми. С появлением каждой новой служанки Ганс неизменно начинал ритуал соблазнения сызнова.

Ганс не ограничивал сферу своих интересов только служанками. По вечерам он изменял жене в Берлине, объясняя свое позднее возвращение домой тем, что был вынужден задержаться на работе. Скрывать от Шарлотты любовные похождения Ганса помогала его сестра Марта. Когда Шарлотта звонила Марте домой и просила позвать

Ганса, который предположительно находился в гостях у своей сестры, последняя под тем или иным предлогом отказывалась это сделать. Вскоре Шарлотта поняла, что во время телефонных разговоров с Мартой не следует доверять ее словам относительно местонахождения Ганса. Отношения Шарлотты с золовкой испортились окончательно, когда они вдрызг разругались по поводу подарка, который Марта сделала Шарлотте на очередное Рождество. Последнее время Шарлотта много ела, чтобы хоть как-то отвлечься от горестных мыслей о своем несчастливом браке, и сильно прибавила в весе. А Марта подарила ей платье на несколько размеров больше, чем та носила. Шарлотта восприняла подарок Марты как явный намек на свою чрезмерную полноту и поссорилась с ней. Однако эта ссора меркнет в сравнении со скандалом, который Шарлотта закатила мужу по поводу его любовных приключений на стороне.

Сначала Ганс пытался успокоить Шарлотту, говорил, что она единственная, кого он по-настоящему любит, что остальные женщины для него ничего не значат, просто он ничего не может с собой поделать. В ответ Шарлотта заявила, что если он ничего не может с собой поделать, то она может — например, нанимая уродливых служанок. А Ганс философски заметил, что этим проблему не решишь, поскольку чем безобразней женщина, тем охотнее она принимает его ухаживания. Позднее, пытаясь объяснить детям свое поведение, Ганс говорил, что просто очень любит женщин, любит их настолько сильно, что желал бы сам стать женщиной.

Шарлотта пригрозила Гансу, что уйдет от него к человеку, который сможет по достоинству оценить ее. Тогда Ганс решил сам уйти от Шарлотты и переехать жить в Берлин к сестре Марте. Та даже подыскала ему подругу, которая, по выражению Марты, смогла бы присмотреть за ним. Однако до полного разрыва между Гансом и Шарлоттой дело все-таки не дошло.

Ганс не мог противостоять соблазнам не только в личной жизни, но и на работе. В шифрбюро, где он состоял на службе, изготавливались шифры, которые использовались в вооруженных силах Германии. Документы, имевшие отношение к шифрам, хранились в сейфе начальника шифрбюро майора Ошманна, сменившего на этом посту брата Ганса Рудольфа Шмидта, который возглавлял шифрбюро с 1925 по 1928 год. Благодаря протекции своего брата, Ганс стал доверенным лицом Ошманна и получил доступ к его сейфу. Не надо было обладать большими умственными способностями, чтобы сообразить, что, продав шифрдокументы другой стране, можно было заработать кучу денег. Ганс решился на этот шаг в 1931 году, вступив в контакт со Вторым бюро.

Агент Второго бюро, которому было поручено встретиться со Шмидтом в бельгийском городе Вервьерсе, прибыл туда под фамилией Лемуан. Это была девичья фамилия его жены-француженки. Немец по национальности, Рудольф Столлманн женился в 1918 году, эмигрировав из Германии во Францию. Его отец был богатым владельцем ювелирного магазина в Берлине. Во Втором бюро Лемуан больше был известен под кличкой «Король». Вполне вероятно, что при выборе клички для Лемуана решающую роль сыграло то обстоятельство, что он вел поистине королевский образ жизни (в том числе — за счет Второго бюро). Выполняя шпионские задания, Лемуан обычно останавливался в лучших отелях, снимал самые шикарные апартаменты. Своих осведомителей Лемуан задабривал, угощая лучшим французским шампанским и дорогими сигарами, которые сам очень любил. Когда Лемуан в первый раз встретился со Шмидтом, ему было уже за шестьдесят. Он обладал могучим телосложением, большой бритой наголо головой и пронзительными голубыми глазами, глядевшими на собеседника из-под очков в круглой оправе.

1 ноября 1931 года Шмидт появился в пышных апартаментах Лемуана. Поприветствовав гостя, Лемуан спросил его, что бы он стал делать, если бы дипломат из посольства Франции в Берлине, к которому Шмидт обратился за содействием, счел его провокатором и передал в руки немецкой полиции. В ответ Шмидт, который и так держался очень напряженно, заявил, что если весь их

разговор будет вестись в таком же духе, то он намерен немедленно прервать встречу и уйти. Лемуан пояснил, что хотел только удостовериться в серьезности его намерений. По словам Лемуана, французская разведка, интересы которой он представлял, вербовала лишь тех агентов, которые действительно желали сотрудничать с ней. Поэтому Лемуану было необходимо точно знать причины, которые толкнули Шмидта на предательство. Шмидт ответил, что испытывает серьезные финансовые затруднения и что, по его мнению, страна, которая не может должным образом позаботиться о своих гражданах, не в состоянии рассчитывать на их лояльность и преданность. Шмидт заявил также, что, будучи химиком по образованию, мог бы рассчитывать на хорошо оплачиваемую работу, если бы немецкое правительство проводило правильную экономическую политику.

С этого момента Лемуану стало совершенно ясно, как следовало вести себя со Шмидтом. Обещание крупных денежных сумм в обмен на секретную информацию — вот и все, что было нужно для вербовки. В результате уже в ходе первой своей встречи Лемуан и Шмидт пришли к взаимовыгодному соглашению. Шмидт пообещал в следующий раз принести все документы, к которым имел доступ, а Лемуан — сказать, сколько эти документы стоят.

Шмидт не разочаровал Лемуана. На второй встрече со Шмидтом, состоявшейся 8 ноября 1931 года в том же отеле, в качестве эксперта присутствовал также начальник шифровального отдела Второго бюро Густав Бертран. На этой встрече Шмидт продемонстрировал Лемуану и Бертрану справочное руководство по шифровальной машине «Энигма», которая использовалась в вооруженных силах Германии. А когда Шмидт принес им свои извинения за то, что не захватил с собой действующие ключевые установки для «Энигмы», Лемуан и Бертран поняли, что им достался кладезь ценнейшей информации, которая окажет неоценимую помощь как в обеспечении безопасности Франции, так и в их дальнейшем карьерном росте.

Оставшись с глазу на глаз с Лемуаном, Бертран предложил заплатить Шмидту 5 тысяч марок (примерно 15 тысяч долларов в современном исчислении). В ответ Лемуан заявил, что надо завладеть Шмидтом как агентом раз и навсегда, поэтому сумму, предложенную Бертраном, следует увеличить вдвое и, кроме того, необходимо пообещать Шмидту платить столько же, если он обязуется продолжить свое сотрудничество с французской разведкой. Бертран согласился с Лемуаном.

Пока Бертран фотографировал руководство по «Энигме» в соседней комнате, Лемуан заключил сделку со Шмидтом. Эта сделка сулила Шмидту огромные прибыли. Однако, как предупредил Лемуан, дороги назад у Шмидта не было: Второе бюро ни при каких обстоятельствах не позволит ему уклониться от выполнения обязанностей агента.

Вернувшись в Париж, Бертран показал купленные у Шмидта материалы своим подчиненным, так как был администратором, а не специалистом в области криптографии и не мог в точности оценить степень их полезности. Французские криптографы охладили пыл Бертрана, заявив, что эти материалы объясняют, как шифровать сообщения при помощи «Энигмы», однако не позволяют читать немецкие шифровки. Бертран был очень разочарован этим отзывом и решил проконсультироваться с английскими экспертами в области криптографии. Руководство Второго бюро одобрило его решение.

Как и Лемуан, англичанин Уилфред Дандердейл, возглавлявший резидентуру английской разведки во Франции, жил в основном на средства отца, богатого судовладельца. Бертран передал Дандердейлу копию справочного руководства по «Энигме» для последующей отсылки в Лондон. Ответ из Лондона, полученный Бертраном через Дандердейла, совпал с мнением французских криптографов: документы, переданные Шмидтом, не позволяют читать сообщения, зашифрованные с помощью «Энигмы».

Но Бертран не сдавался. Он попросил у начальства разрешения встретиться со своим польским коллегой, который еще задолго до встречи со Шмидтом, беседуя с Бертраном, упомянул, что польские криптографы трудились над взломом шифра, который использовался в немецких вооруженных силах. Получив разрешение, Бертран купил билет на поезд до Варшавы.

Бертран не знал, что за два года до его поездки в Варшаву шифрбюро министерства обороны Польши представилась возможность поближе познакомиться с «Энигмой». В последнюю субботу января 1929 года на варшавскую таможню из посольства Германии в Польше пришло уведомление, согласно которому необходимо было как можно скорее передать работникам посольства коробку, по недоразумению попавшую на варшавскую таможню. Когда заинтригованные поляки вскрыли коробку, то в ней они обнаружили «Энигму».

По поручению начальника польского шифрбюро 37-летнего майора Гвидо Лангера на таможню незамедлительно прибыли Людомир Данилевич и Антоний Палльтх — инженеры и совладельцы фирмы «АВА», которая работала в тесном контакте с шифрбюро. Они тщательно изучили попавший в руки польских таможенников экземпляр «Энигмы». Обследование закончилось только рано утром в понедельник, немецкая шифровальная машина была снова упакована в коробку и передана в посольство Германии. Поскольку никаких протестов со стороны посольских работников не последовало, вероятнее всего, никто так и не заподозрил, что поляки ознакомились с содержимым коробки.

Попытки сотрудников польского шифрбюро прочесть немецкую переписку, засекреченную с помощью «Энигмы», не дали результата. И немудрено. Хотя Данилевич и Палльтх сумели проследить путь, который электрический ток проделывал внутри «Энигмы» в процессе шифрования и расшифрования сообщений, обследованный ими образец представлял коммерческую модификацию «Энигмы». А в министерстве обороны Германии была принята на вооружение «Энигма», в которой электрические соединения были совершенно иными, чем в ее коммерческой модификации.

В январе 1929 года 30-летний начальник «немецкого» отдела шифрбюро министерства обороны Польши лейтенант Максимилиан Ченжский отправился в Познань, чтобы прочитать в местном университете курс лекций по криптологии. Самым способным студентам он предложил прослушать несколько лекций о том, как взламывать шифры. В числе 20 студентов, откликнувшихся на предложение Ченжского, были Мариан Режевский, Генрих Зыгальский и Ежи Розицкий, впоследствии поступившие на службу в шифрбюро. Позднее они вспоминали, что ни Ченжский, ни Палльтх на своих лекциях в Познаньском университете «Энигму» не упоминали, хотя именно в это время оба активно работали над ее взломом.

В конце 1931 года в Варшаву приехал Бертран и привез с собой фотокопию немецкого руководства по использованию «Энигмы». К этому времени несколько студентов Познаньского университета уже вовсю трудились над взломом простейших шифров в подвале армейского командного пункта в Познани. Этот подвал был передан в распоряжение сотрудников польского шифрбюро, которые между собой называли его «черным кабинетом». Естественно, что студентов не проинформировали о серии встреч, состоявшихся между Бертраном и Лангером. Бертран передал фотокопию руководства по использованию «Энигмы» Лангеру, который, проконсультировавшись со своими подчиненными, заявил, что в этих руководствах содержится весьма ценная информация, благодаря которой в польском шифрбюро пришли к заключению, что немецкие военные адаптировали для собственных нужд коммерческую модификацию «Энигмы», уже успевшую побывать в руках у поляков. Однако сотрудники польского шифрбюро подтвердили вердикт, вынесенный их французскими коллегами. Полученные от Бертрана материалы не позволяли читать немецкую военную переписку, поэтому Лангер попросил Бертрана попытаться раздобыть через своего агента ключевые установки для «Энигмы».

Вскоре после поездки Бертрана в Варшаву на очередной встрече, состоявшейся в Бельгии, Шмидт передал Бертрану действующие ключевые установки для «Энигмы». Они были незамедлительно отосланы дипломатической почтой Лангеру. В мае и сентябре 1932 года от Шмидта были получены новые ключевые установки для

«Энигмы», которые снова были доведены до сведения Лангера. Но ни в 1931-м, ни в 1932 году Бертран так и не дождался от поляков данных о том, насколько им удалось продвинуться во взломе «Энигмы».

Надо сказать, что Лемуан и Бертран были не единственными сотрудниками Второго бюро, регулярно встречавшимися со Шмидтом. Вскоре к ним присоединился Андре Перрюш, которого мало интересовали шифры. Он занимался сбором любых сведений, касавшихся франко-германских отношений. Перрюш считал информацию о планах перевооружения Германии, которую поставлял Шмидт, значительно более важной, чем какие-то там данные о немецких шифрах, с помощью которых Бертран надеялся прочесть сообщения, зашифрованные «Энигмой». Суждено ли сбыться этим надеждам Бертрана, Перрюш не знал. Однако ему было совершенно ясно, что содержание немецких планов перевооружения можно послать обычной почтой, изложив их на бумаге невидимыми чернилами. И Шмидту не надо было подвергать свою жизнь опасности, пересекая границу с секретными документами в портфеле. Иными словами, канал получения разведывательной информации можно было сделать значительно более надежным, если ограничиться данными, не имеющими отношения к шифрам.

К маю 1932 году Перрюш получил от Ганса Шмидта несколько писем с ценными разведывательными сведениями, источником которых в основном был брат Ганса Рудольф, занимавший довольно высокий пост в немецкой армии. Перрюш обратился к руководству Второго бюро с просьбой сократить до минимума число поездок Шмидта за границу для встреч с Лемуаном и Бертраном. Несмотря на возражения последнего, начальство встало на сторону Перрюша и поручило Лемуану проработать вопрос о том, как безопаснее всего организовать контакты со Шмидтом в Берлине.

Раздосадованный решением своего руководства Бертран отправился в Варшаву, где выразил Лангеру крайнюю обеспокоенность отсутствием прогресса в работе над взломом «Энигмы». Лангер попросил Бертрана проявить побольше терпения и пообещал, что тот будет первым, кто узнает об успехах, достигнутых польскими криптоаналитиками. По словам Лангера, требовалось сначала создать действующий образец «Энигмы» и только после этого можно приступить собственно к чтению немецких шифровок. В результате Бертран опять уехал из Варшавы ни с чем.

В конце ноября 1932 года Бертран в очередной раз встретился со Шмидтом в бельгийском городе Льеже. На этой встрече Бертран впрямую спросил Шмидта, действительно ли переданные им документы относились к модели «Энигмы», используемой вооруженными силами Германии. По существу, Бертран выразил сомнение в том, что информация, которой Шмидт снабжал французов, стоила тех денег, которые ему платило Второе бюро. В ответ Шмидт вспылил, заявив, что он не мошенник, каким его хочет представить Бертран. Открытой ссоры удалось избежать только благодаря Лемуану, который воздержался от перевода на немецкий язык самых нелестных эпитетов в адрес Шмидта. Присутствовавший на встрече Перрюш спешно предложил Бертрану перейти в другую комнату, чтобы Лемуан мог успокоить не на шутку разбушевавшегося Шмидта. Примирительный тон Лемуана вкупе с очередными пятью тысячами марок, выданными Шмидту в качестве аванса, возымели желаемое действие.

Однако деньги, которыми Второе бюро так щедро оплачивало услуги своего агента, вскоре стали представлять серьезную угрозу его безопасности. Дело в том, что Шмидт использовал их для улучшения качества своей жизни. Он сменил поношенную одежду, в которой появился на первой встрече в Вервьерсе, на элегантные костюмы и дорогие рубашки. Летом 1932 года Ганс и его жена Шарлотта совершили путешествие по Чехословакии, длившееся целых шесть недель. Затем они стали завсегдатаями самых фешенебельных швейцарских горнолыжных курортов. Наблюдая за семейной парой Шмидтов, сторонний наблюдатель скорее всего предположил бы, что они унаследовали огромное состояние, которое решили целиком потратить на то, чтобы устроить себе второй медовый месяц. В Берлине же Шмидт больше всего походил на одинокого холостяка, прожигающего жизнь в самых дорогих барах и ресторанах в компании шикарнейших дам. Во Втором бюро справедливо опасались, что руководство Шмидта может поинтересоваться, откуда у него взялись деньги на все это.

На одной из конспиративных встреч Лемуан посоветовал Шмидту перестать сорить деньгами, рискуя привлечь к себе повышенное внимание. Однако Шмидт не внял совету и затеял переустройство своего дома. Одновременно он приобрел большой завод по производству жира для мыловарен, планируя использовать его в качестве ширмы для своих доходов. Однако это была весьма дырявая ширма. Шмидт почти не уделял внимания делам завода, да и практикуемые им управленческие методы больше подходили для богадельни, чем для коммерческого предприятия. Так, например, Шмидт продолжал выплачивать рабочим их зарплату в полном объеме даже во время продолжительных отпусков, которые по несколько раз в год предоставлял им.

На помощь Шмидту пришел Лемуан, который придумал, как объяснить, откуда у Шмидта взялись такие большие средства. Якобы Шмидт изобрел прогрессивный метод изготовления мыла и заключил очень выгодный контракт с крупной французской мыловарней, которая обязалась выплачивать процент с доходов, получаемых благодаря использованию этого метода.

Улучшение материального положения семьи Шмидтов не принесло ее членам ни счастья, ни покоя. Глава семьи из доброго и внимательного отца семейства превратился в нетерпимого и раздражительного тирана. Чтобы вывести его из себя, достаточно было совершенного пустяка. И лишь один аспект жизни Шмидта не претерпел практически никаких изменений. Он продолжал оставаться неверным мужем, причем главным объектом его домогательств по-прежнему была прислуга в доме. С двенадцати лет примеру своего папочки последовал и Ганс-младший. Что же касается дочери Гизелы, то она в основном обсуждала с отцом свои планы относительно будущего замужества. Ганс-старший согласился с дочерью, что в качестве жениха ей следовало бы выбрать молодого человека, не имеющего отношения к военной службе. По мнению Шмидта, лучше всего, если это будет врач, которому он мог бы оказать достаточную денежную помощь, чтобы обзавестись богатой клиентурой.

А Гансу-младшему отец давал советы совсем другого рода. Он составил для сына список ночных клубов, где можно заводить знакомство с дамами, и особо предостерег от контактов с гомосексуалистами, которых нередко можно было встретить в этих клубах. Ганс-младший был блондином, и его отец вполне обоснованно опасался, что его чадо может стать объектом повышенного внимания со стороны сексуальных меньшинств.

Шмидт никогда не говорил дома о политике, не склонял своих детей к вступлению в какие бы то ни было политические организации. На службе Шмидт узнал о том, что в министерстве авиации Германии существует так называемый Исследовательский отдел — специальное ведомство, занимающееся прослушиванием телефонных разговоров. «Никогда не касайтесь политических тем, даже в беседах со своими близкими! — неоднократно советовал он Гизеле и Гансу-младшему. — Кто-нибудь всегда вас подслушивает».

В 1936 году Перрюш был назначен главным куратором Шмидта во Втором бюро. В этом своем новом качестве он первым делом распорядился, чтобы были отменены любые встречи Шмидта с сотрудниками Второго бюро за пределами Германии. Тем самым Перрюш стремился снизить риск, которому подвергал себя Шмидт, контактируя с французами. Это означало, что регулярным получением от Шмидта ключевых установок для «Энигмы» было решено пожертвовать ради более ценной информации о военных планах Германии.

1 октября 1936 года Рудольф Шмидт получил очередное повышение и вместе с ним чин генерала. Он нередко делился со своим братом секретной информацией, к которой имел доступ по роду службы. Именно от него во Втором бюро узнали, какими быстрыми темпами идет в

Германии процесс перевооружения, и о том, что в немецкой армии планировалось применение новой тактики, базировавшейся на использовании танковых дивизий.

Однако меры предосторожности, предпринятые Перрюшем и его непосредственным начальником во Втором бюро Гаем Шлессером, и придуманная ими процедура экстренной связи со Шмидтом, не требовавшая выезда за пределы Германии, неожиданно возымели обратный эффект. В случае острой необходимости Шмидт должен был позвонить Джорджу Блану, французскому журналисту, постоянно находившемуся в Берлине. Если в телефонной беседе Шмидт произносил условленную фразу «Дядюшка Курт скончался», это означало, что он незамедлительно хочет встретиться с Бланом в зале ожидания одного из берлинских вокзалов.

6 ноября 1937 года в 8 утра Шмидт позвонил Блану и произнес парольную фразу. После встречи со Шмидтом в условленном месте Блан отправился прямиком во французское посольство. В 11 утра посол Франции в Германии Андре Франсуа-Понсе получил из рук Блана переданный Шмидтом документ, в котором содержалась информация о состоявшемся накануне совещании Гитлера с представителями высшего военного командования страны. Согласно документу, Гитлер принял решение расширить территорию Германии за счет соседних с ней государств. Первыми в списке этих государств стояли Австрия и Чехословакия.

По инструкции Франсуа-Понсе должен был отправить документ дипломатической почтой. Благодаря предупреждению Шмидта, он знал, что некоторое время тому назад немцам удалось взломать шифр, который посол Франции использовал для засекречивания своих депеш, отсылаемых в Париж. И хотя французы успели сменить взломанный шифр, было очевидно, что немцы не оставят попыток взломать его снова. Несмотря на это Франсуа-Понсе послал донесение Шмидта, пользуясь телеграфной связью между Берлином и Парижем.

Телеграмму французского посла прочли в Исследовательском отделе министерства авиации Германии. Об этом Перрюш, Лемуан и Бертран узнали от самого

Шмидта, встретившись с ним одиннадцать дней спустя в Швейцарии. Шмидт был вне себя от ярости. Еще бы — послать столь важную информацию по такому ненадежному каналу связи! К счастью, знакомые Шмидта из Исследовательского отдела рассказали ему о перехваченной и прочитанной телеграмме французского посла прежде, чем Шмидт успел сообщить Блану дополнительные подробности совещания у Гитлера, полученные от Рудольфа. Шмидт передал документ с изложением этих подробностей Перрюшу с условием, что отныне вся получаемая от него информация будет переправляться в Париж, минуя французского посла в Германии.

До сих пор не ясно, почему Франсуа-Понсе нарушил инструкцию. Скорее всего, он посчитал донесение Шмидта настолько важным, что решил довести его содержание до сведения своего руководства как можно скорее. Но тогда не понятно, с какой целью французский посол изложил это содержание столь туманно. В его телеграмме в Париж от 6 ноября 1937 года, в частности, говорилось:

> «Вчера во второй половине дня Гитлер провел совещание, в котором приняло участие большое количество генералов и адмиралов... <...> включая генерала Геринга. В газетах об этом совещании ничего не сообщается, и трудно судить о том, чему оно было посвящено. Мне стало известно, что речь на нем шла о сырье и трудностях, связанных с нехваткой железа и стали для нужд военной промышленности. <...> Однако трудно себе представить, чтобы на совещании обсуждалось только это, учитывая, что такое большое количество высокопоставленных военных было приглашено к Гитлеру».

От телеграммы, посланной Франсуа-Понсе, пользы не было никакой. Один вред. Ему следовало либо изложить в деталях имевшуюся у него информацию о состоявшемся совещании, чтобы правительство Франции успело предпринять необходимые меры, либо не упоминать об этом совещании вовсе, чтобы не скомпрометировать самого ценного французского агента. Франсуа-Понсе не сделал ни того, ни другого.

В январе 1938 года на встрече в Берне Шлессер получил от Шмидта фотокопию стенограммы еще одного совещания. Оно состоялось 9 декабря 1937 года в кабинете главы немецкой военной разведки Вильгельма Канариса. Из стенограммы следовало, что немцы пришли к однозначному выводу о том, что Франсуа-Понсе знает о взломе французского дипломатического шифра, что ему известно о совещании у Гитлера больше, чем он сообщает в своей телеграмме, и что все подробности этого совещания Франсуа-Понсе собирается изложить в послании, которое будет отправлено в Париж дипломатической почтой.

Шмидт объяснил Шлессеру, что, будучи прикомандированным к Исследовательскому отделу в качестве представителя шифрбюро, может следить за ходом расследования дела об утечке секретной информации. Познакомившись со стенограммой совещания у Канариса, Шлессер ужаснулся. В ней говорилось:

> «На следующий день после совещания у Гитлера Франсуа-Понсе составил точный доклад о том, что именно обсуждалось на этом совещании. Присутствующие были опрошены на предмет имеющихся у них подозрений по поводу лица, явившегося причиной утечки секретной информации. Опрос не дал никаких результатов. Канарис напомнил всем о том, что главная цель данного совещания — любой ценой выяснить, каким образом эта информация попала к Франсуа-Понсе».

Тем временем во Втором бюро была разработана новая процедура связи со Шмидтом. Отныне любые контакты с ним в Германии были категорически запрещены. Для составления своих донесений во Второе бюро Шмидт должен был использовать специальные невидимые чернила. Письма с донесениями Шмидту следовало отсылать по нескольким адресам, один из которых находился в Женеве.

Другое нововведение впрямую затрагивало интересы Бертрана. Шмидту было предложено попытаться перейти из шифрбюро в Исследовательский отдел. Там, по мнению руководства Второго бюро, он смог бы лучше отслеживать разбирательство в отношении утечки данных о совещании у Гитлера.

В 1938 году все без исключения сотрудники Второго бюро, которые знали о существовании Шмидта и знакомились с получаемой от него информацией, пришли к одному и тому же выводу: эта информация не позволяет взломать «Энигму» и читать немецкую военную шифрпереписку. Тогда же во Втором бюро был придуман план операции с целью решить проблему «Энигмы» раз и навсегда. Французские агенты, имевшие контакты с немецкой разведкой, должны были распространить ложные сведения о том, что французам удалось взломать «Энигму». Предполагалось, что немцы, напуганные этим известием, заменят «Энигму» на другую шифровальную машину, которую будет легче взломать.

Доподлинно не известно, получил ли этот план одобрение со стороны руководства Второго бюро. Возможно, оно посчитало, что подобную операцию лучше провести не столько против немцев, сколько против поляков, чтобы вынудить последних рассказать, насколько им удалось продвинуться в работе над взломом «Энигмы». Но каковы бы ни были мотивы, которыми руководствовалось Второе бюро, задумывая свою операцию, Лангер, узнав о ней в 1938 году от Бертрана, пришел в ужас. Он убедил Бертрана на некоторое время отложить ее проведение, клятвенно обещая, что вскоре французы будут должным образом информированы об успехах, достигнутых поляками. Однако Лангер умолчал о том, что нарушил прежнее свое обещание в первую очередь сообщить Бертрану о прорыве в работе над «Энигмой». Ведь польским криптоаналитикам удалось ее взломать еще в 1933 году!

## Первые успехи

Каждый вечер Антоний Палльтх, инженер и совладелец польской фирмы «АВА», закончив свой рабочий день в фирме, садился в большой черный лимузин и в сопровождении вооруженной охраны возвращался домой. При себе Палльтх имел портфель, прикованный наручниками к запястью. В портфеле находились немецкие шифровки, над чтением которых он работал до самого утра, когда приезжал посыльный и забирал их. Иногда от перенапряжения Палльтх терял зрение и был вынужден просить свою жену проводить его в спальню.

Однако, несмотря на маниакальное упорство, с которым трудился Палльтх, и мастерство, проявленное им при взломе немецких шифров, с «Энигмой» у него так ничего и не вышло. И тогда начальник «немецкого» отдела шифрбюро министерства обороны Польши Ченжский решил поручить работу над «Энигмой» трем выпускникам Познаньского университета, ученикам Палльтха.

Самым молодым из них был Ежи Розицкий, которому не исполнилось и 20 лет, когда он пришел на первую лекцию Палльтха по криптологии в Познаньском университете. Отец Ежи, пьяница, бабник и картежник, в свое время был богатым землевладельцем на Украине, и друзья считали его счастливчиком, который, войдя в реку совершенно голым, непременно выйдет оттуда в цилиндре и смокинге. По своему характеру Ежи Розицкий был экстравертом, ему было очень трудно держать в секрете все то, чем он занимался в шифрбюро. Приходя домой со службы, Ежи обычно целовал мать в щеку и говорил: «Как жаль, что я не могу рассказать тебе о своей работе, чтобы ты могла гордиться мной». Когда Ежи было всего четыре года, мать заметила, что он тайком помогает старшему брату-школьнику решать задачи по математике. Тогда, отругав Ежи как следует, она сказала ему: «Тебя ждет большое будущее. Я буду очень гордиться тобой». Эти слова глубоко запали ему в душу, и он очень боялся, что не сможет оправдать надежды матери.

Мариан Режевский и Генрих Зыгальский сильно отличались от Розицкого. Оба обладали сильным характером и были весьма практичными молодыми людьми. Старшим по возрасту был Режевский — в 1929 году, когда он откликнулся на предложение Ченжского прослушать курс лекций по криптологии в Познаньском университете, ему уже исполнилось 23 года. Режевский и учился намного лучше, чем Розицкий и Зыгальский, а его отец, торговец сигарами, неустанно повторял, что Мариан — настоящий гений.

Весной 1932 года Режевский, Розицкий и Зыгальский закончили Познаньский университет и осенью того же года переехали в Варшаву, где поступили на службу в польское шифрбюро. Однажды Ченжский пригласил их в свой кабинет и предложил поучаствовать в работе над взломом «Энигмы». Знакомя Режевского, Розицкого и Зыгальского с имеющейся информацией по «Энигме», большая часть которой была получена от Шмидта, Ченжский попросил их ничего не говорить о своем новом задании другим сотрудникам шифрбюро.

Благодаря Шмидту, полякам было известно, что «Энигма» использовалась для шифрования сообщений, которые затем пересылались по радио с помощью азбуки Морзе. Например, требовалось послать сообщение:

Hitler ist in Berlin.

Немецкий оператор «Энигмы» нажимал клавишу Н и записывал в свой блокнот букву с лампочки, загоравшейся на световой панели шифровальной машины. И так далее для каждой буквы открытого текста шифруемого сообщения.

Сведения об «Энигме», переданные Шмидтом, позволяли также понять физическую природу процесса шифрования. Нажатие клавиши на клавиатуре «Энигмы» замыкало электрическую цепь, состоявшую из коммутационной панели, трех дисков и рефлектора. Проходя через коммутационную панель и диски, ток отклонялся от своего первоначального маршрута и попадал на рефлектор, который посылал его снова через диски и коммутационную панель, но уже по другому маршруту. Свое путешествие в недрах «Энигмы» ток завершал на световой панели, где загоралась лампочка, помеченная одной из букв латинского алфавита.

Коммутационная панель «Энигмы» выглядела как обычный телефонный коммутатор и состояла из штекерных гнезд, в которые втыкались соединительные шнуры. Ключевые установки для «Энигмы», которыми Шмидт снабжал французское Второе бюро, в частности определяли, каким образом отправитель и получатель сообщения должны были соединить шнурами гнезда на коммутационной панели, чтобы правильно зашифровать и расшифровать его. Изменения в соединения на коммутационной панели вносились ежеквартально.

Каждый из трех дисков «Энигмы» мог вращаться вокруг горизонтальной оси отдельно от остальных или совместно с ними, подобно велосипедным колесам. На правой стороне диска находились 26 контактных иголок, служивших входами для электрического тока, генерируемого путем нажатия соответствующих клавиш на клавиатуре «Энигмы». На левой стороне диска располагались 26 контактных пластин, являвшихся выходами для электрического тока, проходившего через диск.

Электрический ток, попадая на контактную иголку, выходил с левой стороны диска через контактную пластину, а оттуда попадал прямиком на контактную иголку следующего диска. Пройдя через все три диска, электрический ток отражался рефлектором и посылался в противоположном направлении, снова проделывая путь через все три диска и коммутационную панель, минуя их в обратном порядке. Конечной точкой этого пути являлась лампочка с нанесенной буквой на световой панели. Именно она и являлась буквой шифрованного текста, подлежавшего отправке адресату сообщения.

Внутри каждого диска находились 26 проводов, соединявших иголки на правой стороне диска с пластинами на левой. Таким образом, если обозначить контактные иголки и пластины диска буквами латинского алфавита, получится, что электрический ток, поданный на контактную иголку, помеченную, скажем, буквой A, выходил с другой стороны диска через контактную пластину Z. Затем электрический ток проходил через следующий диск, снова отклоняясь в своем движении от прямой траектории. Миновав все три диска, ток отражался рефлектором и двигался обратно по ломаной линии через диски и коммутационную панель, заканчивая свой сложный путь на световой панели «Энигмы».

Самый правый диск «Энигмы» поворачивался на $^1/_{26}$ часть своего полного оборота каждый раз, когда оператор нажимал клавишу на клавиатуре. А значит, в результате двойного нажатия на одну и ту же клавишу путь, который электрический ток проделывал внутри «Энигмы», был различным. Соответственно менялась и лампочка, которая загоралась на световой панели «Энигмы».

Любой из трех дисков «Энигмы» мог быть установлен в крайнюю правую позицию, посередине или в крайнюю левую позицию. О порядке расположения дисков «Энигмы», равно как и о соединениях на ее коммутационной панели, французов регулярно информировал Шмидт.

Еще одним важным составным элементом «Энигмы», положение которого требовалось задать для правильного зашифрования и расшифрования сообщений, являлось кольцо, установленное по внешнему периметру каждого диска. На кольцо были нанесены буквы латинского алфавита, и его можно было вращать вокруг оси диска. Положение кольца фиксировалось на диске с помощью специальной защелки и однозначно определялось буквой, находящейся на кольце напротив защелки. Эти буквы (по одной для каждого диска) были видны сквозь прорези на лицевой панели «Энигмы» и использовались отправителем шифрованного сообщения, чтобы задать исходное угловое положение, в которое получатель сообщения должен был установить диски своего экземпляра «Энигмы», чтобы правильно его расшифровать.

У колец было еще одно назначение. На каждом кольце имелся зубчик, который, после того как диск занимал определенное положение, заставлял поворачиваться ровно на одну позицию следующий диск «Энигмы», расположенный левее. Это положение было различным для каждого из трех дисков. Путем несложных вычислений можно убедиться, что исходное угловое положение, в которое были установлены диски «Энигмы», воспроизводилось вновь после примерно 17 тысяч нажатий клавиш на клавиатуре.

Режевский понимал, что для чтения немецких шифровок ему необходимо обзавестись точной копией «Энигмы». А чтобы ее изготовить, он должен выяснить, как контактные иголки и пластины соединены между собой внутри каждого из трех дисков. В декабре 1932 года Режевский, используя данные, полученные от Шмидта, вывел сложную алгебраическую формулу, позволявшую вычислить эти соединения для первого и второго дисков «Энигмы».

Однако при работе над формулой он допустил ошибку. Дело в том, что помимо трех вращающихся дисков в «Энигме» был еще один неподвижный диск. Режевский предположил, что этот четвертый диск устроен точно так же, как и такой же диск в коммерческой модификации «Энигмы». Предположение было неверным. В отличие от коммерческой модификации, в «Энигме», которую использовали немецкие военные, четвертый диск никак не влиял на направление движения электрического тока. И только когда Режевский осознал допущенную им ошибку, он смог совершенно точно определить соединения внутри первого и второго дисков «Энигмы».

Что же касается третьего диска и рефлектора, то их внутренние соединения Режевский сумел вычислить, используя пример, найденный им в руководстве по использованию «Энигмы», которое французам передал Шмидт. В этом примере был приведен текст сообщения на немецком языке и соответствующий ему шифрованный текст, полученный с помощью указанных в примере ключевых установок.

После того как Режевский восстановил внутренние соединения всех дисков и рефлектора, Палльтх и его коллеги в фирме «АВА» приступили к изготовлению точной копии «Энигмы». Из соображений секретности часть этого процесса происходила в здании польского Генерального штаба. Однако наиболее шумные операции все равно пришлось производить в помещениях, принадлежавших фирме «АВА». Работа велась там в неурочные часы и с привлечением только особо доверенных служащих.

Еще в конце 1930 года Палльтх и Данилевич, инженеры из «АВА», которые годом раньше были привлечены к обследованию экземпляра «Энигмы», случайно попавшего в руки поляков, изготовили прототип «Энигмы». Это был именно прототип, поскольку соединения внутри дисков им были неизвестны. Однако прототип содержал все необходимые элементы, чтобы превратить его в полноценную «Энигму», когда эти соединения станут известны. Для изготовления прототипа потребовалось всего полгода.

Как только точная копия «Энигмы» была готова, Режевский, Розицкий и Зыгальский попытались прочесть перехваченные немецкие шифровки. И снова их невольными помощниками в этом трудном деле стали сами немцы. Согласно инструкции, оператор «Энигмы» должен был сначала дважды зашифровать так называемый разовый ключ (угловое положение дисков «Энигмы» в момент шифрования первой буквы сообщения) и поместить полученный результат в начало шифровки. Однако любой, кто хоть сколько-нибудь разбирается в шифрах, знает, что повторы в тексте шифруемого сообщения допускаются только в том случае, если обойтись без них совершенно невозможно. Иначе эти повторы могут быть замечены противником и использованы для чтения шифровок.

При шифровании сообщений немецкий оператор «Энигмы» проделывал следующую процедуру. Предположим, что порядок следования дисков и соединения на коммутационной панели «Энигмы» и у получателя, и у отправителя шифрованного сообщения были одинаковыми. Отправитель шифровки придумывал, в какое угловое положение поставить диски. Допустим, это было BYS. Он устанавливал диски в другое угловое положение (скажем, XYZ), взятое из календарного списка суточных ключей, который заблаговременно рассылался по всем узлам связи, и дважды набирал на клавиатуре BYS. Затем отправитель сообщения считывал со световой панели две шифрованные версии BYS (пусть это будет ABS OVR). Данные шесть букв назывались индикатором, поскольку служили для того, чтобы получатель сообщения мог узнать, какой разовый ключ использовался при шифровании. И наконец отправитель сообщения устанавливал диски в положение BYS, шифровал сообщение и посылал по радио кодом Морзе.

Прежде чем приступить к расшифрованию пришедшего сообщения, его получатель устанавливал диски своего экземпляра «Энигмы» в угловое положение, определяемое календарным списком суточных ключей (XYZ). После этого дважды набирал на клавиатуре индикатор (ABS OVR) и получал два раза повторенный разовый ключ (BYS BYS). Установив диски в угловое положение, задаваемое разовым ключом, получатель шифровки мог приступать к ее расшифрованию.

Требование шифровать разовый ключ дважды оказалось самым уязвимым местом «Энигмы» и позволило читать немецкие шифровки в 30-е годы и в начале 40-х годов. Режевский, Зыгальский и Розицкий разработали так называемый характеристический метод взлома «Энигмы», который основывался на том, что во всех немецких шифровках, перехваченных за сутки, первые шесть букв были зашифрованы с использованием одного и того же суточного ключа.

15 сентября 1938 года немцы внесли существенное изменение в процедуру шифрования сообщений с помощью «Энигмы». Отныне, вместо того чтобы устанавливать диски в соответствии с календарным списком суточных ключей, немецким операторам связи предлагалось самим выбирать исходное угловое положение дисков и в незашифрованном виде доводить до сведения получателя сообщения. В результате характеристический метод оказался неприменим. Однако в ответ поляки придумали два новых метода, которым впоследствии суждено было сыграть весьма существенную роль при взломе «Энигмы». Это были перфокарты и «Бомба».

После войны никто из польских криптоаналитиков так и не смог вспомнить, почему несколько соединенных вместе «Энигм» назвали «Бомбой». По одной из версий, Режевский, Зыгальский и Розицкий, когда их осенила эта идея, сидели в кафе и ели фирменное мороженое под названием «Бомба». По другой версии, в изобретенном ими устройстве весьма своеобразным датчиком служили несколько небольших грузил, которые, подобно бомбе, падали вниз, когда вскрывались искомые ключевые установки для «Энигмы». Первая «Бомба» была изготовлена в ноябре 1938 года и состояла из шести «Энигм» — по одной для каждого варианта расположения дисков в «Энигме». Чтобы определить порядок следования дисков в «Энигме», требовалось не более двух часов работы «Бомбы». К этому времени производительность «Бомбы» стала решающим фактором, который обеспечил полякам успех в работе над взломом «Энигмы». Если в начале 1933 года, когда Режевский сумел восстановить внутренние соединения всех дисков и рефлектора «Энигмы», немцы меняли порядок следования дисков каждые три месяца, то в 1936 году это уже делалось сначала ежемесячно, а потом и ежедневно.

Однако уже тогда было совершенно ясно, что успех Режевского и его коллег весьма скоротечен. «Бомба» срабатывала, только если количество соединенных между собой штекерных разъемов коммутационной панели было относительно невелико. До 1938 года число таких соединений обычно колебалось в пределах от 10 до 16. Тем не менее немецкие операторы связи в любой момент могли получить приказ увеличить это число сверх 16, и тогда «Бомба» перестала бы в приемлемые сроки справляться с определением ключевых установок для «Энигмы».

Перфокарты представляли собой второе хитроумное приспособление, придуманное поляками для ускорения процесса вскрытия ключевых установок для «Энигмы». Автором этого изобретения был Зыгальский, однако понадобилось довольно много времени, чтобы воплотить его идею в жизнь.

Зыгальский первым заметил, что количество различных индикаторов, которые присутствовали в немецких шифровках, перехваченных за сутки, было относительно невелико. Эти индикаторы, как правило, были чем-то схожи: в них совпадали или первая и четвертая буквы, или вторая и пятая, или третья и шестая. Такие индикаторы на жаргоне польских криптоаналитиков назывались «самками». Самая существенная особенность «самок» состояла в том, что немецкие операторы были весьма ограничены в выборе ключевых установок (угловых положений дисков, порядка их следования и расположения на них колец), чтобы в результате шифрования примененного разового ключа получить эти «самки». Поэтому, как только поляки отмечали появление «самки» в перехваченной немецкой шифровке, они могли не рассматривать ключевые установки, с помощью которых невозможно было получить данную «самку». В среднем количество таких отбракованных ключевых установок, приходящихся на одну «самку», составляло порядка 40 процентов. Однако чтобы это правило начало действовать, необходимо было найти по крайней мере две «самки». Соответственно, с ростом числа обнаруженных «самок» уменьшалось число ключевых установок для «Энигмы», которые польским криптоаналитикам приходилось проверять.

С помощью перфокарт поляки автоматизировали этот процесс. Если определенная ключевая установка могла привести к появлению «самки», то в соответствующем месте соответствующей перфокарты пробивалось отверстие. Если появление «самки» было исключено, отверстие не пробивалось. Перфорация производилась заранее и предшествовала попытке вскрыть ключевые установки. Перфокарты, имевшие отношение к «самкам», появление которых было отмечено за текущие сутки, складывались стопкой на столе. В этой стопке каждая «самка» была представлена отдельной перфокартой. Сквозное отверстие в стопке соответствовало ключевой установке для «Энигмы», которая могла породить «самок», обнаруженных в течение суток. Отверстий было немного. Небольшим было и количество ключевых установок, среди которых необходимо было ручным способом отыскать ту единственную, которая использовалась немцами для шифрования своих сообщений.

Интересная особенность метода вскрытия ключевых установок для «Энигмы» с помощью перфокарт состояла в том, что он совершенно не зависел от соединений на ее коммутационной панели. Если бы немцы соединяли шнуром каждое гнездо коммутационной панели с каким-то другим ее гнездом, то количество таких соединений равнялось бы примерно восьми триллионам. Изготовить набор перфокарт для каждого соединения было бы совершенно нереально. Однако оказалось, что если «самка» порождалась какой-то ключевой установкой, когда соединения между гнездами на коммутационной панели отсутствовали, то «самка» возникала и при соединении некоторых или даже всех гнезд между собой. Менялись лишь буквы, входившие в состав «самки». Скажем, если бы гнездо А было подсоединено к гнезду В, то «самка» выглядела бы как ВАН BIC, а в отсутствие каких-либо соединений на коммутационной панели «самка» представляла бы собой LAH LIC.

Тот факт, что буквы в индикаторах, в которых имелись «самки», были различными, не имел значения. Цель теста состояла лишь в проверке возможности породить индикатор с «самкой» при установке дисков «Энигмы» в определенное исходное угловое положение. Соединения разъемов на коммутационной панели на результаты этого теста никакого влияния не оказывали, и польские криптоаналитики их попросту игнорировали.

Тем не менее задача получения полного набора перфокарт и без того была весьма трудоемкой. Количество перфораций, которые необходимо было сделать, равнялось примерно 150 тысячам. Поляки не смогли автоматизировать этот процесс, и к середине декабря 1938 года в условиях катастрофического дефицита рабочих рук им удалось обработать всего два из шести возможных вариантов порядка следования дисков в «Энигме». Задача еще больше усложнилась, когда немецкие операторы получили в свое распоряжение два дополнительных диска и вместе с ними — возможность выбирать из пяти дисков три, которые устанавливались в «Энигму». В результате количество вариантов расположения дисков в «Энигме» возросло с 6 до 60 и, как следствие, десятикратно выросло число перфокарт, которые польские криптоаналитики должны были изготовить для ускорения процесса вскрытия ключевых установок для «Энигмы».

Очередное изменение в процедуру использования «Энигмы» немцы внесли в начале 1939 года. Они решили соединить между собой большее число разъемов на коммутационной панели. До этого число подсоединенных разъемов колебалось от 10 до 16. Начиная с 1939 года немецким операторам секретной связи предписывалось задействовать от 14 до 20 разъемов.

Внесенные изменения не замедлили неблагоприятно сказаться на эффективности работы польских криптоаналитиков. И хотя они довольно скоро смогли установить внутренние соединения для двух дополнительных дисков «Энигмы», в первые месяцы 1939 года им удавалось читать только те немецкие сообщения, которые были зашифрованы без использования этих дисков. У поляков не было времени, чтобы изготовить нужное количество перфокарт и переделать «Бомбу» с учетом появления в «Энигме» двух дополнительных дисков и увеличения числа соединенных между собой разъемов на коммутационной панели.

24—25 июля 1939 года в Варшаве прошло совещание, на котором английский криптолог Дилли Нокс, директор английской Правительственной криптографической школы Аластер Деннистон, начальник шифровального отдела французского Второго бюро Густав Бертран и французский криптолог Генри Бракени узнали, наконец, от своих польских коллег о взломе ими «Энигмы». Присутствовавшие на совещании англичане и французы получили от поляков по одной копии «Энигмы» вместе с инструкциями по изготовлению и использованию перфокарт для вскрытия ключевых установок.

Первый вопрос, который Нокс задал присутствовавшим на совещании польским криптоаналитикам, касался внутренних соединений дисков «Энигмы». Когда Нокс узнал, что поляки давным-давно вычислили эти соединения, то был оскорблен до глубины души. Однако он сдержался и дал волю обуревавшим его чувствам только в такси, направляясь после окончания совещания в варшавский отель, в котором остановился вместе с Деннистоном.

Обиделись на поляков и французы. В беседе с возвратившимся из Варшавы в Париж Бертраном Гай Шлессер остроумно заметил, что поляки поделились информацией о достигнутых ими успехах только тогда, когда натолкнулись на непреодолимые трудности. После этого поляки поспешили сбыть с рук два ставших теперь ненужными экземпляра «Энигмы» своим союзникам — англичанам и французам, чтобы те попытались приспособить их для вскрытия ключевых установок. И если Бертрану за его излишнюю доверчивость почти ничего не грозило, не считая насмешек коллег и недовольства руководства, то Шмидт, который с 1933 по 1936 год регулярно снабжал Второе бюро ключевыми установками для «Энигмы», рисковал собственной жизнью. Ведь даже после того, как Режевский сумел определить внутренние соединения дисков «Энигмы» и поляки начали читать немецкие шифровки, Шмидт продолжал передавать французам ключевые установки, которые поляки научились вскрывать без его помощи.

В марте 1938 года немецкая контрразведка арестовала Лемуана, но вскоре он был выпущен на свободу. И хотя во Втором бюро поверили Лемуану на слово, что он никого не предал и не перевербован немцами, ему было запрещено контактировать со Шмидтом. Единственный положительный аспект в этой истории с поляками заключался в том, что благодаря их «сдержанности» Лемуан до своего ареста так ничего и не успел узнать об успехах польских криптоаналитиков. Поэтому и проболтаться о них немцам он никак не мог.

## Бегство

Утром 1 сентября 1939 года движение по мосту, соединявшему немецкий Кёльн и французский Страсбург, было перекрыто. С одной стороны — шеренгой вооруженных винтовками немецких солдат, а с другой — французскими солдатами, тоже вооруженными.

Гарри Хинсли, 20-летний студент третьего курса Кембриджского университета, медленно шел по мосту, намереваясь пересечь границу между Францией и Германией. А в это самое время немецкие войска начали вторжение в Польшу, которая была союзницей Англии и Франции.

Вступление этих стран в войну против Германии стало неизбежным.

Если бы немцы могли предвидеть, какой урон им и их союзникам во Второй мировой войне нанесет этот молодой человек, они бы непременно арестовали его и надолго упекли в тюрьму, а то и вовсе лишили бы жизни. Однако Хинсли ничем не выделялся среди своих сверстников, приехавших провести студенческие каникулы в Германии.

Отец Гарри был слесарем, специалистом по замкам, и зарабатывал на жизнь изготовлением ключей и замков для парадных дверей многочисленных дворцов и музеев Берлина. А Хинсли-младший был обычным английским студентом, решившим попрактиковаться в немецком языке во время каникул. Поэтому немецкие таможенники не обратили особого внимания на юношу и лишь конфисковали у него всю наличность. Их ничуть не заботило, как, не имея в кармане ни гроша, он сможет прожить в чужой стране. Следующую ночь Хинсли провел на скамейке в городском парке Страсбурга.

Отправляясь в Германию в августе 1939 года, Хинсли прекрасно осознавал растущую напряженность в ее отношениях с Англией. Однако эти отношения были не менее напряженными в 1938 году во время мюнхенского кризиса, и ничего страшного не случилось. Хинсли остановился погостить у своей подружки в городе Кобленце на юго-востоке Германии. Там его встретили столь же радушно, как и годом ранее. Единственным изменением было требование каждый день посещать полицейский участок. Но и от этого в Кобленце отказались сразу после подписания договора о ненападении с Советской Россией. В полицейском участке Хинсли сказали, что его вызовут, если возникнут какие-либо вопросы. Все немцы, с которыми встречался Хинсли, почему-то были уверены, что теперь войны в Европе удастся избежать.

Однако не прошло и недели, как Хинсли вызвали в полицейский участок и посоветовали как можно скорее покинуть Германию. Хинсли послушался и через неделю оказался во Франции, откуда автостопом перебрался в Швейцарию. Там он обратился за содействием в английское посольство, и ему помогли вернуться в Англию незадолго до того, как премьер-министр Невилл Чемберлен объявил войну Германии.

В Кембридже всем третьекурсникам было объявлено, что им позволят закончить обучение, прежде чем они будут призваны на военную службу. Однако в сложившихся условиях Хинсли стоило больших трудов сосредоточиться на изучении истории. Судьба его оказалась предопределена, когда Аластер Деннистон, руководитель Правительственной криптографической школы (ПКШ), попросил знакомого преподавателя Кембриджа подыскать способных студентов для работы в недавно созданном подразделении ПКШ, расположившемся в поместье Блетчли-Парк в графстве Букингемпшир.

Хинсли оказался в числе студентов, отобранных Деннистоном для собеседования. В ходе разговора Деннистон ни словом не обмолвился о том, какую работу собирается предложить Хинсли, а просто обещал гражданскую вакансию в министерстве иностранных дел. Хинсли принял предложение Деннистона и после визита в одну из министерских контор в Лондоне отправился в Блетчли-Парк, где ему было суждено проработать шесть лет. Поместье включало в себя большой дом в викторианском стиле, пруд и несколько одноэтажных зданий, построенных по типовому проекту. Хинсли попал в секцию военно-морской разведки, разместившуюся в корпусе под номером четыре. Его начальником стал Фрэнк Берч, руководитель «немецкого» отдела. Особыми успехами этот отдел похвастаться не мог. Приступив к работе, Хинсли сразу же попытался собрать всю имеющуюся в отделе информацию о перехваченных немецких шифровках. Информация была весьма скудной и включала в себя дату отправки сообщения, время перехвата и частоту, на которой было перехвачено. Иногда было известно, откуда послана шифровка, — эти данные в Блетчли-Парк поступали из службы перехвата английских военно-морских сил. Проанализировав имевшуюся информацию, Хинсли пришел к выводу, что немцы имели две отдельные сети связи: одну — для своего балтийского флота, а другую — для кораблей, базировавшихся за пределами Балтики. При этом обе сети были едиными и для надводных кораблей, и для подводных лодок военно-морских сил Германии.

В отличие от Хинсли польским криптоаналитикам пришлось приложить значительно больше усилий, чтобы вырваться с оккупированных немцами территорий. После начала вторжения немецких войск в Польшу Режевский решил покинуть страну вместе с женой и двумя детьми. Для начала он попытался забрать все свои сбережения, лежавшие на его счету в одном из варшавских банков. Проведя несколько суток в очереди перед наглухо закрытыми дверями банка, Режевский утвердился в мысли, что получить деньги обычным способом не удастся. Прибегнув к помощи влиятельных знакомых, он смог вернуть лишь часть денежных средств. Дома Режевский велел жене срочно готовиться к отъезду из Варшавы, но она возразила, что ей лучше остаться в варшавской квартире, поскольку дети слишком малы, чтобы перенести тяготы, связанные с бегством из страны, где шла война (младшей дочери Режевского было всего семь месяцев от роду). В подобной ситуации оказался и другой польский криптоаналитик Розицкий, у которого тоже был маленький ребенок.

Положение прояснилось только 3 сентября. Розицкий прибежал домой вместе со своим коллегой Зыгальским и сообщил жене, что его подразделение передислоцируется в Брест-Литовск, расположенный к востоку от польской столицы. В тот же день Розицкий решил отправить жену и ребенка в пригород Варшавы к своей матери. Режевский и Палльтх также вынуждены были расстаться со своими семьями.

Начальник польского шифрбюро Лангер распорядился погрузить наиболее ценные документы на грузовик и отвезти их к поезду, предназначенному для эвакуации офицеров Генерального штаба. Остальные документы были сожжены прямо во дворе здания, где размещалось шифрбюро. Перед отъездом Лангер собрал всех своих подчиненных и произнес речь, суть которой сводилась к тому, чтобы любой ценой сохранить в секрете все, касавшееся «Энигмы».

Отправление поезда было задержано на неопределенный срок из-за начавшегося немецкого авианалета на Варшаву. Вернувшись домой, Розицкий обнаружил, что жена так и не смогла выехать из города из-за бомбежки, и настоял, чтобы она отправилась на вокзал вместе с ним. Поезд тронулся в направлении Брест-Литовска только 6 сентября, но едва оказавшись за пределами Варшавы, подвергся бомбардировке. Пассажиры укрылись от бомб под вагонами, а потом долго восстанавливали поврежденное железнодорожное полотно и расчищали завалы, прежде чем смогли двинуться дальше.

Через три дня поезд прибыл в Брест-Литовск. Однако немецкие бомбардировки продолжались и здесь. И уже на следующий день поступил приказ всем сотрудникам шифрбюро готовиться к эвакуации в Румынию, оставив свои семьи в Брест-Литовске. Они пересели в автобусы, предварительно погрузив документацию вместе с «Энигмами» и «Бомбами» на грузовик. Недалеко от польско-румынской границы у грузовика кончилось горючее и поляки были вынуждены закопать все оборудование и документацию в лесу.

В Румынии Режевский и его коллеги были помещены в лагерь для беженцев. Однако им удалось добраться до Бухареста и обратиться в английское посольство. Их приход туда совпал с прибытием английских дипломатов, бежавших из Варшавы, и посол, сославшись на чрезвычайную занятость и отсутствие инструкций, отказался помочь польским беженцам, пока не будет получено соответствующее указание из Лондона. Опасаясь, что решение вопроса может затянуться на несколько дней, поляки решили попытать счастья во французском посольстве. Там их приняли с распростертыми объятиями, немедленно выдали визы для въезда во Францию и снабдили билетами на поезд до Парижа.

В начале октября 1939 года большинство сотрудников польского шифрбюро оказалось во Франции. Немедленно приступить к работе им помешало отсутствие их начальников, Лангера и Ченжского, которые застряли в одном из румынских лагерей для беженцев. После прибытия

Лангера и Ченжского полякам было предоставлено поместье Арменвильер, примерно в 40 километрах к северо-востоку от французской столицы. Однако чтение немецких шифровок наладить не удалось. И хотя французы довольно быстро приступили к производству новых копий немецкого шифратора, при вскрытии ключевых установок для «Энигмы» польским криптоаналитикам были совершенно необходимы перфокарты, изготовить которые собственными силами они не могли.

В отличие от своих польских коллег английские криптоаналитики вели более размеренный и спокойный образ жизни. 12 сентября 1939 года директор ПКШ Деннистон обратился к своему начальнику Стюарту Мензису, руководителю Секретной разведывательной службы (центрального органа английской разведки), по поводу трудностей, с которыми столкнулись он и его подчиненные. Особую озабоченность Деннистона вызвал тот факт, что служебные здания располагались в Блетчли-Парке на довольно значительном расстоянии одно от другого:

> «Те три недели, которые мы провели здесь, стояла хорошая погода. Поэтому хождение по территории доставляло нам удовольствие, хотя и отвлекало нас от работы. В темное время суток и с наступлением холодов люди с неохотой будут преодолевать значительные расстояния, чтобы посовещаться со своими коллегами. 20 минут, которые потребуются для хождений туда-сюда темным зимним вечером, не будут способствовать эффективной работе. Среди моих подчиненных растет недовольство. Я поблагодарил их за хорошие результаты, которых они добились в весьма непростых условиях, и в ответ, естественно, услышал, что результаты будут еще выше, если эти условия улучшить».

Одним из достойных упоминания результатов, достигнутых в Блетчли-Парке, стало чтение первой немецкой шифровки. Математик Питер Твинн, выпускник Оксфордского университета, попал в ПКШ в феврале 1939 года еще до ее переезда в Блетчли-Парк. Приступив к работе, Твинн получил в свое распоряжение шифрованный и соответствующий открытый текст сообщения на немецком языке, а также ключевые установки для «Энигмы», с помощью которых это сообщение было зашифровано. Ключевые установки были переданы в ПКШ французами, которые, в свою очередь, получили их от Шмидта. Однако прочесть другие немецкие шифровки Твинну не удалось. И виной этому было отсутствие у него данных, необходимых для того, чтобы построить точную копию «Энигмы». В июле 1939 года коллега Твинна Дилли Нокс вернулся из Варшавы с информацией о внутренних соединениях дисков «Энигмы». Это означало, что Твинн мог теперь прочесть другие перехваченные немецкие сообщения, зашифрованные с использованием имевшихся у него ключевых установок для «Энигмы».

Однако Твинн оказался не в состоянии прочитать шифровки, для которых ключевые установки были неизвестны. Для этого необходимо было изготовить комплект перфокарт, позволявших ускорить процесс вскрытия ключевых установок для «Энигмы». Первый такой комплект был готов уже к середине декабря 1939 года. После этого англичане приступили к изготовлению второго комплекта, предназначенного для польских криптоаналитиков, в самом начале войны бежавших из своей страны и нашедших приют во Франции. Однако тут возникло препятствие, которое грозило помешать англичанам в работе над чтением немецких шифровок. По просьбе Деннистона 10 января 1940 года Мензис обратился к полковнику Ривэ из французского Второго бюро с письмом, в котором, в частности, говорилось:

> «Поскольку, вне всякого сомнения, Бертран информирует Вас о наших усилиях, направленных на раскрытие тайны немецких «материалов», к настоящему времени Вы, скорее всего, уже знаете, что, хотя в этом деле достигнут громадный прогресс, сейчас представляется вполне вероятным, что в начале войны немцами были внесены некоторые изменения. Если это действительно так, потребуется провести дополнительное интенсивное исследование.

Для оказания помощи моим экспертам можно было бы организовать приезд сюда младшего персонала из числа поляков, которые в течение многих лет занимались этой особой работой, и тогда шансы на получение результатов в самом скором времени значительно повысятся, что чрезвычайно важно для нас обоих.

Если бы мы могли организовать передачу Вам некоторых механических устройств, я сделал бы это с радостью, но это довольно нереально, и поэтому я обращаюсь к Вам с просьбой рассмотреть вопрос о приезде на короткое время следующих трех польских офицеров: Ежи Розицкого, Мариана Режевского и Генриха Зыгальского.

Будьте уверены, мой дорогой Ривэ, что я всегда к Вашим услугам.

Директор».

В своем письме Деннистон, очевидно, пытается добиться отмены запрета, который незадолго до этого начальник шифровального отдела Второго бюро Густав Бертран наложил на участие польских криптоаналитиков в работе над взломом «Энигмы» в Англии. Однако прежде чем договариваться о приезде в Англию поляков, необходимо было разобраться с процедурой использования «Энигмы» немецкими операторами. Позднее выяснилось, что никаких изменений в нее внесено не было. Просто поляки допустили неточность, когда делились со своими английскими коллегами информацией о дополнительных (четвертом и пятом) дисках «Энигмы», которые немцы начали использовать с 15 декабря 1938 года. После устранения неточности англичане сумели прочесть несколько немецких шифровок. Произошло это 17 января 1940 года. Прочитанные шифровки были датированы 25 и 28 октября 1939 года. Наладить оперативное чтение немецких военных шифрованных сообщений (в течение суток после того, как они были перехвачены) в Блетчли-Парке удалось лишь после 3 апреля 1940 года.

Следуя известной пословице о Магомете и горе, англичане в начале 1940 года сами отправились во Францию, чтобы навестить поляков, которых приютившие их французы не пускали в Англию. Молодой английский математик Алан Тьюринг принял живое участие в обсуждении с поляками алгоритмов взлома «Энигмы» и трудностей, встретившихся на пути успешного чтения немецких шифровок. Перед отъездом гостей из Англии в их честь был устроен прощальный ужин.

Перед отъездом во Францию Тьюринг изобрел электромеханическое устройство, которое было предназначено для ускорения процесса вскрытия ключевых установок для «Энигмы». Как и изобретение поляков, оно вошло в историю под названием «Бомба». Однако на этом сходство заканчивалось. Польская «Бомба» была предназначена для работы в условиях, когда немцы дважды шифровали разовый ключ к «Энигме» и помещали полученный результат в начало шифровки. Дилли Нокс, узнав от поляков, как они читают немецкие шифровки, заметил, что немцы в любой момент могут внести изменения в процедуру шифрования сообщений с помощью «Энигмы», и указал на необходимость сконструировать такую машину для вскрытия ключевых установок, которая не зависела бы от этой процедуры. Английская «Бомба», придуманная Тьюрингом, срабатывала в любом случае.

Работая над своим изобретением, Тьюринг в первую очередь принял во внимание тот факт, что метод проб и ошибок в конечном итоге действительно позволял найти искомую ключевую установку для «Энигмы», поскольку если установить ее диски в том же самом порядке и в то же самое угловое положение, какие для них выбрал отправитель шифровки, и набрать на клавиатуре шифрованный текст, то на световой панели «Энигмы» появится исходное сообщение. Однако количество всевозможных ключевых установок, которые требовалось таким образом перебрать, было слишком велико, чтобы можно было надеяться на практическую реализацию данного метода. Объясняя это одному из своих молодых коллег в Блетчли-Парке, Тьюринг сказал: «Если бы в моем распоряжении были 10 тысяч китайцев, “Бомба” нам бы не понадобилась».

Изобретенная Тьюрингом «Бомба» позволяла взглянуть на проблему вскрытия ключевых установок для «Энигмы» под несколько другим углом. Поскольку поиск подходящей ключевой установки для перехваченной шифровки был весьма трудоемкой задачей, Тьюринг попытался сформулировать тест для выявления ключевых установок, которые для этой шифровки не подходили. Исключив подавляющее большинство таких ключевых установок, можно было проверить оставшиеся ключевые установки вручную — все тем же методом проб и ошибок. При массовом тестировании ключевых установок для «Энигмы» Тьюринг предложил использовать так называемый «подстрочник» — предположительное содержание небольшого отрывка из текста перехваченной немецкой шифровки. С помощью «Бомбы» Тьюринг отбраковывал ключевые установки, которые не могли быть использованы для зашифрования «подстрочника». Найти «подстрочник» не составляло особого труда, когда в январе 1940 года англичане наладили бесперебойное чтение немецких шифровок с использованием перфокарт. Например, в Блетчли-Парке могли заметить, что раз в день немецкий связист в каком-нибудь захолустье посылал своему начальству шифровку, в которой говорилось: «Сообщить нечего». Пока с помощью перфокарт англичане успешно справлялись с чтением немецких шифровок, особой надобности в таком «подстрочнике» не было. Однако в любой момент перфокарты могли стать совершенно бесполезными, и Тьюринг предложил им достойную замену — «подстрочник» и «Бомбу».

Первая «Бомба» появилась в Блетчли-Парке 18 марта 1940 года. Однако она не оправдала радужных надежд, которые на нее возлагал Тьюринг. Английский математик Гордон Уэлчмен, еще один блестящий выпускник Кембриджского университета, работавший в Блетчли-Парке, придумал, как модернизировать «Бомбу» Тьюринга, чтобы повысить ее эффективность вдвое. Усовершенствованный Уэлчменом образец «Бомбы» был назван «Пауком».

Проверить работоспособность «Паука» было поручено 18-летнему математику Ричарду Пендереду. В самом начале Второй мировой войны он был вызван из Кембриджа в Блетчли-Парк для беседы с Гордоном Уэлчменом. В ходе этой беседы Пендеред так и не смог разгадать характер работы, которой ему предложил заниматься в Блетчли-Парке Уэлчмен. Единственным ключом к разгадке мог послужить вопрос Уэлчмена о том, насколько хорошо Пендеред умеет разгадывать кроссворды. Только через несколько дней после того, как Пендеред приступил к выполнению своих служебных обязанностей в Блетчли-Парке, Уэлчмен рассказал ему, что его основной задачей будет работа над взломом немецкой шифровальной машины, и отвел в секцию № 6, специализировавшуюся на чтении шифровок вермахта и люфтваффе.

Летом 1940 года Пендеред был откомандирован на фирму, изготовившую опытный образец «Паука». С собой он захватил 13-буквенный «подстрочник» «Funk Gymnastik», чтобы удостовериться в работоспособности образца. Для «Бомбы» Тьюринга нахождение ключевой установки по этому «подстрочнику» было бы непосильной задачей. «Паук» же выдержал это нелегкое испытание с успехом. Инженеры фирмы установили его в некоторое начальное состояние в соответствии с «подстрочником» и подключили к электросети. «Паук» с оглушительным грохотом заработал, во все стороны полетели искры, вокруг засуетились люди, которые то и дело подбегали к «Пауку» и производили им одним ведомые манипуляции. Каждый раз, когда «Паук» находил какую-то ключевую установку, его диски некоторое время продолжали по инерции вращаться, прежде чем окончательно останавливались. Сотрудник фирмы, глядя на реле «Паука», считывал информацию о найденной ключевой установке и передавал Пендереду, который удалялся в другую комнату, чтобы там без помех ее проанализировать.

По правде говоря, Пендеред особо не надеялся, что искомая ключевая установка будет найдена с помощью такого довольно примитивного устройства, каким был «Паук». Тем не менее он тщательно проверял каждую ключевую установку, пользуясь копией «Энигмы», которую привез с собой из Блетчли-Парка. Пендеред устанавливал ее диски в положение, определяемое ключевой установкой, и набивал на клавиатуре первые буквы шифровки. Он знал, что если ключевая установка верна, то после «подстрочника» на световой панели «Энигмы» появится осмысленный текст на немецком языке. И когда такой текст наконец появился, Пендеред понял, что «Паук» с возложенной на него задачей справился — ключевая установка для «Энигмы» была вскрыта.

8 августа 1940 года первый «Паук» был установлен в Блетчли-Парке.

## Ценные трофеи

4 февраля 1940 года адмирал Карл Дениц, командующий немецким подводным флотом, прибыл на военно-морскую базу в Вильгельмсхейвене, чтобы пожелать удачи экипажу подлодки «У-33», которая должна была отправиться в район западного побережья Шотландии и установить там несколько мин. Задание было очень опасным, поскольку «У-33» предстояло не только забраться глубоко в тыл противника, но и действовать на мелководье, где у нее практически не было шансов скрыться от преследования. А это, в свою очередь, означало, что шифровальная машина «Энигма», которой была оснащена «У-33», могла попасть в руки англичан.

Дениц прекрасно понимал, как он рискует, посылая «У-33» на это задание. Еще слишком свежи были воспоминания о пережитой тревоге, когда в условленное время на связь не вышла подводная лодка «У-26», которая минировала прибрежные воды вблизи военно-морской базы на юге Англии. И хотя в тот раз все обошлось, Дениц распорядился, чтобы подводные лодки, занимающиеся установкой мин, оставляли «Энигмы» на берегу. В своем дневнике Дениц написал:

> «Это означает, что они должны отправиться прямо в то место, где им предстоит осуществить минирование, и возвратиться обратно на базу сразу по завершении операции. С ними нельзя будет связаться,

используя “Энигму”, как с другими подводными лодками».

Позднее Дениц сделал еще одну запись в дневнике:

«Поскольку риск попадания секретных документов и шифров в руки противника слишком велик, если лодка будет потоплена на мелководье, следует смириться с вытекающими отсюда недостатками и трудностями»...

Однако в случае с «У-33» указанное правило соблюдено не было. Дениц решил, что оно не распространяется на океанские подводные лодки, подобные «У-33», которая была не специализированной субмариной для установки мин, а ударным боевым кораблем, оснащенным смертоносными торпедами. Таких субмарин у Деница было всего 27, и он посчитал, что «У-33» сможет сделать кое-что полезное, помимо простой установки нескольких мин у побережья противника. Ведь только за первые пять месяцев войны немецкий подводный флот потопил 154 корабля общим водоизмещением в 530 тысяч тонн. Однако на плаву у англичан оставалось около 3 тысяч судов, водоизмещение которых превышало 17 миллионов тонн. И Дениц надеялся, что «У-33» поможет сократить это число.

Все надежды Деница едва не перечеркнула авария, которая произошла 4 февраля 1940 года. Во время погрузочных работ «У-33» вдруг стала стремительно уходить под воду, и только своевременные решительные действия дежурного офицера, который распорядился удалить воду из балластных отсеков, помогли предотвратить катастрофу. При тщательном осмотре подводной лодки в ее обшивке были обнаружены две дыры, однако не было никакой уверенности, что именно они стали причиной аварии.

Вильгельм Дрески, 30-летний капитан «У-33», планировал прибыть к месту установки мин в ночь с субботы на воскресенье 11 февраля 1940 года. Там субмарина должна была лечь на дно, переждать дневные часы, а после наступления сумерек всплыть и выполнить минирование. Затем под покровом ночи «У-33» следовало отбыть в открытый океан, где она была бы в относительной безопасности.

Однако планам Дрески не суждено было осуществиться. «У-33» прибыла на место с опозданием на сутки. Начав всплытие, она чудом избежала столкновения с кораблем, следовавшим в противоположном направлении. Это был английский разведчик «Смотрящий», который Дрески ошибочно принял за противолодочный крейсер. На самом «Смотрящем» всплывающую вражескую подлодку не заметили. Однако примерно в 3 часа ночи оператор гидрофона на «Смотрящем» услышал характерный звук дизельного двигателя. Капитан «Смотрящего» Хью Прайс приказал изменить курс и включить прожекторы. Около 4 часов утра на «Смотрящем» засекли «У-33» с помощью сонара и Прайс распорядился сбросить первую глубинную бомбу.

Сначала Дрески планировал переждать атаку английского корабля, отлежавшись на дне. Затем изменил свое решение и отдал приказ освободиться от части воды в балластных танках подлодки и начать частичное всплытие. Но выяснилось, что лодка получила повреждения и всплыть не может. Оставалось только попытаться сдвинуть «У-33» с места, полностью продув ее балластные танки. Но такие действия привели бы к полному всплытию подлодки. И если бы «У-33» удалось сразу после всплытия начать обратное погружение, она благополучно ушла бы от преследования, так как разрывы глубинных бомб вывели из строя сонар на «Смотрящем» и англичане уже не смогли бы отслеживать перемещения немецкой подлодки под водой.

В 5:22 Дрески отдал приказ продуть балластные танки и «У-33» начала всплытие. Дрески распорядился, чтобы после всплытия команда покинула лодку. Одновременно он велел инженерам поджечь бикфордовы шнуры, чтобы привести в действие взрывные устройства, установленные по периметру «У-33». Дрески также приказал троим подводникам забрать диски «Энигмы», чтобы при первой же возможности выбросить их в море. Двое сделали все именно так, как им было приказано, а третий, Фридрих Кумпф, забыл избавиться от дисков, которые положил в карман брюк. После того как Кумпф был поднят на борт «Смотрящего», он подошел к Хайнцу Роттманну, офицеру с «У-33», и растерянно сказал: «Господин лейтенант, кажется, я забыл выбросить диски».

Когда Кумпф и Роттманн подошли к месту на палубе, где валялись мокрые брюки Кумпфа, которые он снял, взобравшись на борт «Смотрящего», дисков в них уже не было. Их передали Прайсу, причем человек, сделавший это, явно никогда раньше не имел дела с шифраторами, поскольку позднее рассказал своему товарищу, что нашел в карманах брюк одного из спасенных немецких подводников «что-то вроде шестеренок от велосипеда».

С подводной лодки «У-33» было захвачено три диска «Энигмы», что существенно облегчило задачу английским криптоаналитикам, бившимся над взломом ее военно-морской модификации. Дело в том, что немецкая армия и авиация были оснащены «Энигмами», в которые можно было устанавливать любые три диска из пяти, прилагавшихся к каждому ее экземпляру. А немецкие военные моряки довели общее число используемых дисков до восьми, чтобы обеспечить более высокий уровень защиты для своих сообщений.

Однако прежде чем попытаться наладить чтение немецких военно-морских шифровок, в Блетчли-Парке предстояло разобраться с индикаторной системой, применявшейся для того, чтобы отправитель сообщения мог довести до сведения получателя разовый ключ, который был использован для зашифрования сообщения. Индикаторная система, взятая на вооружение немецким военным флотом, была значительно более сложной, чем принятая в армии и авиации.

С 1 мая 1937 года военные моряки отказались от двукратного шифрования разовых ключей, которым в армии и авиации все еще продолжали пользоваться в начале 1940 года. В отличие от своих коллег в других родах войск, которые выбирали разовый ключ по собственному усмотрению, оператор военно-морской «Энигмы» должен был взять трехбуквенную группу (на языке криптографов ее принято именовать триграммой) из специальной книги. Остановив свой выбор на какой-то триграмме (скажем, ABC), он обращался к списку суточных ключей, брал оттуда другую триграмму (пусть это будет DEF) и с ее помощью шифровал ABC. Получившаяся в результате триграмма (к примеру, XYZ) представляла собой искомый разовый ключ для шифрования текущего сообщения. Такой метод шифрования был достаточно надежным, поскольку исключал ситуацию, при которой ленивый или чрезмерно торопливый оператор «Энигмы» мог выбрать тривиальный разовый ключ (типа AAA).

В дополнение к ABC от оператора «Энигмы» требовалось выбрать вторую триграмму (допустим, GHI). Затем необходимо было расположить первую триграмму под второй, добавив в начало верхней строки и в конец нижней по одной случайно выбранной букве:

J G H I
A B C K

На следующем шаге каждая колонка, или биграмма, подлежала преобразованию в другую биграмму в соответствии со специальной таблицей биграмм. Результат этого преобразования мог выглядеть, например, так:

L M N O
P Q R S

Далее полученные буквы менялись местами следующим образом:

L P M Q
N R O S

Это и был так называемый индикатор, который оператор ставил в незашифрованном виде в начале и в конце каждого сообщения. Получатель сообщения проделывал все перечисленные манипуляции в обратном порядке и, вычленив триграмму ABC, использовал в качестве ключа DEF, чтобы путем расшифрования ABC узнать разовый ключ (XYZ), который применялся для шифрования полученного сообщения, и прочесть это сообщение.

В конце 1939 года Тьюринг сумел составить общее представление об индикаторной системе. В качестве рабочего материала для проверки своих гипотез Тьюринг использовал семь ключевых установок для военно-морской «Энигмы». Эти ключевые установки своим английским коллегам передали поляки в ходе встречи, которая состоялась в июле 1939 года в Варшаве. Уже после того, как в мае 1937 года в индикаторную систему были внесены изменения, поляки сумели вскрыть несколько ключевых установок для военно-морской «Энигмы», воспользовавшись двумя оплошностями, допущенными немцами.

Во-первых, изменив индикаторную систему, немцы неосмотрительно оставили прежним порядок следования дисков «Энигмы» и положение на них колец. А во-вторых, в качестве исключения, на одном из немецких торпедных катеров оператору «Энигмы» некоторое время было разрешено одновременно применять и старую, и новую индикаторные системы. Благодаря этим оплошностям, в самом начале мая 1937 года поляки смогли вскрыть несколько разовых ключей, которые затем вместе с соответствующими индикаторами передали Тьюрингу. Проанализировав их, Тьюринг догадался, как получатель сообщения преобразовывал индикатор в разовый ключ, который затем использовался для расшифрования этого сообщения.

Однако разобраться в сути индикаторной системы еще не означало, что полученные знания можно применить для чтения немецких шифровок. Необходимо было реконструировать таблицу биграмм. 1 ноября 1939 года Тьюринг написал докладную записку, озаглавленную «Ситуация с военно-морской “Энигмой”». В этой записке говорилось, что работа над взломом военно-морской «Энигмы» зашла в тупик. При наличии «подстрочника» с помощью «Паука» можно было вскрыть таблицу биграмм, что позволило бы читать немецкие шифровки, пока эта таблица использовалась немцами. Однако для нахождения «подстрочника» необходимо было прочесть некоторое число шифрованных сообщений. В результате выходило, что без «подстрочника» читать немецкие шифровки невозможно, а без чтения шифровок нельзя найти «подстрочник». Единственным выходом из создавшейся ситуации, по мнению Тьюринга, могла стать удачная военно-морская операция по захвату самой «Энигмы» и ключевых установок для нее.

В апреле 1940 года англичане упустили хорошую возможность захватить немецкую подводную лодку вместе с экипажем и секретными документами. 15 апреля 1940 года недалеко от побережья Норвегии два английских эсминца засекли «У-49», подкрадывавшуюся к войсковому конвою, который они сопровождали. С помощью глубинных бомб эсминцы вынудили «У-49» всплыть на поверхность. Однако надеждам англичан взять немецкую подводную лодку на абордаж, прежде чем ее покинет команда, не суждено было сбыться. Для этого, в первую очередь, следовало все имевшиеся на борту английских эсминцев орудия направить на рубку «У-49», чтобы немцы и носа высунуть из нее не могли. Если бы немецкие подводники оказались блокированы внутри «У-49», призовая команда[1] англичан могла попытаться захватить «Энигму» и ключевые установки для нее до того, как они были выброшены в море.

Один из английских моряков попытался было воспрепятствовать немцам выбраться на поверхность, открыв по «У-49» ураганный огонь из пулемета. Однако другой моряк посчитал, что его товарищ сошел с ума, и ударом кулака свалил его с ног. Возможность заполучить «Энигму» вместе с ключевыми установками была упущена. К тому времени, когда капитан эсминца снарядил на «У-49» призовую команду, было слишком поздно — команда немецкой подводной лодки успела избавиться и от самой «Энигмы», и от секретных документов к ней.

Инцидент с «У-49» побудил Чарльза Форбса, командующего английским военно-морским флотом, издать 5 июня 1940 года приказ с изложением тактики, которой должны придерживаться капитаны эсминцев, увидевшие немецкую подводную лодку. В приказе, в частности, говорилось:

> «До последнего времени мы не принимали достаточно решительных мер, чтобы не давать немецким подводникам покидать свои лодки или уничтожать документы. Действия, которые следует предпринять,

[1] Используется для высадки на захваченное вражеское судно.

если была замечена всплывающая немецкая подводная лодка, должны быть направлены на взятие под контроль люка рубки на капитанском мостике, прежде чем команде удастся подняться наверх. Для этого ближайший к лодке эсминец должен на полной скорости проследовать мимо подводной лодки, одновременно открыв огонь из пулемета по вражеским подводникам по мере того, как они будут вылезать из люка, а не по людям, которые уже выбрались из него и помышляют только о том, как бы сдаться в плен или сбежать. Лучше всего будет, если в самом начале в выходном отверстии люка застрянет тело».

Аналогичным образом Форбс советовал поступать, если экипаж немецкой подводной лодки попытается выбросить за борт какие-либо документы:

«Единственный способ помешать этому — немедленно открыть огонь на поражение по экипажу, пытающемуся избавиться от секретных документов».

Через 11 дней после неудачной попытки взять на абордаж «У-49» у побережья Норвегии англичанам удалось захватить документацию к «Энигме» на немецком траулере. 26 апреля 1940 года в 10:30 по местному времени впередсмотрящий на английском эсминце «Грифон» заметил рыболовецкое судно. На его борту красовалась надпись «Поларис», а на корме развевался голландский флаг. Судно выглядело вполне безобидно, однако капитан «Грифона» Джон Ли-Барбер только что получил сообщение с другого английского эсминца, который подвергся торпедной атаке со стороны примерно такого же траулера. Поэтому Ли-Барбер приказал догнать «Поларис» и обыскать его. Когда командир абордажной команды, отправленной с «Грифона» на вельботе, подошел поближе к «Поларису», то заметил на нем пулемет и обратил внимание на столпившихся на палубе молодых мужчин крепкого телосложения, что было совсем не характерно для обычного рыболовецкого траулера. Попав на борт «Polариса», англичане обнаружили две пусковые торпедные установки, спрятанные под рыболовными снастями.

На самом деле это было немецкое судно «С-26», которое использовалось в качестве морского транспорта для перевозки оружия и боеприпасов. Капитан «С-26» не рискнул затопить свое судно, однако попытался избавиться от секретных документов, находившихся на борту. Две сумки с документами были выброшены за борт. К одной было привязано грузило, и она камнем пошла на дно. А вторая осталась на плаву, была своевременно замечена с борта «Грифона» и вытащена из воды.

«Грифон» отконвоировал «С-26» на ближайшую английскую военно-морскую базу. Причем Джон Ли-Барбер распорядился, чтобы на захваченном судне был поднят немецкий флаг. Это было ошибкой. «С-26» следовало без всяких опознавательных знаков привести в порт под покровом темноты и пришвартовать в самом дальнем углу. Вместо этого немецкое судно среди бела дня прибыло под развевающимся флагом со свастикой в сопровождении флагмана английского флота. Когда пленные немцы покидали «С-26», невесть откуда появившаяся съемочная группа зафиксировала этот эпизод для очередного выпуска кинохроники. И только вмешательство Форбса, который распорядился конфисковать отснятую пленку, помогло избежать дальнейшей широкой огласки факта захвата немецкого военного судна.

Лейтенант Пеннелл, посланный адмиралом Форбсом проинспектировать «С-26», доложил, что судно разграблено мародерами и что с превеликим трудом ему удалось отыскать «несколько шифровальных таблиц и листов из блокнота для шифрования. Эти листы были разбросаны по всему судну, а один лист был найден под миной на верхней палубе».

Однако повторная инспекция, проведенная лично Форбсом, опровергла выводы, сделанные Пеннеллом. По ее итогам Форбс заявил, что из-за перенапряжения Пеннелл был на грани нервного срыва и в результате несколько приукрасил свой доклад. Форбс не обнаружил на «С-26» никаких следов мародерства, а члены абордажной команды с «Грифона» подтвердили, что все захваченные документы были переданы в целости и сохранности.

Масла в огонь подлил капитан «Грифона» Ли-Барбер, который сказал, что мародерство действительно имело место, но только после того, как абордажная команда покинула «С-26».

Кто был прав — Форбс или Пеннелл с Ли-Барбером, неизвестно. Вполне возможно, что если бы не воцарившийся на «С-26» хаос, там удалось бы найти значительно больше материалов по «Энигме». Тем не менее того, что в конечном итоге попало в Блетчли-Парк, хватило, чтобы прочесть перехваченные немецкие военно-морские шифровки за 22—27 апреля 1940 года. Сначала была прочитана шифровка, датированная 23 апреля 1940 года. Она стала первой немецкой военно-морской шифровкой, прочитанной англичанами в годы войны. Сделать это удалось лишь 11 мая 1940 года. Задержка произошла во вине самих англичан, которые не сразу осознали, что к ним в руки попала информация о соединениях на коммутационной панели военно-морской «Энигмы» от 23 и 24 апреля. Они поначалу просто не обратили внимания на клочок бумаги, на котором была записана эта информация.

Определив ключевые установки для военно-морской «Энигмы» от 23 и 24 апреля, в Блетчли-Парке довольно быстро нашли к ним так называемые парные ключевые установки — от 22 и 25 апреля. Парными они назывались потому, что в эти пары дней порядок следования дисков военно-морской «Энигмы» и угловое положение колец на них были одинаковыми. Поэтому, зная ключевые установки для военно-морской «Энигмы», скажем, от 23 апреля, можно было довольно легко восстановить ключевые установки для нее от 22 апреля и наоборот. Через две недели с помощью «Бомбы» и «подстрочника» были вскрыты ключевые установки для военно-морской «Энигмы» от 26 апреля, а какое-то время спустя — и парные им ключевые установки от 27 апреля. При этом большая часть времени была потрачена на то, чтобы преобразовать «подстрочник» в форму, пригодную для ввода в «Бомбу».

Знание англичанами содержания немецких шифровок не имело особого значения для ведения боевых действий, поскольку эти шифровки были прочитаны слишком поздно. Однако именно благодаря им, а также при помощи документов, найденных на «С-26», Тьюринг, наконец, полностью разобрался в сути индикаторной системы, используемой немецкими военными моряками, и разработал метод оперативного вскрытия ключевых установок для военно-морской «Энигмы» с помощью таблиц. Свой метод Тьюринг назвал бенберийским в честь города Бенбери в английском графстве Оксфордшир, где были изготовлены таблицы. Используя бенберийский метод, английские криптоаналитики могли исключить из рассмотрения большую часть из 336 возможных вариантов порядка следования дисков военно-морской «Энигмы». Варианты, оставшиеся после применения бенберийского метода, можно было за приемлемое время проверить на «Бомбе».

Бенберийский метод предполагал знание таблицы биграмм. Документы, захваченные на «С-26», помогли Тьюрингу разработать довольно трудоемкий алгоритм, позволявший реконструировать эту таблицу. После того как ключевые установки для военно-морской «Энигмы», которые использовались для шифрования всех сообщений, отосланных немцами за сутки, были вычислены или захвачены в качестве трофея, вскрытие каждого разового ключа позволяло восстановить три неизвестных величины в таблице биграмм. Поскольку немцы поочередно использовали одну из девяти таблиц биграмм, достаточно было вскрывать по крайней мере три разовых ключа за день.

Лишь в ноябре 1940 года с помощью бенберийского метода удалось вскрыть ключевые установки для военно-морской «Энигмы» от 14 апреля, 8 мая и 26 июня этого же года. Чтение шифровок, датированных 26 июня, показало, что, начиная с 1 июня 1940 года, немцы ввели в действие новый набор из девяти биграммных таблиц. Поэтому дальнейшее использование бенберийского метода пришлось отложить на неопределенный срок — до тех пор, пока не были реконструированы действующие таблицы биграмм. Опять получился замкнутый круг: реконструировать таблицы биграмм можно было, только прочитав немецкие военно-морские шифровки, а прочитать их не удавалось, поскольку таблицы биграмм были неизвестны. Оставалось надеяться только на то, что либо удастся захватить новые материалы по военно-морской «Энигме», либо отыщется постоянный источник для составления «подстрочника». А пока этого не случилось, английские криптоаналитики принялись подсчитывать, сколько «Бомб» понадобится, чтобы взломать военно-морскую «Энигму», если вдруг к ним в руки попадут ключевые установки для нее, «подстрочники» или таблицы биграмм. Например, в меморандуме, подписанном первым заместителем директора Правительственной криптографической школы Эдуардом Тревисом, утверждалось, что потребуется не меньше 12 новых «Бомб». Однако эти расчеты никак не способствовали решению основной проблемы — каким способом регулярно добывать ключевые установки для военно-морской «Энигмы», «подстрочники» и таблицы биграмм.

## Промахи немцев

В начале мая 1940 года Германия начала активную подготовку к решительному наступлению в Западной Европе. Одновременно операторы «Энигмы» получили приказ больше не шифровать дважды повторенный трехбуквенный разовый ключ к «Энигме» и не помещать полученные в результате шесть букв (так называемый индикатор) в начало каждой шифровки. Отныне разовый ключ необходимо было шифровать единожды (исключение было сделано только для немецких операторов в Норвегии, которые продолжали придерживаться старой процедуры). Таким образом немцы устранили брешь в своей системе обмена шифрованными сообщениями с помощью «Энигмы». Эта брешь позволяла читать значительную часть шифровок армии и авиации на протяжении последних семи лет.

Тем временем в английский дешифровальный центр в Блетчли-Парке продолжало прибывать молодое пополнение, которому предстояло принять активное участие в чтении немецких шифровок в новых условиях. В составе этого пополнения был и молодой математик Давид Риз. В декабре 1939 года его научный руководитель в Кембридже Гордон Уэлчмен, совмещавший преподавание в университете с работой в Блетчли-Парке, предложил своему ученику занять вакансию в государственном учреждении. Поначалу Уэлчмен отказывался информировать Риза не только о характере предлагаемой ему работы, но даже о том, где размещалось это учреждение. И только когда Риз, принявший предложение Уэлчмена, резонно заметил, что не сможет явиться на работу, если не будет точно знать, куда приходить, Уэлчмен соизволил распорядиться, чтобы через несколько дней он прибыл дневным поездом из Лондона на станцию Блетчли в графстве Букингемпшир.

Еще одним рекрутом Уэлчмена стал 21-летний математик Джон Херивел, который тоже был учеником Уэлчмена в Кембридже. Херивел появился в Блетчли-Парке в январе 1940 года. Вместе с Ризом Херивелу было поручено проверять ключевые установки для «Энигмы», которые англичане научились довольно оперативно вскрывать при помощи перфокарточного метода, разработанного в 30-е годы поляками. Затем Риз и Херивел были переведены на работу, связанную с соединениями на коммутационной панели «Энигмы». Процесс чтения немецких шифровок был весьма трудоемким и утомительным. Поэтому Херивел всерьез задумался над тем, как его можно упростить и, следовательно, ускорить. Однажды вечером после работы Херивелу в голову пришла блестящая идея, которой было суждено коренным образом изменить представление о процессе вскрытия ключевых установок для «Энигмы».

Вместо того чтобы пытаться по крупицам извлечь хоть какую-то полезную информацию о ключевых установках для «Энигмы» из текстов перехваченных немецких шифровок, Херивел попробовал представить себе, какие манипуляции с «Энигмой» проделывал немецкий оператор, прежде чем выбрать исходное угловое положение дисков и приступить к шифрованию первого за текущие сутки сообщения. Здравый смысл подсказывал Херивелу, что если угловое положение колец на дисках «Энигмы» задавалось, скажем, трехбуквенным сочетанием ABS, то оператор первым делом устанавливал в нее диски, а затем выполнял одну и ту же процедуру для каждого из этих дисков. Он вращал кольцо с буквами, надетое на диск, до тех пор, пока искомая буква (сначала А, потом В и, наконец, S) на кольце не оказывалась напротив красной точки на специальной защелке, которая фиксировала кольцо на диске в нужном угловом положении, а также служила в качестве маркера. Удобнее всего сделать это можно было в том случае, когда и нужная буква на кольце, и сама защелка находились вверху.

Со стороны Херивела вполне разумно было предположить, что в спешке или из лени немецкий оператор мог оставить диски именно в таком исходном угловом положении, закрыть лицевую панель «Энигмы» и приступить к шифрованию сообщения. А это, в свою очередь, означало, что исходное угловое положение дисков «Энигмы», информацию о котором, начиная с 1 мая 1940 года, немецкие операторы должны были в незашифрованном виде ставить в начало каждого сообщения, было таким же или примерно таким же, как и угловое положение колец на дисках «Энигмы». Поскольку все немецкие операторы единой сети связи должны были использовать одно и то же угловое положение колец на дисках своих экземпляров «Энигмы», проанализировав данные об исходном угловом положении дисков, которые эти операторы вставляли в самое начало своего первого отправляемого сообщения за сутки, можно было сделать обоснованное предположение относительно углового положения колец на дисках их «Энигм».

Идея Херивела не сразу нашла свое воплощение на практике. В течение нескольких месяцев английские криптоаналитики безрезультатно искали в перехваченных немецких шифровках информацию об угловом положении колец «Энигмы». Но после того, как 1 мая 1940 года немцы внесли изменения в свою индикаторную систему, поток прочитанных немецких шифровок в Блетчли-Парке почти иссяк, поскольку там могли читать только перехваченные сообщения сети связи армии и авиации в Норвегии, где индикаторная система осталась неизменной. Предложению Херивела было уделено больше внимания, поскольку других идей, как восстановить утраченный источник важной разведывательной информации, было немного. Через три недели Херивела ждал первый успех. Придя утром на работу в секцию № 6, где трудились над взломом «Энигмы», которая использовалась в армии и в авиации, Херивел узнал, что ночной смене удалось идентифицировать правильное угловое положение колец на дисках «Энигмы», исходя из информации об исходных положениях ее дисков, почерпнутой из перехваченных немецких шифровок. Поздравить Херивела с успехом пришел сам Уэлчмен. Отведя в сторону своего ученика, он сказал, что это событие надолго запомнится. И действительно, придуманный Херивелом метод вскрытия ключевых установок «Энигмы» вошел в историю как «подсказка Херивела».

Несмотря на существенное ускорение процесса чтения шифровок «Энигмы», одной «подсказки Херивела» было недостаточно. Английским криптоаналитикам приходилось проверять найденное угловое положение колец для всех 60 возможных вариантов порядка следования дисков «Энигмы». К счастью для англичан, неудачные приемы обращения с «Энигмой» со стороны немцев, один из которых метко подметил Херивел, на этом не исчерпывались. Например, они нередко выбирали тривиальные разовые ключи для своих сообщений, которые в Блетчли-Парке прозвали «глупышками». С их помощью англичане довольно успешно научились определять порядок следования дисков в «Энигме».

После того как были найдены угловое положение колец (за счет «подсказки Херивела») и порядок следования дисков «Энигмы» (при помощи «глупышек»), читать перехваченные немецкие шифровки не составляло особого труда. 22 мая 1940 года было прочитано первое сообщение люфтваффе с момента внесения немцами изменения в индикаторную систему. Оно было датировано 20 мая 1940 года и относилось к так называемой «красной» сети шифрованной связи немцев, которая получила свое название из-за цвета карандаша, которым Уэлчмен делал пометки на перехваченных шифровках этой сети.

Взлом «красной» сети был очень важным событием. В Блетчли-Парке очень рассчитывали на свои «Бомбы» — электромеханические устройства, предназначенные для ускорения процесса вскрытия ключевых установок «Энигмы». Однако, чтобы использовать «Бомбу», необходимо было найти «подстрочник» — содержание небольшого отрывка из текста перехваченной немецкой шифровки. А «подстрочник», в свою очередь, можно было отыскать, только прочитав шифровку. Таким образом, именно «подсказки Херивела» и «глупышки» позволили взломать «Энигму» и читать зашифрованные с ее помощью сообщения.

31 мая 1940 года у берегов Англии была потоплена немецкая субмарина «У-13». Вместе с ней на морском дне оказались военно-морская модификация «Энигмы» и документы к ней. 8 июня 1940 года командующий подводным флотом Германии адмирал Карл Дениц, обеспокоенный тем, что секретные документы, имевшиеся на борту «У-13», могут попасть в руки англичан, позвонил в Службу связи немецких военно-морских сил, которая ведала вопросами безопасности связи, и поинтересовался, не следует ли внести коррективы в процедуру использования «Энигмы», установленной на подводных лодках. Ему ответили, что никаких корректив вносить не требуется и что процедура остается прежней. Тем не менее Служба связи еще раз проанализировала эту процедуру на предмет выявления в ней возможных недочетов, которыми мог воспользоваться противник. В отчете, подготовленном по итогам проведенной проверки, особо подчеркивалось, что документы с ключевыми установками для «Энигмы» напечатаны типографской краской, которая растворяется в морской воде. Более того, утверждалось, что даже если бы эти документы попали к противнику, толку от них не было бы никакого, поскольку содержа-

щиеся в них ключевые установки подвергнуты дополнительному преобразованию с помощью таблиц, которые запрещалось брать на борт субмарин. По мнению составителей доклада, без этих таблиц противник не может восстановить истинное значение ключевых установок для «Энигмы».

Однако Деницу ответ, полученный из Службы связи, показался неубедительным. 17 июня 1940 года он опять позвонил туда и сообщил о подозрительном маневре английского морского каравана. Дениц полагал, что внезапное изменение курса каравана было вызвано информацией, которую англичане получили, прочитав немецкие шифровки с помощью документов, найденных на «У-13». В Службе связи снова заверили Деница, что это невозможно. Даже если команда «У-13» не успела уничтожить «Энигму» и секретные документы к ней, англичанам пришлось бы определить преобразование, которому были подвергнуты содержащиеся в этих документах ключевые установки (например, проанализировав ключевые установки «Энигмы», находившейся на борту «У-13»). И наконец, использовать полученную информацию для чтения немецких шифровок, имевших отношение к английскому морскому каравану. Вывод, к которому пришли криптографы из Службы связи, был однозначен: «Выполнение любого из этих условий, и особенно выполнение всех их одновременно, в наивысшей степени маловероятно».

Служба наблюдения, дешифровальный центр немецких военно-морских сил, который летом 1940 года читал шифрованную переписку английского флота, не отметил никаких изменений в процедуре обмена сообщениями у англичан. В Службе наблюдения сочли это признаком того, что англичанам не удалось взломать военно-морскую «Энигму». Тем не менее 12 июня немцы предприняли попытку уничтожить затонувшую подводную лодку «У-13». Несколько немецких самолетов сбросили бомбы в месте ее затопления, а пилоты, выполнив задание, доложили, что место было отмечено буями, которые вряд ли были бы поставлены, если бы англичане успели поднять и отбуксировать «У-13».

Впервые с начала войны немцы усомнились в надежности своей «Энигмы». Еще в феврале 1940 года, после захвата англичанами подводной лодки «У-33», капитан Людвиг Стаммель из Службы связи проанализировал методы обеспечения безопасности связи на флоте и гордо заявил, что благодаря «Энигме» «они лучше любого другого метода, в том числе и используемого противником».

Озабоченность у немцев вызвал не только факт затопления врагом подводной лодки. Еще больше они были обеспокоены пропажей «С-26» у берегов Норвегии — ведь секретные документы к «Энигме», находившиеся на борту надводного корабля, было значительно проще захватить в качестве трофея, чем на подводной лодке. В мае 1940 года Служба наблюдения проанализировала содержание всех немецких шифровок, посланных 26 апреля, — в день, когда исчез «С-26». В одной из них сообщалось время прибытия «С-26» к месту назначения. Однако гипотеза о том, что благодаря именно этой шифровке англичане смогли обнаружить «С-26», не подтвердилась, поскольку выяснилось, что эта шифровка была отправлена спустя час после того, как английский эсминец «Грифон» засек немецкое судно. В итоговом отчете, подготовленном Службой наблюдения 21 мая 1940 года, говорилось, что команда «С-26» была должным образом проинструктирована о необходимости уничтожить секретные документы, имевшие отношение к находившейся на его борту «Энигме». По мнению составителей отчета, поскольку на «С-26» не было документов с ключевыми установками для «Энигмы» за июнь 1940 года, можно было не опасаться, что англичанам удастся прочесть немецкие шифровки, датированные этим месяцем.

В мае 1940 года войска Германии вторглись на территорию Франции. Два дня спустя польские криптоаналитики, которые после разгрома Польши в сентябре 1939 года бежали во Францию и начиная с октября трудились в дешифровальном центре в Арменвильере, были спешно привезены во французскую столицу — в здание штабквартиры Второго бюро на улице Турвийя. Наибольший интерес для французов представляли шифровки люфтваффе, имевшие отношение к боевым действиям во Франции. Примерно через неделю полякам удалось наладить чтение этих шифровок. Работа велась день и ночь. В здании круглосуточно дежурили французские офицеры, которые сразу же забирали дешифрованные немецкие сообщения, чтобы без промедления доставить их в Генеральный штаб. Поляки воспользовались двумя ошибками, допущенными немецкими операторами «Энигмы» в люфтваффе. Во-первых, польские криптоаналитики с успехом применили на практике «подсказку Херивела». А во-вторых, взломав код, который немцы использовали для засекречивания своих сводок погоды, заметили, что суточный ключ к нему всегда совпадал с соединениями на коммутаторной панели «Энигмы», используемой в люфтваффе. Поэтому, вычислив ключ к «погодному» коду, можно было установить и эти соединения.

Однако через некоторое время поляки с огорчением были вынуждены признать, что их успехи почти не оказывают влияния на ход боевых действий во Франции. 3 июня 1940 года Париж подвергся первой бомбардировке немецкой авиации. А за неделю до этого польский криптоаналитик Мариан Режевский из прочитанной немецкой шифровки узнал о планах люфтваффе совершить налет на парижские заводы. В ней перечислялось количество участвующих в рейде бомбардировщиков и истребителей сопровождения, маршрут и высота полета, точные дата и время налета — словом, все, что необходимо знать, чтобы его отразить. Режевский немедленно довел полученную информацию до сведения французов и испытал настоящий шок, когда увидел, что немецкие самолеты, атаковавшие Париж, не встретили ровно никакого сопротивления со стороны французских военно-воздушных сил.

По мере приближения немецких войск к Парижу дешифровальную работу в здании на улице Турвийя пришлось приостановить. 22 июня 1940 года польские криптоаналитики были эвакуированы в Тулузу, а затем морем переправлены в город Оран на побережье Алжира. Однако вскоре начальник шифровального отдела Второго бюро Густав Бертран предпринял шаги для того, чтобы поляки смогли возобновить работу над взломом «Энигмы» на территории Франции, еще свободной от немецкой оккупации. Для этих целей он присмотрел поместье Фузес на юге Франции между городами Монпелье и Авиньон. Поляки перебрались туда 1 октября 1940 года.

Англичане были крайне этим недовольны. Бертран, естественно, хотел, чтобы поляки, как и прежде, продолжали трудиться над чтением немецких шифровок. А Денистон, в свою очередь, опасался, как бы они не попали в плен к немцам. Ведь Германия в самое короткое время могла оккупировать всю Францию и узнать о дешифровальных успехах своего противника, что называется, из первых рук.

Помимо польских криптоаналитиков, на территории Франции находился еще один человек, который ни в коем случае не должен был попасть в руки немцев. Этим человеком был Рудольф Лемуан, куратор французского агента Ганса Шмидта, который в 30-е годы регулярно передавал французам ключевые установки для «Энигмы» и другие секретные документы, похищенные из шифрбюро министерства обороны Германии. Лемуан, арестованный немецкой контрразведкой в 1938 году, обещал сотрудничать с ней и был выпущен на свободу. Свое обещание Лемуан не сдержал и вряд ли так легко отделался бы, арестуй его немцы еще раз. Лучшим выходом из создавшегося положения было бы тайно переправить Лемуана в Англию.

23 июня 1940 года Лемуан встретился с Бертраном и начальником французской контрразведки Полем Пейолем. Лемуан пожаловался, что его попытка перебраться в Англию закончилась неудачей, и поведал свою историю. Он обратился к английскому консулу во французском курортном городе Биарриц. Консул попросил Лемуана на следующий день явиться вместе с женой к 5 часам утра на один из мысов в заливе недалеко от Биаррица, где их должен был взять на борт английский минный тральщик. Явившись в назначенное место точно в срок, Лемуан с удивлением обнаружил там поляков, которые тоже рассчитывали попасть на этот корабль, чтобы отправиться в Англию. Командир тральщика попросил Лемуана прийти

вечером. Придя к тральщику во второй раз, Лемуан увидел, что поляки уже успели взобраться на его борт. Он попросил дежурного офицера выделить ему место поспокойнее и поудобнее, однако тот обругал Лемуана последними словами и заявил, что терпеть не может французов. На что Лемуан ответил, что предпочитает умереть во Франции, чем терпеть оскорбления в Англии, и покинул корабль.

Во время встречи с Пейолем и Бертраном Лемуан клятвенно пообещал сразу же отправиться в город Сан-Рафаэль и ждать там дальнейших инструкций. При этом он открыл свой портфель, и Пейоль с изумлением увидел там кипу кодовых книг на различных языках, а также пустые бланки паспортов и удостоверений личности почти всех европейских стран. Заметив удивление на лице Пейоля, Лемуан сказал, что получил кодовые книги от Шмидта еще в августе 1938 года. Пейоль поинтересовался, не оставил ли Лемуан в своей парижской квартире каких-либо конфиденциальных документов, которые могли бы скомпрометировать Шмидта. Лемуан заверил Пейоля, что был очень осторожен и забрал все секретные документы с собой. У Пейоля не было другого выбора, кроме как поверить Лемуану на слово и отпустить его на все четыре стороны в надежде, что тот появится в Сан-Рафаэле, где можно будет устроить его дальнейшую судьбу таким образом, чтобы немцы по-прежнему продолжали пребывать в полной уверенности относительно неуязвимости своей «Энигмы».

Серьезные проблемы с «Энигмой» возникли не только в континентальной Европе, но и в Англии. Наиболее неотложная из них была связана со станциями перехвата шифровок. Эти станции играли ключевую роль в процессе взлома «Энигмы». В августе 1940 года в английском дешифровальном центре в Блетчли-Парке с удивлением узнали о том, что от перехвата немецких сообщений планировалось отстранить опытных специалистов, работавших в городе Чатем в графстве Кент. Взамен предполагалось создать новую станцию перехвата в местечке Чиксендс недалеко от города Бедфорда и подобрать для нее новый персонал. 26 августа 1940 года руководство дешифровального центра написало письмо, в котором выразило решительный протест против принятого решения. Это письмо интересно еще и тем, что позволяет получить представление об обыденных проблемах, с которыми английским криптоаналитикам приходилось сталкиваться в Блетчли-Парке.

Авторы письма назвали решение закрыть станцию перехвата в Чатеме исключительно неразумным, поскольку оно могло самым неблагоприятным образом сказаться на выполняемой в Блетчли-Парке работе. По их мнению, граница между успешным чтением шифровок «Энигмы» и невозможностью это делать была мала, поскольку объем перехваченных сообщений «Энигмы» слишком незначителен. Эта граница еще более сузилась в мае 1940 года, когда немцы ввели в действие новую, более совершенную индикаторную систему.

Далее в письме говорилось, что, несмотря на достигнутые успехи, вопрос о дальнейшем чтении сообщений «Энигмы» висит на волоске, что время для реорганизации службы перехвата выбрано весьма неудачно, учитывая ожидавшееся со дня на день вторжение немецких войск на территорию Англии, и что английским криптоаналитикам необходимо обеспечить бесперебойное чтение немецких шифровок, чтобы заблаговременно получить информацию относительно характера изменений, которые немцы наверняка внесут в свою систему обеспечения безопасности связи перед самым вторжением.

В письме упоминался случай, который произошел 5 мая 1940 года. В Блетчли-Парке не смогли правильно определить ключевые установки «Энигмы», использовавшейся немцами в Норвегии, только потому, что была искажена всего одна буква в индикаторной части перехваченной шифровки. Также в письме сообщалось о том, что добрую половину немецких шифровок, перехваченных в сентябре 1939 года, не удалось прочесть лишь из-за того, что их запись была сделана с ошибками.

Для успешного взлома «Энигмы» английским криптоаналитикам требовались немецкие сообщения, обладавшие определенными отличительными признаками. Но, к сожалению, такие сообщения было довольно непросто отыскать. Еще более существенную роль в работе над взломом «Энигмы» играл «подстрочник». Чтобы его найти, необходимо было точно знать, было ли отправлено перехваченное сообщение из вышестоящего звена нижестоящему или наоборот. А для этого, в свою очередь, нужно иметь специальные навыки, которые вырабатывались только путем длительной работы.

По наблюдениям составителей письма, операторам станции перехвата в Чатеме удавалось получать правильный ответ в четырех случаях из пяти, тогда как их менее опытные коллеги на другой станции перехвата вообще умудрялись пропускать все сигналы, которые идентифицировали приемную и передающую станции, и не могли сказать ничего о том, откуда и кем отправлена перехваченная ими шифровка. Когда немцы переходили с одной частоты на другую, операторы в Чатеме четко отслеживали эти перемещения, поскольку хорошо знали индивидуальный почерк немецких связистов. Таким образом, закрытие станции перехвата в Чатеме ставило под угрозу всю дешифровальную работу в Блетчли-Парке.

## «Битва за Англию»

В обычных условиях разведывательная информация из такого секретного источника, как «Энигма», должна была доводиться только до сведения начальников разведывательных управлений всех видов вооруженных сил Англии. Потом они могли по своему усмотрению распространять ее так, как считали уместным. Эта система действовала достаточно успешно, пока дешифровок «Энигмы» было немного. Но было совершенно очевидно, что с ростом количества прочитанных немецких шифровок каждому виду вооруженных сил пришлось бы обрабатывать в день сотни радиограмм противника. При этом резко увеличилось бы число людей, вовлеченных в перевод немецких сообщений и в последующую рассылку сведений. Можно было также предвидеть, что каждый начальник соответствующего разведывательного управления пожелает срочно сообщить эти сведения одним или нескольким территориально удаленным штабам. В результате один и тот же материал уходил бы в эфир засекреченным при помощи различных шифров, что было чрезвычайно опасно с криптографической точки зрения. Кроме того, возросший объем радиопередач мог вызвать подозрение у противника, который рано или поздно догадался бы, что произошло, и ценный источник разведывательных данных был бы потерян. Возможно, немцы не поверили бы, что англичане взломали их шифр, но уж непременно сочли бы, что имела место достаточно серьезная утечка секретной информации, и либо перестали использовать «Энигму», либо усложнили ее действие, чтобы свести на нет успехи англичан.

В самом начале 1940 года была создана небольшая разведывательная группа, в которую входили представители сухопутных войск и военно-воздушных сил. Договориться с начальником военно-морской разведки Джоном Годфри, чтобы в эту группу вошел кто-то из его подчиненных, не удалось. По традиции, в военно-морских силах Англии были слишком сильны изоляционистские настроения, и идея сотрудничества с представителями других видов вооруженных сил с самого начала показалась английским морякам неприемлемой.

Тем не менее это был первый этап в осуществлении плана, призванного обеспечить единство и правильность перевода дешифрованных немецких сообщений. Была и другая, не менее важная сторона деятельности объединенной группы — решение вопроса о приоритете каждого сообщения и о том, кто прежде всего должен быть ознакомлен с его содержанием. Группе предстояло выработать строгие правила, регламентировавшие число людей, которые могли знать о существовании такой информации, а также особые правила для тех, кто ее получал, включая запрет предпринимать действия, которые могли вызвать подозрения у противника. Добиться этого от командных инстанций на местах было весьма трудно, поскольку в известных условиях могло показаться очень соблазнительным нанести неожиданный удар по врагу.

Поэтому на втором этапе было решено создать в английских сухопутных войсках и военно-воздушных силах специальные подразделения связи (СПС). Предполагалось, что офицеры, возглавлявшие СПС, сумеют удержать командующих от каких бы то ни было рискованных действий. Учитывая успех с «Энигмой», все радиообмены со специальными подразделениями связи засекречивались при помощи одноразового шифрблокнота. Помимо СПС, копии перехваченных и прочитанных шифровок противника отправлялись начальникам разведывательных управлений всех видов вооруженных сил, которые должны были подробно информировать своих начальников штабов и обобщать полученные сведения о перемещениях различных частей противника.

Таков был общий план, согласно которому предлагалось использовать разведывательную информацию, полученную при помощи взлома «Энигмы», в английских сухопутных войсках и военно-воздушных силах. Пока еще никто в точности не знал, сколько часов или, может быть, суток пройдет между перехватом немецкой шифровки и ее прочтением или сколько радиограмм в день придется дешифровать, рассортировать по срочности и адресатам, перевести и разослать в СПС. Тем не менее в плане должным образом учитывалось соблюдение секретности и возможное расширение масштаба военных операций.

Вскоре было принято следующее очень важное решение: полностью отделить разведывательные данные, добытые взломом «Энигмы», от других видов информации, которым в Англии присваивался гриф «Секретно» или «Совершенно секретно». Были проведены переговоры со всеми начальниками разведывательных управлений, чтобы решить, под каким грифом эти данные будут доводиться до сведения лиц, включенных в утвержденный список рассылки. Сначала все сошлись на слове «Ультрасекретно», но потом заменили на более короткое — «Ультра».

Для начала одно СПС было придано командующему английскими войсками во Франции Джону Горту. Оно также должно было обслуживать командующего авиацией английских экспедиционных войск во Франции Чарльза Блаунта. Другое подразделение было прикомандировано к штабу командующего ударной авиацией А. Баррата.

Большинство шифровок, прочитанных в первой половине апреля 1940 года, касались исключительно вопросов материально-технического снабжения немецких войск. Генеральные штабы сухопутных и военно-воздушных сил тщательно отслеживали боеготовность каждой воинской части. Сюда входили численность личного состава и боевой техники (самолетов, танков и орудий), а также обеспеченность горючим и другими материальными ресурсами. По этим же каналам шли заявки на снабжение боеприпасами, запасными частями и на пополнение личным составом, включая возмещение понесенных потерь. Иногда складывалось такое впечатление, что всем немецким квартирмейстерам было приказано пользоваться только радиосвязью, чтобы не перегружать телефонные линии сообщениями, не имевшими оперативного значения. Это позволяло английским военным получать точные данные о группировках и боевом составе частей противника, в том числе — о численности, дислокации и вооружении подразделений, принимавших участие в боевых операциях.

В последние две недели апреля 1940 года в перехваченных немецких шифровках стали все чаще фигурировать приказы о перемещении войск. Для английского командования это послужило конкретным доказательством того, что немецкие сухопутные войска и авиация перебрасывались к западной границе.

10 мая 1940 года немцы начали наступление через Голландию и Бельгию. Одновременно через Арденны двинулись немецкие танковые армады. К 11 мая английские и французские войска отступили в Бельгии на заранее подготовленные позиции, и казалось, что им удастся там закрепиться. Однако из немецких шифровок, перехваченных 14 и 15 мая, англичанам стало известно, что немцы не собираются останавливаться на достигнутом и продолжат свое наступление.

Утром 23 мая была перехвачена и дешифрована наиважнейшая радиограмма командования сухопутных войск Германии. Видя, что англичане и французы в смятении отступают, генерал Вальтер Браухич приказал «со всей решительностью продолжать наступление в целях окружения противника».

Эта телеграмма убедила Горта в том, что настало время эвакуироваться из Франции. Впоследствии Горт признал, что именно она повлияла на его решение как можно скорее двинуть свои войска к морю. Он понимал, что если английские экспедиционные войска будут разгромлены, то немцы переправятся через Ла-Манш и тогда вряд ли что сможет помешать им оккупировать Англию. А для премьер-министра Англии Уинстона Черчилля радиограмма Браухича послужила сигналом к ускоренному сосредоточению судов в районе Дюнкерка[1] для эвакуации отступавших войск.

В ходе сражений во Франции английские дешифровальщики с честью выдержали свой первый экзамен. В поле зрения англичан оказалось связующее звено между Гитлером и высшими штабами вооруженных сил Германии. Примерно тогда же стал вырисовываться характер радиопередач, которые шифровались с помощью «Энигмы». Выяснилось, что у немцев существовало правило, согласно которому все командующие армиями и группами армий должны были ежедневно представлять свои донесения об обстановке главному командованию сухопутных войск или верховному командованию. Эти донесения часто подтверждали то, что англичанам уже было известно. Вместе с тем они позволяли английским командующим на фронтах проверять имевшиеся сведения, а премьер-министру и начальникам штабов в Лондоне — оценивать общую обстановку.

Примерно в начале августа 1940 года Черчилль, находясь под впечатлением разведывательной информации, которую он получал из Блетчли-Парка во время боевых действий во Франции, потребовал, чтобы все важные ра-

[1] Портовый город во Франции.

диограммы, дешифрованные в Блетчли-Парке, отправлялись в его лондонскую резиденцию на Даунинг-стрит и чтобы каждая из них снабжалась пометкой о ее важности. Иногда в дешифровках «Энигмы» попадались длинные политические послания Гитлера, которые особенно интересовали Черчилля.

После падения Франции в Блетчли-Парке наступило короткое затишье. Немецкие шифровки касались в основном дислокации оккупационных войск и их штабов во Франции и не представляли для англичан большого интереса. Однако вскоре быстрыми темпами начал увеличиваться поток шифровок люфтваффе и объем работы снова вырос. В середине июля 1940 года было дешифровано очень важное сообщение. Сначала оно было передано из ставки Гитлера главнокомандующим сухопутными, военно-морскими и военно-воздушными силами, потом Геринг продублировал по радио суть этого сообщения своим генералам, командующим различными силами военно-воздушного флота. Геринг информировал их, что поскольку Англия не проявляет признаков готовности заключить мир с Германией, Гитлер отдал приказ подготовить и провести против нее десантную операцию. Цель операции — устранение Англии как базы, с которой могли продолжаться военные действия против Германии, и при необходимости полная ее оккупация. Операция получила название «Морской лев».

В Германии Геринг пользовался огромным влиянием. Одним из следствий этого стало обилие его радиограмм, перехваченных и прочитанных в Блетчли-Парке. В результате английское министерство авиации получило из Блетчли-Парка весьма точную информацию о дислокации воздушного флота Германии, включая данные об аэродромах базирования авиационных частей. Из дешифровок стало известно, что немцы предпринимают лихорадочные меры, чтобы довести свои эскадрильи до штатной численности. Но вследствие плохой работы служб ремонта и снабжения количество самолетов, готовых к бою, составляет всего порядка 75 процентов. И хотя формально Англии противостояло примерно три тысячи немецких самолетов (в том числе около двух тысяч бомбардировщиков), на деле только три четверти этого количества были боеспособными. Можно было ожидать, что степень боеготовности немцев будет еще меньше, если их потери превысят пополнение.

Поскольку Гитлер планировал напасть на Советскую Россию весной 1941 года, то, чтобы успеть перебросить свои главные силы на Восток, он должен был начать вторжение в Англию не позднее середины сентября. Это означало, что времени у него оставалось не так много.

В одном из своих приказов Геринг потребовал от транспортно-десантной авиации попрактиковаться в посадке на узкие полосы, имитирующие автомобильные дороги. Из дешифровок «Энигмы» англичане также узнали, что вблизи крупных аэродромов в Бельгии и Голландии немцы начали сосредоточивать парашютные части и что Гитлер приказал сухопутным и военно-воздушным силам совместно организовать специальные пункты для быстрой погрузки самолетов. Это подтвердило догадку англичан о том, что кроме выброски парашютных десантов немцы собирались быстро переправлять через Ла-Манш грузы и вооружение. К концу июля 1940 года в Блетчли-Парке все чаще дешифровывали немецкие радиограммы, свидетельствовавшие о разногласиях между командованием сухопутных войск и командованием военно-морских сил Германии относительно того, как удовлетворить гигантские потребности в судах для морских перевозок. Но главное внимание, как следовало из дешифровок «Энигмы», уделялось действиям немецкой авиации. Учитывая, что против Англии был нацелен огромный воздушный флот немцев, а командование сухопутных войск никак не могло договориться с командованием военно-морских сил, можно было обоснованно предположить, что в грядущем сражении за Англию ведущую роль должны сыграть бои в воздухе. Следующий важный приказ Геринга, дешифрованный в Блетчли-Парке 1 августа 1940 года, подтвердил это предположение. Геринг приказал люфтваффе разгромить английские военно-воздушные силы любой ценой и как можно быстрее.

В августе 1940 года немцы начали собирать все баржи, которые могли найти на европейских реках, — от больших самоходных, курсировавших по Рейну, до мелких, которые обычно переправлялись по французским и бельгийским рекам и каналам группами по три-четыре с помощью мощных буксиров. Однако вскоре оказалось, что имевшихся в наличии барж совершенно недостаточно. В дешифровках замелькали данные о том, что немцы лихорадочно ищут в Бельгии, Германии, Голландии и Франции суда всех видов. Потом выяснилось, что среди собранных барж слишком мало самоходных. Последовало еще одно паническое распоряжение, зашифрованное с помощью «Энигмы» и прочитанное в Блетчли-Парке. В нем приказывалось отыскать подходящие двигатели. Но их тоже оказалось недостаточно, и в некоторых случаях немцам пришлось ставить на баржи авиационные моторы. Неразбериха, ставшая очевидной даже для англичан, неизбежно должна была заставить Гитлера задуматься над вопросом: а суждено ли было состояться вторжению вообще?

Черчилль считал, что не суждено. 10 июля 1940 года он выступил перед кабинетом министров, заявив, что считает вторжение противника с моря маловероятным, поскольку «это была бы крайне опасная и самоубийственная операция, подвергающая немецкую армию огромному риску при наличии наших многочисленных вооруженных патрульных сил».

Однако Геринг по понятным причинам придерживался совершенно иного мнения. Он объезжал авиационные части, стремясь поднять боевой дух летчиков перед решающим сражением; посылал шифровки командирам летных частей и соединений, сообщая, кого из них планирует посетить. Из этих шифровок следовало, что в немецких эскадрильях царит далеко не идеальный порядок.

8 августа 1940 года Геринг отдал приказ о проведении операции «Орел»:

> «От рейхсмаршала Геринга всем частям 2, 3 и 5-го воздушного флотов. Операция “Орел”. Через короткое время вы очистите небо от английской авиации. Хайль Гитлер».

Через час в дешифрованном виде этот приказ Геринга был доложен начальникам штабов всех видов вооруженных сил Англии и ее премьер-министру. Копию приказа получил и главный маршал авиации Хью Даудинг. Черчилль затребовал вторую копию приказа Геринга и отнес ее в королевский дворец. Хотя сигнал был дан, массированных налетов, ожидавшихся 11 августа, не последовало. Погода была облачной, появившиеся группы немецких самолетов ограничились бомбардировкой английских судов и прибрежных аэродромов.

12 августа Геринг прибыл на побережье Франции, чтобы оттуда руководить налетами немецких эскадрилий на Англию. Утром 12 августа начались бомбардировки английских радиолокационных станций и аэродромов. И хотя дешифрованные приказы Геринга своевременно доходили до Даудинга, о конкретных объектах налетов англичане заранее ничего не знали, поскольку эти объекты указывались на местных инструктажах и не фигурировали в шифровках. Тем не менее разведывательные данные, которые Даудинг получал из Блетчли-Парка, помогали ему составить общее представление о направлении и силе ударов противника. Эти данные давали Даудингу бесценную общую картину вражеского наступления и скрывавшейся за ним стратегии. Кроме того, они позволяли получать сведения об истинных потерях противника — это становилось ясно из заявок на пополнение самолетами и экипажами различных соединений. Причина проведения операции «Орел» была совершенно ясна: высадка в Англии не может состояться, пока не будет полностью уничтожена английская авиация.

12 августа 1940 года в Блетчли-Парке было дешифровано сообщение Геринга, в котором указывался день проведения операции «Орел» — 13 августа. Но утром 13 августа Геринг неожиданно приказал отложить налеты до второй половины дня: он хотел выехать на побережье, чтобы лично наблюдать, как полетит его небесная армада. Приказ Геринга внес сумятицу в действия немецкой авиации. Этот приказ, видимо, не дошел до некоторых эскадрилий люфтваффе, и утренний налет, хотя и состо-

ялся, но прошел очень неорганизованно. Тем не менее к концу дня у английской авиации значительно прибавилось хлопот.

Следующий день оказался спокойнее, но вечером Геринг решил устроить большое сражение в воздухе. Оно не состоялось 11-го из-за плохой погоды, а 13-го — из-за неразберихи с приказом. Теперь Геринг сам руководил операцией и на этот раз рассчитывал не допустить ошибок. В перехваченной и прочитанной шифровке Геринга перечислялись воздушные силы, которым предстояло участвовать в налете. Предполагалось, что удары будут тщательно спланированы по времени, чтобы весь день держать английские силы обороны в напряжении.

Эти налеты имели целью поднять в воздух как можно больше английских истребителей и быстро расправиться с ними. Если бы Даудинг попался на удочку, потери были бы значительно больше, чем могли себе позволить английские военно-воздушные силы. Но Даудинг решил отражать каждый налет ограниченным числом своих истребителей.

«Битва за Англию»[1] была в самом разгаре. Одновременно немцы готовились к проведению операции «Морской лев». Дешифровки «Энигмы» указывали на продолжавшееся отсутствие взаимодействия и сотрудничества между командованием сухопутных войск и командованием военно-морских сил Германии. Они никак не могли договориться между собой о планах десантной операции на побережье Англии. Причем командование сухопутных войск регулярно сталкивалось с препятствиями в осуществлении мероприятий по транспортировке своих сил к месту высадки.

Геринг был убежден, что сможет выполнить поставленную перед ним задачу исключительно силами люфтваффе и не проявлял особого интереса к планам командования сухопутных войск. Тем не менее из дешифровок

[1] Такое обобщенное название получили воздушные бои над Британскими островами, и особенно в районе Лондона и Южной Англии, в августе 1940 — мае 1941 г.

«Энигмы» следовало, что немцы продолжают передислоцировать свои войска ближе к берегу и ведут сосредоточение транспортных самолетов для крупных перебросок по воздуху. При этом грузы снабжения регулярно терялись во время перевозок по железным дорогам и никак не удавалось преодолеть трудности с получением двигателей и установкой их на баржи, а командование военно-морских сил Германии не могло добиться рассредоточения барж, чтобы обезопасить их от ударов английской авиации.

Геринг был недоволен ходом операции «Орел», о чем свидетельствует шифровка от 17 августа 1940 года. В этой шифровке Геринг вызывал командующих в свой штаб и требовал объяснить неспособность уничтожить английские военно-воздушные силы.

Утром 18 августа из дешифровок «Энигмы» стало известно, что ожидается новый массированный налет немецкой авиации. Даудинг был своевременно предупрежден, и в воздух поднялись английские самолеты. В этом сражении немцы понесли самые тяжелые потери за всю войну. Тогда Геринг решил изменить стратегию, применяемую люфтваффе. Он отдал распоряжение «о переносе воздушных ударов в глубь страны, чтобы втянуть в неравный бой всю английскую авиацию». Это распоряжение было перехвачено и оперативно дешифровано в Блетчли-Парке.

30 и 31 августа Геринг начал терять терпение. Он снова взял в свои руки командование воздушным флотом. Положение английских военно-воздушных сил стало просто отчаянным. Если бы немцы сумели выдержать темп проведения операции «Орел» еще одну-две недели, то Англия оказалась бы перед лицом катастрофы. Однако из дешифровок «Энигмы» англичане знали, что немцы с трудом зализывают нанесенные им раны: организация ремонта и снабжения оказалась не рассчитана на такой темп ведения военных действий. Изначально Геринг планировал закончить «Битву за Англию» максимум за две недели с небольшими потерями для люфтваффе. Но к концу августа 1940 года у немцев оставалось в строю не

более половины самолетов. Наступательный порыв люфтваффе сломлен.

Пытаясь переломить ход событий, Геринг совершил крупнейшую за всю войну ошибку. Если бы он продолжал бомбить английские аэродромы, то вполне мог бы уничтожить все оставшиеся английские истребители. Но 7 сентября в 11 часов Геринг отдал приказ, перехваченный и дешифрованный в Блетчли-Парке, — произвести налет 300 немецких бомбардировщиков на лондонские доки, обеспечив массированное прикрытие истребителями. Этот налет был назначен на конец дня и должен был, по мнению Геринга, привести к уничтожению последних английских истребителей.

Приказ Геринга попал в руки Даудинга через считанные минуты после отправки. Высказывалось множество догадок, почему немецкая авиация перенесла свои действия с аэродромов английской истребительной авиации на столицу Англии. Был ли это решающий удар со стороны немцев? Или Геринг считал, что с английской авиацией почти покончено? Может быть, Геринг решил отомстить за недавно состоявшийся воздушный налет англичан на Берлин, который опроверг его хвастливые заявления, что этого никогда не случится? Но, каковы бы ни были причины, такая перемена в действиях немецких военно-воздушных сил оказалась в корне ошибочной.

Черчилль решил лично наблюдать за немецким налетом. Из дешифровок «Энигмы» следовало, что налет должен начаться между 16 и 17 часами. Предвечернее багровое солнце осветило сотни вражеских бомбардировщиков, летевших высоко над Темзой в направлении доков — цели, указанной в приказе Геринга. Несмотря на присутствие английских истребителей в небе над Лондоном, численное превосходство давало немцам возможность бомбить наиболее важные части города. Над доками поднялись огромные столбы черного дыма, оглушительный грохот рвавшихся бомб сотрясал всю столицу. Лондон впервые с начала войны переживал массированную бомбардировку.

Перенацеливание немецких бомбардировок на лондонские доки спасло оставшиеся английские истребители от уничтожения. Геринг так и не достиг полного господства в воздухе. Однако он считал, что добился достаточного успеха, чтобы дать Гитлеру зеленый свет для высадки в Англии. Немецкий флот вторжения находился в максимальной боевой готовности. Поэтому 7 сентября 1940 года в Англии была объявлена готовность номер один к вторжению. Это означало, что высадки немецкого десанта в Англии ожидали в течение ближайших двенадцати часов. Войска и отряды местной самообороны были приведены в состояние немедленной готовности. Ночью английские бомбардировщики нанесли удар по скоплениям немецких барж у берегов Франции. В ту же ночь немцы вновь бомбили Лондон.

10 сентября небо затянули облака и пошел дождь. Такая погода сохранялась в течение четырех дней. Утром 11 сентября был перехвачен приказ Геринга о проведении ранним вечером налета более 200 бомбардировщиков на Лондон. Но на этот раз английские истребители встретили врага к югу от английской столицы, и лишь немногим немецким самолетам удалось прорваться к городу. Однако ночью бомбардировщики появились опять.

Дешифровки «Энигмы» подсказывали, что немецкие баржи продолжают оставаться в портах. После того как Геринг перенес свои удары с аэродромов на Лондон, у английских военных, которые регулярно знакомились с содержанием немецких шифровок, создалось впечатление, что время для проведения операции «Морской лев» упущено. Было ясно, что Гитлер не рискнет начать высадку войск в Англии, пока существуют английские военно-воздушные силы. Вероятность немецкого вторжения становилась все меньше.

Прошел месяц со дня начала операции «Орел». 14 сентября дожди стихли. Но погода еще не настолько улучшилась, чтобы можно было ожидать массированного налета немцев. Следующий день был идеальным для немецких самолетов — облачный, но с достаточными разрывами, чтобы не сбиться с курса. К середине дня бомбардировщики, волна за волной, пошли на английскую столицу.

Благодаря дешифровкам «Энигмы» Даудинг правильно оценил создавшуюся обстановку. Зная о низком моральном духе немецких летчиков, об отсутствии достаточного прикрытия и о том, что операция «Морской лев» могла состояться только теперь или никогда, Даудинг бросил в бой все, что имел. Непредвиденно большое количество английских истребителей в воздухе над Лондоном явилось полной неожиданностью для немецких летчиков, которым постоянно внушалось, что у англичан почти не осталось боевых самолетов. Они в панике повернули назад.

Геринг приказал повторить налет и довести начатое дело до конца. Его радиограмма была перехвачена, прочитана и своевременно доведена до сведения Даудинга. Английские истребители во всеоружии встретили вторую волну немецких бомбардировщиков, и те, сбросив бомбы где придется, снова спешно ретировались.

В то время англичане еще не знали, возобновятся ли массированные воздушные налеты противника и насколько серьезна угроза вторжения. Одним из главных признаков подготовки немцев к высадке войск в Англии служили широкие приготовления к загрузке транспортных самолетов, которые велись на бельгийских и голландских аэродромах. Немцы считали, что в самое ближайшее время эти самолеты смогут беспрепятственно доставлять войска и грузы снабжения в Англию.

Утром 17 сентября в Блетчли-Парке была прочитана шифровка, в которой приказывалось приступить к демонтажу оборудования, предназначенного для загрузки самолетов на голландских аэродромах. Шифровка была довольно короткой, но ее значение трудно было переоценить: если погрузочное оборудование приказано демонтировать, значит, высадке немецких войск в Англии не суждено состояться.

Угроза вторжения миновала, но дел у английских дешифровальщиков не убавилось. В конце сентября, чтобы спасти свою репутацию, Геринг приказал начать массированные ночные бомбардировки Лондона. Добраться по воздуху до английской столицы было легко — естественным ориентиром для немецких бомбардировщиков служила Темза, а бомбы, куда бы они ни падали, всегда наносили ощутимый ущерб городу. Налеты на Лондон продолжались весь октябрь. В ноябре Геринг решил приступить к бомбардировкам других больших городов. Иногда, благодаря дешифровкам «Энигмы», англичанам удавалось заранее узнать о налете. Однако точное наименование объекта бомбардировки засекречивалось с помощью кода, который английские криптоаналитики никак не могли взломать.

14 ноября около 15 часов в Блетчли-Парке была прочитана немецкая шифровка, в которой вместо обычного кодового обозначения города было в открытую приведено его название — Ковентри. До налета оставалось не более пяти часов. Содержание шифровки было доведено до сведения Черчилля. Однако он приказал привести в повышенную готовность только службы спасения — пожарные команды, «скорую помощь» и полицию. Какие-либо дополнительные меры, чтобы заранее подготовиться к отражению налета на Ковентри, приняты не были. Споры о том, насколько правильным было это решение, не утихают до сих пор.

## Из тупика

Осенью 1940 года немецкий подводный флот все тесней сжимал кольцо блокады вокруг Англии. Однако сколь совершенной ни была тактика, которой придерживались немецкие субмарины, она имела один весьма существенный недостаток. Немецкие подводные лодки должны были регулярно сообщать о своем местонахождении в штаб-квартиру, которая сначала находилась в Париже, а в октябре 1940 года переехала в поместье Керневаль недалеко от французского города Лориента. Если бы в английском дешифровальном центре в Блетчли-Парке сумели каким-то образом прочесть шифровки, которыми немецкие подводные лодки обменивались со своей штаб-квартирой в Керневале, можно было бы заранее предупреждать английские караваны судов о грозившей опасности.

Ключевую роль в решении этой задачи суждено было сыграть Тьюрингу. К осени 1940 года большинство сотрудников Блетчли-Парка уже знало, что Тьюринг — выдающаяся личность, хотя мало кто мог внятно объяснить, чем он заслужил такое к себе отношение. Было известно, что в 22 года он стал младшим научным сотрудником[1] в Королевском колледже[2]. Когда началась Вторая мировая война, Тьюрингу едва исполнилось 26 лет. Помощники уважительно называли его профессором, ветераны с неодобрением относились к его несобранности и недисциплинированности. Дилли Нокс, который руководил группой английских криптоаналитиков, безуспешно пытавшихся взломать «Энигму» перед войной, в конце 1939 года написал Деннистону письмо, в котором, в частности, говорилось:

> «Тьюринга очень трудно заставить заниматься чем-то одним. Он очень умен, но довольно безответствен и дает слишком много указаний разной степени полезности. У меня пока достаточно авторитета — но только пока — и способностей, чтобы заставить его до некоторой степени соблюдать порядок и дисциплину».

Тьюринг действительно не был похож ни на кого из своих коллег в Блетчли-Парке. Во-первых, он был гомосексуалистом, что представляло, помимо моральной стороны, серьезную угрозу безопасности: пойманный с поличным, Тьюринг мог стать объектом вербовки в результате шантажа. Неизвестно, знал ли о его нетрадиционной сексуальной ориентации Деннистон, но некоторым коллегам Тьюринга она была хорошо известна.

Во-вторых, Тьюринг отличался большой эксцентричностью. Многие годы спустя один из его бывших помощников высказал мнение, что, по меркам сегодняшних представлений о психических заболеваниях, у Тьюринга

---

[1] Младший научный сотрудник занимался исследованиями в какой-либо области, совмещая научную работу с преподавательской.

[2] Один из самых крупных колледжей Кембриджского университета, основан в 1441 г. Известен своей церковной капеллой, выдающимся памятником архитектуры.

несомненно диагностировали бы аутизм в острой форме. Людям, страдающим аутизмом, приходят в голову блестящие идеи, но в то же время они не знают, как общаться с другими людьми, и не отдают себе отчета в том, что остальные могут подумать об их поведении, они одержимы своей работой и предпочитают выполнять ее в одиночку. Достоверно установить, страдал ли Тьюринг аутизмом, не представляется возможным, однако у него наличествовали все симптомы этого психического заболевания. Он был очень одинок как в частной жизни, так и в своих научных исследованиях. Еще в 1934 году, будучи студентом Королевского колледжа, Тьюринг доказал одну математическую теорему, а когда поделился своим открытием с научным руководителем, то узнал, что эта теорема была доказана двенадцать лет назад. В Блетчли-Парке Тьюринг занялся военно-морской «Энигмой», как он сам выразился, «потому, что никто другой не уделял ей внимания и она была в моем распоряжении». Всякий раз, перед тем как сказать что-нибудь, по его мнению, важное, он издавал пронзительный вопль, заставляя окружающих вздрагивать и воздерживаться от замечаний, которые могли помешать ходу его мыслей. Тьюринг не любил светской беседы, редко шутил, чужим же шуткам улыбался, только заметив, что им смеются остальные. Чтобы ни с кем не разговаривать, обычно ходил не поднимая головы, чурался любых попыток заговорить с ним.

Больше всего Тьюринг не любил иметь дело с людьми, которых считал ниже себя по интеллекту. С женщинами — особенно. Он жаловался своим коллегам:

— Мне так тяжело общаться с женщинами. Я не знаю, в чем дело, — в их образовании, в их происхождении или в чем-то еще. Но как только они начинают говорить банальности, мне кажется, будто у них изо рта выпрыгнула жаба.

Единственный случай, когда Тьюринг сблизился с женщиной, произошел в 1941 году. Он обручился с Джоан Кларк, способной женщиной-криптоаналитиком, работавшей в Блетчли-Парке над взломом военно-морской «Энигмы». Однако через несколько месяцев разорвал помолвку, объяснив свое решение тем, что накануне ему приснился сон, в котором матушка не одобрила его выбор. А против воли матери он пойти никак не может. Но наиболее странно Тьюринг начинал вести себя с наступлением лета. Он страдал аллергическим насморком, однако, вместо того чтобы сидеть дома в разгар цветения растений, гонял по округе на велосипеде, натянув на себя противогаз. Цепь на его двухколесной машине была неисправна, но Тьюринг отказывался ее чинить и развлекался тем, что считал количество оборотов, которые делала цепь, прежде чем начинала вести себя неустойчиво, а затем крутил педали назад до тех пор, пока она снова не начинала нормально работать. Тьюринг мог бросить свой велосипед в любом месте, но кружку, из которой пил чай, приковал железной цепью к батарее.

В Блетчли-Парке надеялись, что чудной, но изобретательный Тьюринг найдет способ взломать военно-морскую «Энигму». Больше всех этого хотел его непосредственный начальник Фрэнк Берч. Ведь в самом начале войны в Блетчли-Парке преобладало мнение, что «Энигму» взломать невозможно. Узнав о том, что были прочитаны шифровки люфтваффе, Берч очень огорчился, что такого же успеха не удается добиться для военно-морской «Энигмы». Накопившееся по этому поводу раздражение он излил 21 августа 1940 года на страницах своего письма первому заместителю Деннистона Эдуарду Тревису:

> «Тьюринг и Твинн — выдающиеся люди, но, подобно многим другим выдающимся людям, они непрактичны. Они неопрятны, они теряют вещи, они не могут ничего правильно скопировать, они мечутся между теорией и “подстрочником”. И они не обладают целеустремленностью людей практичных».

Берч опасался, что Тьюринг и Твинн далеко не лучшим образом используют «подстрочник», который получают от него. По мнению Берча, они занимаются отсебятиной, изменяя «подстрочник», чтобы быстрее вскрывать ключевые установки для «Энигмы». Об этом

Берч сообщил Деннистону в своем письме от 21 августа 1940 года:

> «Быстрее! Так я и поверил! До сих пор никакого результата добиться не удалось. С помощью более “медленного” метода можно было бы уже выиграть войну».

Берч полагал, что Тьюринг и Твинн добьются значительно больших успехов, если будут консультироваться с ним и его подчиненными, прежде чем вносить любые изменения в «подстрочник». В таком случае, полагал Берч, можно протестировать все возможные варианты более методично и целенаправленно. Берч уподобил Тьюринга и Твинна людям, которые живут в ожидании чуда, но сами в чудеса нисколько не верят. Недовольство было обоюдным. Тьюринг и Твинн, в свою очередь, обвиняли Берча в неспособности предоставить в их распоряжение правильный «подстрочник».

Берча также раздражала позиция руководства. Оно, по мнению Берча, не выделяло достаточно ресурсов для работы над взломом военно-морской «Энигмы». Обеими «Бомбами», установленными в Блетчли-Парке, почти монопольно распоряжались сотрудники секции № 6, которые занимались чтением шифровок люфтваффе. Несмотря на эскалацию военных действий на море, подчиненным Берча лишь иногда выделяли одну «Бомбу». Берч справедливо опасался, как бы все новые «Бомбы», которые в ближайшее время должны были поступить в Блетчли-Парк, также не были отданы в секцию № 6, и в письме Деннистону писал:

> «Суть в том, что военно-морским силам не уделяется достаточного внимания. Да и вряд ли будет уделяться. Считается, что большое количество “Бомб” обойдется очень дорого, потребует значительных трудозатрат опытного персонала, чтобы изготовить и использовать, а также электропитания, которым мы в настоящее время не обеспечены. А на самом деле, предмет спора прост. Суммируйте все трудности и сопоставьте их с важностью взлома действующей “Энигмы” для всей нации».

Некоторые жалобы Берча нельзя назвать необоснованными, и в первую очередь это касалось отсутствия достаточного количества «Бомб».

Учитывая тот факт, что военно-морскую «Энигму» никак не удавалось взломать при помощи обычных криптоаналитических методов, в Блетчли-Парке принялись искать другие, менее традиционные способы. Например, Берч предложил послать сообщение, представлявшее собой бессмысленный набор букв, на одной из частот, на которых работали радиостанции на немецких подводных лодках. Он надеялся, что это спровоцирует прогнозируемый ответ, который потом можно будет использовать в качестве «подстрочника». А Дилли Нокс хотел, чтобы была послана не какая-то абракадабра, а фальшивое сообщение, в котором запрашивались бы ключевые установки для «Энигмы».

Капитаны английских военных судов были проинструктированы на случай захвата «Энигмы» на вражеском корабле. В приказе, изданном 29 августа 1940 года, в частности, говорилось:

> «Известно, что многие немецкие военно-морские сообщения шифруются с помощью машины. Фотография машины для шифрования прилагается. Любая машина данного типа, обнаруженная на борту немецкого военного корабля, должна быть тщательно упакована и самым коротким маршрутом направлена в сопровождении офицера начальнику военно-морской разведки адмиралтейства. Важно, чтобы к машине не притрагивались и не пытались с ней что-либо делать, за исключением действий, совершенно необходимых для ее изъятия и доставки по назначению».

Начальник военно-морской разведки Джон Годфри занял в этом вопросе более активную позицию и приступил к созданию специальной разведгруппы, которая должна была придумать, как добыть военно-морскую «Энигму». 12 сентября 1940 года Ян Флеминг, один из помощников Годфри, написал на его имя меморандум, в котором изложил собственный план захвата «Энигмы»:

«Я предлагаю захватить трофейный экземпляр «Энигмы» следующим образом:

1. Получить в министерстве авиации пригодный для совершения полетов немецкий бомбардировщик.

2. Подобрать сплоченную команду из пяти человек, включая пилота, радиста и человека, в совершенстве владеющего немецким языком. Одеть их в форму немецких военно-воздушных сил, дополнив ее пятнами крови и бинтами.

3. Разбить самолет в районе пролива Ла-Манш, предварительно послав О/Т[1] сигнал бедствия службе спасения.

4. Оказавшись на борту спасательного судна, перестрелять немцев, выбросить за борт, привести судно в английский порт.

В случае пленения немцы расстреляют их на месте как диверсантов, и это событие можно будет с успехом использовать в пропагандистских целях. Они расскажут, что атака была предпринята ради шутки группой молодых горячих парней, которые посчитали войну слишком пресной и хотели помериться силами с врагом. Они украли самолет, и по возвращении обратно их ждали крупные неприятности. Это не позволит зародиться подозрениям, что группа планировала захватить более ценный трофей, чем простой спасательный корабль».

Флеминг также добавил, что пилот должен быть неженат, уметь хорошо плавать. Операция получила кодовое название «Жестокость». Флеминг отправился в Дувр, где занялся набором кандидатов в призовую команду. Однако 16 октября Годфри отдал приказ отложить проведение операции «Жестокость»:

«Два разведывательных полета, совершенные самолетами береговой авиации, не выявили наличия подходящего судна, действующего по ночам. Радиоразведка также дала отрицательный ответ. Считаю, что операцию не следует отменять, а надо просто за-

[1] Открытым текстом.

морозить. Возможно, что район Портсмута более благоприятен для ее проведения. Капитан-лейтенант Флеминг должен прибыть в адмиралтейство сегодня в среду в 18.00».

20 октября в Атлантике немецкие подводные лодки осуществили одну из самых своих успешных атак на английские морские караваны. В тот день Берч сделал запись в своем дневнике:

> «Тьюринг и Твинн пришли ко мне как два гробовщика, которых лишили чудесного трупа. Они пребывали в очень возбужденном состоянии по поводу отмены операции "Жестокость". В основе их истерии лежала необходимость добыть "Энигму" любым способом. Неужели наше руководство не понимает, что, после того как 1 июня немцы изгадили свой шифратор, очень мало надежды на то, что удастся взломать действующую или близкую к действующей "Энигму" в течение нескольких месяцев, да и вообще когда-либо? Напротив, если будет добыта "Энигма" и прочитана немецкая шифрпереписка хотя бы за сутки, можно быть уверенным, что после первоначальной задержки можно будет продолжать это делать изо дня в день... Первоначальная задержка будет прямо пропорциональна успеху операции по захвату. Если удастся захватить все целиком, то задержки не будет вовсе. Тьюринг и Твинн добавили (хотя это очевидно), что они не могут гарантировать, что в ближайшем или отдаленном будущем немцы опять не изгадят свой шифратор и не потребуется новый захват. Правда, есть и альтернативные методы. Я сам внес одно предложение, и, скорее всего, можно придумать множество других способов, еще лучше. Что-то наклевывается? Носом чую, что да».

Флеминг, раздосадованный тем, что тщательно разработанная им операция не состоялась, заявил, что попрежнему считает жизненно необходимым захватить «Энигму», однако не смог предложить что-либо конкретное. Оставалось уповать на чудо...

## День «Х»

Дилли Нокс руководил «итальянской» секцией английского дешифровального центра в Блетчли-Парке. Она размещалась в перестроенной конюшне этого старинного викторианского поместья.

Задача взлома итальянской «Энигмы», стоявшая перед Ноксом и его подчиненными, оказалась несколько проще, чем аналогичная проблема, которую решали Тьюринг и его коллеги. Дело в том, что, в отличие от немцев, итальянцы не использовали коммутационную панель, и англичанам в Блетчли-Парке приходилось перебирать значительно меньше вариантов, чтобы найти среди них искомые ключевые установки для итальянской «Энигмы». С другой стороны, итальянские военно-морские силы использовали свою «Энигму» не столь интенсивно, как немецкие, и поэтому Ноксу приходилось доказывать свой высокий профессионализм, довольствуясь значительно меньшим числом перехваченных шифровок.

А Ноксу было что доказывать. Его авторитет в Блетчли-Парке сильно пошатнулся после того, как в июле 1939 года польские криптоаналитики продемонстрировали своим английским коллегам, как взломать «Энигму». Видя успехи Тьюринга и других молодых английских математиков, Нокс испытывал горечь от того, что его методы криптоанализа, основанные на интуиции, явно недооценивались. Нокс, которому уже исполнилось 55 лет, когда разразилась Вторая мировая война, принадлежал к криптоаналитикам старой закалки. Он был настоящим эрудитом, однако больше полагался на здравый смысл, чем на знания математики. В 1917 году ему удалось взломать немецкий военно-морской код после того, как он заметил, что биграмма EN встречается пять раз в 70-буквенном кодированном сообщении. Единственное разумное объяснение этому факту, по мнению Нокса, состояло в том, что сообщение содержит отрывок из поэмы. Вскоре Нокс отыскал поэму Шиллера, из которой был позаимствован этот отрывок.

И все же у Нокса и Тьюринга было много общего. Оба закончили Королевский колледж, оба отличались весьма эксцентричным поведением. Нокс, например, за рулем автомобиля любил читать вслух стихи и бросал руль, чтобы сопровождать декламацию подходящими жестами. Приближаясь к перекрестку, он, вместо того чтобы сбросить скорость, прибавлял газу, поскольку считал, что при быстрой езде шанс налететь на препятствие меньше, чем при медленной. Кроме того, он часто брал с собой топор, которым рубил ветки на встречавшихся по пути деревьях. Прогулки Нокса на мотоцикле были столь же опасными, как и на автомобиле. Но однажды он попал в аварию, сломал ногу и был вынужден продать мотоцикл. После аварии Нокс заметно прихрамывал при ходьбе. Перед самой войной у него обнаружили рак. И хотя в результате своевременно принятых мер болезнь перешла в состояние ремиссии, Нокс постояно опасался, что она в любой момент может возобновиться. Хотя Нокс отклонил предложение стать профессором и остановил свой выбор на карьере криптоаналитика, он сохранил в себе все черты чудаковатого ученого. Всякая работа в «итальянской» секции прекращалась, когда Нокс терял свою трубку, а его подчиненные бросали свои дела, чтобы отыскать пропажу. Иногда коллегам приходилось напоминать Ноксу, чтобы он перестал набивать трубку мякишем хлеба, который отламывал от лежавшего под рукой бутерброда. Однажды Нокс пошел в ванную комнату и задержался там так долго, что молодой человек, терпеливо ожидавший своей очереди, забеспокоился и, открыв дверь, обнаружил Нокса, но отнюдь не принимавшего ванну и не покончившего жизнь самоубийством, а мирно размышлявшего в облаках пара о чем-то своем, глядя на краны, из которых вовсю хлестала вода. Нередко сослуживцы видели Нокса разгуливавшим по Блетчли-Парку в халате, поскольку, покидая свое жилище, он не всегда осознавал, что не оделся как подобает.

Но в отличие от Тьюринга, Нокс был большим любителем женщин. Его нельзя было назвать бабником, просто он очень любил, чтобы вокруг было как можно больше прелестных созданий. Заметив на территории Блетчли-Парка хорошенькую девушку, он немедленно давал своим подчиненным задание взять ее на работу. Особенно Нокс был неравнодушен к Мэвис Левер, которая поступила на работу в Блетчли-Парк из Лондонского университета. В биографических данных мисс Левер был существенный изъян. Она помогала еврейским беженцам из Германии устроиться в Англии, и двое таких беженцев оказались немецкими шпионами. Тем не менее Левер сначала была принята на работу в министерство иностранных дел, а в апреле 1940 года переведена в Блетчли-Парк под начало Дилли Нокса.

Несмотря на разницу в возрасте, Нокс и Левер быстро достигли полного взаимопонимания. Она была весьма привлекательной особой, и кроме того Нокса покорило ее искреннее простодушие, дополненное любовью к литературе, особенно к лирической поэзии.

Стремясь поближе познакомиться с Левер, Нокс пригласил ее отобедать в близлежащем отеле. Несмотря на то что Нокс годился мисс Левер в отцы, ей льстило, что из множества девушек, работавших у него, он выбрал именно ее. Их отношения были чисто платоническими. Нокс даже и не думал по-настоящему ухаживать за Левер, однако был достаточно привязан к ней, чтобы испытать муки ревности, когда она сказала, что обручена с Кейтом Бейти, математиком из секции № 6. Поначалу Нокс пытался отвадить ее от Бейти, повторяя, что он один из кембриджских ловкачей. Но видя, что девушка всерьез увлечена своим женихом, оставил все попытки их разлучить. Когда в ноябре 1942 года Мэвис и Кейт поженились, Нокс преподнес им шикарный свадебный подарок.

Но все это случилось позже. А в 1940 году, приступив под руководством Нокса к работе над взломом военно-морской «Энигмы», Левер в первую очередь научилась разбирать беспорядочные записи своего начальника, которые тот обычно делал тупым карандашом. Она сразу поняла, что может многому научиться у Нокса.

Нокс хотел, чтобы Левер применила «армирование» для взлома итальянской военно-морской «Энигмы». Свое название данный метод получил, когда английские криптоаналитики начали составлять таблицы, чтобы фиксировать и наглядно отображать путь, который электрический ток проделывал, проходя через диски «Энигмы». Строки этих таблиц обычно записывались на длинных полосках картона, которые англичане прозвали «арматурой». «Армирование» считалось в Блетчли-Парке лучшим методом взлома модификаций «Энигмы», в которых не использовалась коммутационная панель. С помощью «арматуры» английские криптоаналитики определяли сначала порядок следования дисков, а затем и их начальное состояние, что позволяло читать все сообщения, перехваченные за сутки.

Однако «армирование» было эффективно только при наличии у криптоаналитиков «подстрочника». Нокс поделился с Левер своей догадкой относительно содержания одной из перехваченных итальянских шифровок. Он считал, что эта шифровка начинается с PERX, где PER по-итальянски означало ДЛЯ, а буква X символизировала пробел между словами. Левер безуспешно пыталась использовать догадку Нокса, чтобы прочесть шифровку, пока однажды ее саму не осенило. В сентябре, задержавшись на работе допоздна, она предположила, что первыми четырьмя буквами шифровки были не PERX, а PERS. Скорее всего, это начальные буквы слова PERSONALE[1]. При помощи «арматуры» Левер удалось отгадать еще несколько букв, которые она сложила в следующую фразу:

PERSONALE PER SIGNOR...[2]

Этот «подстрочник» позволил Левер вскрыть порядок следования дисков в «Энигме» и разовый ключ к ней. В результате удалось прочесть несколько итальянских шифровок, найти еще несколько «подстрочников» и продолжать взламывать «Энигму», пока летом 1941 года итальянские военно-морские силы не отказались от ее использования.

Однако с итальянской «Энигмой» не все было так гладко, как это может показаться на первый взгляд. Че-

[1] Лично
[2] Лично для сеньора...

рез три месяца после успеха, достигнутого Левер, итальянцы заменили один из дисков в своем шифраторе. И опять Левер удалось вскрыть ключевые установки, благодаря своей исключительной наблюдательности. В перехваченной шифровке она заметила полное отсутствие буквы L. Как уже говорилось, если на клавиатуре «Энигмы» нажать клавишу, соответствующую какой-то букве, то на ее световой панели загорится лампочка, помеченная другой буквой. Левер предположила, что текст сообщения изначально (до зашифрования) состоял из одних букв L. Предположение оказалось верным. Скорее всего, итальянскому оператору «Энигмы» было приказано послать ничего не значащее сообщение. Это необходимо, чтобы сбить с толку противника, следящего за активностью операторов. Если этого не делать, то по всплеску переданных сообщений всегда можно сделать вывод, что враг что-то замышляет.

Поначалу взлом итальянской «Энигмы» не принес ощутимых результатов. Однако 25 марта 1941 года итальянский оператор «Энигмы» отправил шифровку, начинавшуюся с известного в Блетчли-Парке «подстрочника» — SUPERMARINA[1]. С помощью «армирования» эту шифровку удалось быстро прочесть. Ее содержание было доведено до сведения английского адмиралтейства. Шифровка была послана из Рима и адресована итальянскому командующему, находившемуся на греческом острове Родос. В ней говорилось:

> «В ответ на сообщение № 53148, датированное 24 марта. Сегодня 25 марта — день “X”-3».

В обычных условиях на эту шифровку никто не обратил бы особого внимания. Однако в Блетчли-Парке уже знали, что враг что-то затевает. На западе Средиземноморья участились полеты немецкой разведывательной авиации. А из прочитанных шифровок люфтваффе стало известно, что немцы и итальянцы запланировали на конец марта высадку войск на побережье Ливии. Наконец, в немецкой шифровке от 25 марта содержался приказ немец-

[1] Главное командование военно-морских сил.

ким истребителям перебазироваться в город Палермо в Сицилии для проведения специальных операций (в шифровке не уточнялось, каких именно).

Через несколько часов после прочтения итальянской шифровки английское адмиралтейство послало командующему Средиземноморским флотом Англии Эндрю Каннингхему следующую депешу:

> «Рим проинформировал Родос о том, что сегодня, 25 марта, — это день “X” минус три. Пояснение. В сообщении содержится ссылка на другое сообщение, отправленное с Родоса в Рим 24 марта. Возможно, последует дополнительная информация».

Сообщение от 24 марта, упомянутое в сообщении от 26 марта, было прочитано в Блетчли-Парке лишь утром 26 марта. Его содержание также было доведено до сведения Каннингхема. Итальянскому командующему на Родосе было приказано в течение трех дней, начиная с 26 марта, провести разведку по маршрутам, соединявшим Александрию, Крит и город Пирей в Греции. Также сообщалось, что аэропорт на Крите будет подвергнут бомбардировке в ночь, предшествовавшую дню «X», и на рассвете в день «X».

Было и третье сообщение, о котором в английском адмиралтействе ничего не знали. Оно было послано из Рима 23 марта и адресовано адмиралу Анджело Ячино. В этом сообщении впрямую говорилось об операции, намеченной на 28 марта. Итальянский флот должен был патрулировать районы к северу и к югу от Крита, а в случае обнаружения противника при благоприятных условиях атаковать его. Таким образом, итальянцы собирались атаковать английские транспортные суда с войсками на борту, которые должны были отплыть из Александрии в Пирей, чтобы помешать оккупации Греции Германией. Однако сообщение от 23 марта, равно как и два более поздних сообщения (от 25 и 27 марта), которые имели к нему отношение, не были посланы по радио, а потому и не были перехвачены англичанами и прочтены в Блетчли-Парке.

26 марта во второй половине дня Каннингхем вкратце изложил вице-адмиралу Придхему-Уиппелу полученные из Блетчли-Парка разведывательные данные о готовившейся операции противника:

> «Я предполагаю, что эта операция представляет собой полномасштабную атаку на наши морские караваны или рейд надводных кораблей в районе Эгейского моря... В мои намерения... входит отступление из данного района с тем, чтобы враг нанес свой удар в пустоту, а мы приложим все усилия, чтобы причинить ему ущерб в ходе нанесения удара».

Час спустя Каннингхем приказал Придхему-Уиппелу 28 марта передислоцироваться в район Эгейского моря к северу от Крита, где ожидать дальнейших указаний. Английскому каравану «АГ-9» было приказано 27 марта под покровом темноты развернуться и следовать обратно в Александрию, а каравану «ГА-9» следовало задержаться в порту Пирея. В приказе Каннигхема, в частности, говорилось:

> «Ваши дальнейшие действия зависят от сложившейся обстановки. Вы должны занять позицию, которая позволит отступить перед лицом превосходящих сил противника или осуществить перехват его военных кораблей, когда они будут возвращаться с задания».

Ранним утром 27 марта Каннингхем получил еще одно сообщение из адмиралтейства. В нем содержалось предупреждение о том, что целью вражеской операции были вовсе не английские морские караваны, а атака с использованием сухопутных подразделений и десантных кораблей, переброска которых в Центральное Средиземноморье началась 26 марта.

Таким образом, ни адмиралтейство, ни Каннингхем не имели точного представления о том, что же на самом деле должно произойти 28 марта. Поэтому им оставалось только строить догадки. 27 марта на борту флагманского корабля «Враждебный» в Александрийском заливе Каннингхем провел совещание с десятью высокопоставленными офицерами, чтобы выработать стратегию для успешного отражения вражеской атаки. Каннингхем кратко изложил свои соображения относительно того, что должно было случиться на следующий день: итальянский флот отправится либо в Триполи, либо на Родос, либо на перехват английских караванов, направлявшихся к берегам Греции. В самом конце совещания Каннингхем предложил всем высказаться, какой из перечисленных им сценариев развития событий наиболее вероятен. Единогласно было решено, что, скорее всего, итальянцы совершат нападение на английские караваны. Каннингхем поддержал это решение и раздал присутствующим приказ, который заранее подготовил. Корабли сопровождения должны были на рассвете присоединиться к «Враждебному» и авианосцу «Грозный» на выходе из Александрийского залива.

29 марта Каннингхем подвел итог проведенной им операции:

> «Пять кораблей вражеского флота потоплены, сожжены или иным образом уничтожены... За исключением гибели одного самолета в бою, наш флот не имеет ни потерь, ни раненых. Мало кто сомневается в том, что трепка, которую мы задали противнику, сослужила нам хорошую службу при последующей эвакуации из Греции и с Крита».

Вечером 29 марта начальник военно-морской разведки Джон Годфри позвонил в Блетчли-Парк и попросил соединить его с Дилли Ноксом. Когда Годфри сказали, что не могут этого сделать, поскольку Нокс ушел домой, он оставил следующее сообщение:

> «Скажите Дилли, что мы одержали крупную победу в Средиземноморье, и этой победой мы обязаны исключительно ему и его девушкам».

В следующий свой приезд в Лондон Каннингхем посетил Блетчли-Парк, чтобы лично поблагодарить английских криптоаналитиков за их вклад в одержанную победу над противником. Воспользовавшись представившимся случаем, Левер и ее подруги не удержались и сыграли с Каннингхемом довольно злую шутку. Заметив, что он одет в безупречно белую морскую форму, они обступили Каннингхема, вынудив его сделать несколько шагов назад и прижаться спиной к недавно покрашенной стене.

Возможно, Нокс со своими «девушками» действительно помог английским военным морякам одержать историческую победу над итальянцами на Средиземноморье, однако в закулисной борьбе в Блетчли-Парке он оказался менее удачлив. Ноксу очень не нравилось, что ему не разрешалось заниматься самостоятельной рассылкой разведывательной информации, которую добывал он и его подчиненные. Согласно приказу Деннистона, все данные, имевшие отношение к военно-морским силам противника, должны были стекаться в военно-морскую секцию в Блетчли-Парке. Там на их основе составлялись обобщенные сводки и пересылались в адмиралтейство. Еще в октябре 1940 года Нокс жаловался, что Деннистон обманным путем заставил его пойти на это. А в конце 1941 года Нокс возмутился снова и написал Деннистону:

> «Мой любезный Деннистон, я почти потерял надежду на то, что Вы согласитесь с моими доводами по основным вопросам... Как ученый (ибо во всем Блетчли-Парке по своему воспитанию, образованию, профессии и по общему признанию я являюсь самым выдающимся ученым), я считаю необходимым добывать все новые и новые опытные данные для моих исследований... Профессия и окружение заставляют ученого сопровождать весь исследовательский процесс, начиная с добычи опытных данных и кончая итоговым текстом (на языке оригинала или в переводе). В 20-е и в 30-е годы я всегда мог поступать как истинный ученый, и, будучи ученым, я просто не могу понять, и, как полагаю, не могут и многие другие ученые в Блетчли-Парке, Вашу теорию «очковтирательства». Если бы эта теория применялась в области других наук... запрещая изобретателю совершенствовать свои изобретения и делать их достоянием гласности, то мы бы все еще жили в средневековье».

11 ноября Аластер Деннистон следующим образом отреагировал на письмо Нокса:

«Мой любезный Дилли, большое спасибо за Ваше письмо. Я очень рад, что Вы честны и прямы со мной. Я знаю о наших существенных разногласиях относительно принципов руководства, но я все равно убежден, что мои принципы лучше Ваших и что благодаря им будут получены более разносторонние и действенные результаты.

Допустим, Вы спроектировали суперсовременный «Роллс-Ройс». Но это совсем не значит, что от Вас требуется лично объезжать на нем потенциальных покупателей, особенно если Вы не очень хороший водитель. Я лишился всякого доверия с Вашей стороны, когда 1 декабря позволил себе не согласиться с Вами и заявил, что Вы не сможете развить свой успех и взять на себя руководство секциями № 6 и № 3. Я был прав — Вы принялись бороздить целину, а управление Вашим подразделением взяли на себя Тревис и остальные, которые, по моему мнению, оказались для этого более приспособленными, чем Вы».

Письмо Деннистона заканчивалось следующими строками:

«Вы, Нокс, являетесь известным в Европе ученым и знаете о внутреннем устройстве немецкого шифратора значительно больше, чем кто-либо другой. В тяжелых военных условиях имеется потребность именно в последнем Вашем таланте, хотя очень мало людей отдают себе в этом отчет.

И пока у Вас есть новые сферы для проведения исследований, дальнейшим совершенствованием Ваших изобретений могут заниматься другие люди.

Я действительно с Вами не согласен.

Всегда к Вашим услугам,

А. Д.».

Пока шло это эпистолярное сражение, Мэвис Левер и Маргарет Рок, еще одна «девушка» Нокса, сумели реконструировать модификацию «Энигмы», применявшуюся немецкой военной разведкой — абвером. 8 декабря они прочли первую шифровку абвера, за которой последовали многие другие. А когда удалось перевербовать нескольких немецких шпионов, разоблаченных в Англии, и заставить их принять участие в радиоигре в интересах английской контрразведки, чтение шифровок, которыми обменивались с Берлином их немецкие кураторы, находившиеся в нейтральных странах, позволяло точнее оценивать ход операции по использованию двойных агентов.

12 декабря Деннистон сделал следующую пометку в своем дневнике:

> «Нокс снова подтвердил свою репутацию самого чудаковатого исследователя «Энигмы». Он занялся реконструкцией шифратора, используемого немецкими шпионами... Он относит достигнутый успех на счет двух молодых девушек из числа своих подчиненных — мисс Рок и мисс Левер и приписывает эту заслугу исключительно им одним. Конечно, лидером был именно он, но его методы отбора и подготовки помощников крайне необычны. Нужно отдавать себе отчет, что пройдут недели, а может быть, и месяцы, прежде чем начнется регулярное чтение шифровок».

В начале 60-х годов XX века на свет появилась история о том, откуда Каннингхем узнал о планировавшейся операции итальянского флота. Ее автором был английский писатель Монтгомери Хайд. Согласно его версии, военно-морской атташе итальянского посольства в Вашингтоне Альберто Лаис влюбился в прекрасную шпионку по имени Синтия и, когда та попросила его добыть ключ к военно-морскому шифру и сам шифр, не смог ей отказать. Ключ и шифр были доставлены Каннингхему и использованы для чтения секретных сведений, что и позволило устроить засаду итальянскому флоту в Средиземном море.

В 1964 году сын Лаиса подал на Хайда в суд, обвинив его в клевете. Суду предстояло решить, действительно ли Лаис был виновен в одном из самых позорных поражений Италии. Естественно, на суде возник вопрос о том, могли ли англичане читать итальянские шифровки. На этот вопрос удалось лишь частично ответить Верховному суду Италии, куда дело было передано в 1970 году. А в начале 60-х итальянский судья ограничился тем, что сформулировал вопросы, на которые следовало дать ответ, чтобы прийти к обоснованному решению. Могло ли случиться так, что англичане воспользовались сведениями, полученными благодаря взлому итальянского военно-морского шифра, чтобы узнать о планах командования военно-морским флотом Италии? Или сообщение об этих планах было отправлено курьерской почтой, и англичане при всем желании не могли его перехватить? И хотя окончательно развеять все сомнения относительно обстоятельств разгрома итальянского флота в марте 1941 года не удалось, Верховный суд Италии посчитал более вероятной вторую версию. Что же касается Хайда, то он публично был объявлен лжецом. Дело в том, что, сочиняя свою историю, он допустил ошибку, написав, что Лаис передал Синтии шифр и ключ к нему перед самым отплытием в Италию. Однако Лаис покинул Америку 25 апреля 1941 года, то есть спустя почти месяц после того, как Каннингхем получил в свое распоряжение итальянский шифр, якобы переданный ему Синтией. Кроме того, единственный сын Лаиса служил на флоте в Средиземноморье, и вряд ли отец не осознавал, что подвергает собственного сына смертельной опасности, передавая противнику итальянский военно-морской шифр, к которому, кстати, никогда не имел доступа. Таким образом, история, поведанная Хайдом, оказалась чистой воды вымыслом.

## Военная кампания в Северной Африке

В начале 1941 года дешифровки «Энигмы» продолжали давать Черчиллю точную картину военных планов Германии. В частности, указали на сосредоточение немецких войск на юге Румынии, ставшей к тому времени союзницей Германии. В одной из перехваченных директив Гитлера командующему немецкими войсками в Румынии предписывалось подготовиться к продвижению в южном направлении через Болгарию для нападения на Грецию. Не надеясь больше на итальянцев на Средиземном море, Гитлер решил охранять южный фланг от англичан силами немецкой армии. Эта информация побудила Черчилля послать своих военных эмиссаров в Афины, чтобы выяснить, намерены ли греки оказать сопротивление немцам. Он заявил, что «если греки решили воевать, мы должны разделить их испытания».

Однако шансы на то, чтобы помешать немцам осуществить свои военные планы в Греции, были очень невелики. А для командующего английскими войсками на Ближнем Востоке Арчибальда Уэйвелла оказание военной помощи Греции означало дальнейшее ослабление собственных позиций.

В начале февраля 1941 года, сознавая низкое моральное состояние итальянской армии, Гитлер предпринял решительные меры, чтобы заставить итальянцев воевать в полную силу. Еще в декабре 1940 года он отправил на Сицилию 10-й авиационный корпус, чтобы воспрепятствовать английскому судоходству в Средиземном море. А два месяца спустя из немецкой шифровки, отправленной из Берлина в штаб люфтваффе на Сицилии, англичанам стало известно о том, что генералу Эрвину Роммелю приказано принять командование частями немецкой армии, которые планировалось послать в Северную Африку. В середине февраля 1941 года из Блетчли-Парка поступили сведения, что Роммель прилетел в Триполи, а чуть позднее стали известны примерные даты прибытия туда немецких войск, которые должны были войти в состав Африканского корпуса: 5-й моторизованной дивизии предстояло прибыть в Триполи в апреле, а 15-й танковой дивизии — в мае.

Несколькими днями спустя Роммель доложил в Берлин, что вступил в командование немецкими войсками в Триполи. В начале марта 1941 года из очередной немецкой шифровки англичане узнали, что 5-я моторизованная дивизия немцев появилась в Триполи на месяц раньше, чем ожидалось, а 1 мая стало известно о прибытии 15-й танковой дивизии. Таким образом, уже в начале мая 1941 года перед Уэйвеллом оказались две немецкие дивизии.

Зная из дешифровок «Энигмы» о дислокации и численности Африканского корпуса, Уэйвелл осуществил скорейший отход своих войск и тем самым сумел избежать полного разгрома.

В начале апреля 1941 года в Блетчли-Парке была прочитана немецкая шифровка с донесением командующего немецкими силами вторжения в Грецию фельдмаршала Вильгельма Листа, в которой он сообщал Гитлеру о полной готовности к началу военной операции. Один из главных вопросов для англичан заключался в том, согласится ли Югославия пропустить немцев через свою границу. При положительном решении этого вопроса линия обороны Греции удлинилась бы настолько, что оказать эффективное сопротивление немцам было бы невозможно.

6 апреля 1941 года фашистские войска напали на Югославию. В Блетчли-Парке была перехвачена и дешифрована директива Гитлера, в которой 2-й немецкой армии генерала Максимилиана Вайха приказывалось наступать на Грецию через Югославию одновременно с нападением на Грецию армии Листа со стороны Румынии. Греция была обречена. Остатки английской армии были эвакуированы из Греции на Крит.

В конце апреля из дешифровок «Энигмы» англичане узнали, что немцы планируют захватить Крит путем высадки на остров своих воздушно-десантных войск. Для этой цели частям 9-го авиационного корпуса, которые должны были принять участие в операции, было приказано передислоцироваться в Грецию. Одновременно Геринг приступил к сосредоточению самолетов и планеров в Болгарии.

Командующим английскими войсками на Крите Уэйвелл назначил генерала Бернарда Фрейберга. Получив из Блетчли-Парка очередную сводку немецких радиограмм, которые впрямую указывали на готовящееся вторжение на Крит немецких воздушно-десантных войск, Черчилль распорядился полностью информировать Фрейберга о планах противника. К счастью для англичан, немецкий генерал Курт Штудент, командовавший парашютными частями 9-го авиационного корпуса, педантично сообщал по радио участникам десантной операции обо всех ее деталях. В результате Фрейберг имел в своем распоряжении самые подробные данные об этой операции.

Тем не менее битву за Крит англичане проиграли. Немцы начали высадку на остров точно в срок — 12 мая 1941 года. Английский флот в Средиземном море не смог воспрепятствовать немецким конвоям с десантными войсками достичь берегов Крита. Немцы преподали англичанам жестокий урок: корабли не могут действовать в водах, где господствуют крупные силы вражеской авиации наземного базирования. Кроме того, англичане допустили на Крите серьезный промах. После эвакуации с Крита всех английских самолетов Фрейбергу было приказано оставить критские аэродромы в неприкосновенности. В результате Штудент закрепился на одном из аэродромов и перебросил туда по воздуху значительное подкрепление. Если бы аэродромы были заминированы или разрушены, немцы не смогли бы ими воспользоваться и результаты операции были бы совершенно иными.

В апреле Роммель предпринял наступление вдоль побережья Киренаики в Северной Африке и блокировал порт Тобрук. Английские войска упорно оборонялись, а Роммель не менее упорно стремился сломить их оборону. Гитлера, по-видимому, слегка утомила одержимость Роммеля, и в середине мая Роммелю было приказано доверить осаду Тобрука итальянцам, а самому продолжить наступление по направлению к египетской границе.

Уэйвелл был заранее предупрежден о намерениях Роммеля, однако не смог остановить продвижение Африканского корпуса, который получил подкрепление в виде нескольких танковых частей. Из дешифровок «Энигмы» Уэйвеллу также было известно, что Роммель испытывает постоянную нехватку всех видов снабжения, о чем он регулярно сообщал немецкому верховному командованию. Роммель требовал вооружения и боеприпасов и ругал итальянцев, которые разгружались в Триполи, — более чем за тысячу километров от его передовых частей. Итальянцы оправдывались тем, что путь в Триполи намного короче и безопаснее для судов. В результате немецкое верховное командование, занятое подготовкой нападения на Советскую Россию, не только наотрез отказалось усилить снабжение Роммеля, но и перебросило большую часть авиации со Средиземного моря в Восточную Европу.

Ознакомившись с язвительными посланиями, которыми Роммель обменивался с Берлином, Черчилль стал слишком оптимистично оценивать события в Северной Африке и неосмотрительно приказал Уэйвеллу освободить Тобрук от блокады. Операция потерпела неудачу, и Уэйвелл был заменен Клодом Окинлеком.

В начале 1940 года из дешифровок «Энигмы» Черчиллю стало известно о подготовке Германии к нападению на Советскую Россию. Речь шла о немецком прорыве в юго-восточном направлении к советским нефтепромыслам. Из-за операций в Греции и Югославии Гитлер был вынужден отложить нападение на Советскую Россию на четыре недели. В Блетчли-Парке был перехвачен ряд приказов о перемещениях немецких сухопутных и военно-воздушных сил к советским границам. Перед глазами английских дешифровальщиков замелькали знакомые по битве за Францию фамилии немецких военачальников, которые сосредоточивали свои армии, танковые дивизии и эскадрильи вдоль советской границы. Черчилль задумался о том, насколько полно следует информировать советское руководство. Посоветовавшись с начальником Секретной разведывательной службы Стюартом Мензисом, Черчилль написал письмо Иосифу Сталину, в котором сообщил, что располагает совершенно точными сведениями об огромной концентрации немецких войск в Восточной Германии. Ответа от Сталина Черчилль так и не получил.

Несмотря на провал Уэйвелла, Черчилль по-прежнему верил жалобам Роммеля на плохое снабжение, хотя в резюме шифровок Роммеля, которые поступали Черчиллю из Блетчли-Парка, постоянно указывалось, что Роммель склонен преувеличивать свои трудности. Весной 1942 года настала очередь Окинлека начать решительное наступление на Роммеля. Однако из-за нехватки вооружения операцию пришлось отложить на месяц, и Роммель перешел в наступление прежде, чем Окинлек подготовился к нанесению удара.

Благодаря дешифровкам «Энигмы» Окинлек получал всю необходимую информацию о противнике: полный боевой порядок Африканского корпуса, численность его личного состава, количество танков, артиллерийских орудий и самолетов, оценку положения со снабжением горючим и боеприпасами. Кульминационный момент наступил в августе 1942 года, когда Черчилль получил из Блетчли-Парка текст длинной радиограммы Роммеля Гитлеру, в которой предлагалось нанести внезапный мощный удар по южной оконечности левого фланга 8-й армии англичан, а затем широким охватом танковых частей оттеснить ее в северном направлении и сбросить в море. Это было решающее наступление немцев, целью которого было захватить Каир, Александрию и взять под контроль Суэцкий канал. Роммель прекрасно сознавал, что не может развивать длительное наступление, учитывая крайне недостаточное снабжение и необычайно длинные пути подвоза провианта и боеприпасов. И хотя постоянные жалобы Роммеля возымели свое действие и вместо Триполи итальянские транспортные суда стали следовать в Бенгази, но по пути они становились легкой добычей английских военных судов, а от Бенгази грузы для Роммеля все равно приходилось везти через пустыню.

Благодаря дешифровкам «Энигмы» командующий 8-й армией Бернард Монтгомери имел достаточно времени, чтобы подготовиться к решительному наступлению Роммеля, которое началось точно в назначенный срок — 31 августа 1942 года и строго следовало разработанному плану. Несмотря на своевременное предупреждение, бой выдался весьма тяжелым. Однако в конце концов атака Роммеля захлебнулась и 2 сентября он был вынужден отступить, оставив на поле боя множество танков, как подбитых англичанами, так и израсходовавших весь запас горючего. Если бы наступление Роммеля было внезапным, как он и рассчитывал, исход битвы мог стать совсем иным.

Второе сражение между 8-й армией и Африканским корпусом началось 23 октября 1942 года. После восьми дней жестоких боев обстановка складывалась не в пользу Роммеля, о чем он сообщил Гитлеру, прося разрешения начать отступление. Гитлер послал Роммелю радиограмму:

> «...Не может быть иного пути, кроме как держаться до последнего солдата, поскольку для немецких войск есть только один выбор — победа или смерть».

Интересно, что уже через несколько минут после отправки радиограмма Гитлера попала в руки Черчилля и Монтгомери, а Роммель по неизвестным причинам ее не получил. Это был первый в истории войны случай, когда Черчилль прочел радиограмму немецкого главнокомандующего раньше, чем тот, кому она была адресована, — командующий немецкими войсками на фронте.

Между тем, не дождавшись ответа Гитлера, Роммель приказал своим войскам начать отход. Повторная радиограмма Гитлера была, наконец, расшифрована и вручена Роммелю только на следующий день. Повинуясь приказу, Роммель отдал войскам приказ остановиться и занять оборону. Однако к этому времени итальянские и многие немецкие части оказались вне досягаемости Роммеля и не смогли выполнить приказ.

В ночь с 3 на 4 ноября 1942 года Монтгомери предпринял ответное наступление с целью прорыва оборонительных позиций Роммеля. Сражение было жестоким, но уже утром 4 ноября в Блетчли-Парке была перехвачена и прочитана шифровка Роммеля, в которой он признавал свое поражение. Ее содержание было немедленно доведено до сведения Черчилля и стало первым известием о победе над Роммелем, полученным английским премьер-министром. Соответствующее донесение Монтгомери поступило Черчиллю лишь во второй половине дня.

Дешифровки «Энигмы» оказали существенное влияние на план английской наступательной операции буквально перед самым ее началом. Первоначально Монтгомери планировал начать прорыв на севере. Начальник штаба убеждал Монтгомери осуществить прорыв в центре обороны противника, где, по его мнению, сопротивление было слабее. Такой вывод был сделан им на основе одной из дешифровок «Энигмы», в которой Роммель при-

Хью Александер с сыном

Арлингтон-Холл

Давид Балм

Густав Бертран с женой

Блетчли-Парк

Фрэнк Берч

Аластер Деннистон

Джек Гуд

Норман Деннинг

Алан Бэкон

Вильгельм Дрески принимает поздравления Гитлера

Генрих Зыгальский

Лесли Йоксалл

Эндрю Каннингхем

Кеннет Лакруа

Гвидо Лангер

Мэвис Левер

Рудольф Лемуан

Немецкое судно «С-26»

Фриц Лемп

Рольф Носквит

Мариан Режевский

Питер Твинн

Эдуард Тревис

Ежи Розицкий

Марк Торнтон

Алан Тьюринг

Трехдисковая «Бомба» (вид сзади)

Трехдисковая «Бомба» (вид спереди)

Гордон Уэлчмен

Трехдисковая «Энигма» с пятью дополнительными дисками

Энтони Фассон

Уильям Фридман

Гарри Хинсли

Четырехдисковая «Бомба»

Четырехдисковая «Энигма»

Артур Шербиус

Гай Шлессер
со своим отцом

Ганс и Шарлотта
Шмидт

казывал перебросить немецкую дивизию из центра на северный фланг, заменив ее итальянскими войсками. Кроме того, благодаря «Энигме» было известно, что накануне на пути в Бенгази было потоплено немецкое судно с горючим, что лишало Роммеля возможности перебросить танки к месту прорыва. Все перечисленные факторы и побудили Монтгомери направить свой главный удар в центр оборонительных позиций Роммеля — между немецкими и итальянскими частями.

Примерно в это же время англичане затеяли своеобразную игру в прятки с немецкими транспортными караванами, которые пытались доставить грузы снабжения Африканскому корпусу Роммеля. На Мальте, рядом со штабами военно-морских и военно-воздушных сил Англии, глубоко в скале расположилось специальное подразделение связи, которое своевременно информировало штабы о содержании перехваченных шифровок противника. Когда немецкие суда с продовольствием, горючим и боеприпасами отправлялись из Неаполя к североафриканским берегам, Кессельринг[1] посылал Роммелю радиограмму с указанием, какие именно суда, в какой день и час должны выйти из Неаполя и каким курсом будут следовать. Эти сведения были крайне важны для Роммеля, однако для англичан были настоящим даром небес.

Командующий Средиземноморским флотом англичан адмирал Эндрю Каннингхем и командующий английскими военно-воздушными силами на Мальте вице-маршал авиации Кейт Парк хранили в строгой тайне информацию, ставшую им известной благодаря дешифровкам «Энигмы». Они добивались, чтобы противник пребывал в полной уверенности, будто его морские караваны замечены с самолета-разведчика. Для этого Парк приказывал летчику совершить демонстративный облет района пред-

---

[1] Кессельринг Альберт (1885—1960) — немецкий военачальник. Начал службу в армии Германии в 1904 г. С приходом к власти Гитлера был переведен в люфтваффе, где получил чин генерал-лейтенанта и стал начальником штаба военно-воздушных сил Германии. С декабря 1941 г. по май 1945 г. — главнокомандующий Юго-Западной и Западной группами войск в Европе.

полагаемого нахождения немецкого каравана, так чтобы немцы заметили разведывательный самолет. И лишь некоторое время спустя там появлялись английские военные корабли и отправляли вражеские суда ко дну.

Однажды, когда очередной немецкий караван вышел из Неаполя, над Средиземным морем стоял густой туман. Было совершенно ясно, что самолет не сможет увидеть конвой сквозь такой плотный туман и сам не будет замечен с немецких судов. Каннингхем как можно дольше откладывал проведение морской операции по уничтожению вражеского каравана, надеясь, что туман рассеется. Но поскольку караван уже приближался к североафриканскому берегу, пришлось спешно принимать меры. Суда противника были потоплены, но с одного из них немецкие моряки успели доложить об этом подозрительном случае. Кессельринг заподозрил неладное и послал радиограмму в военную разведку с просьбой провести тщательное расследование обстоятельств, которые указывали на утечку секретной информации, касавшейся маршрута следования каравана. Вскоре Кессельринг получил из абвера ответ, что гипотеза об утечке секретной информации не подтвердилась. Со своей стороны, начальник Секретной разведывательной службы Англии Стюарт Мензис распорядился послать мифическому агенту в Неаполе радиограмму, шифр которой немцам не составило бы труда взломать. В ней Мензис благодарил «агента» за ценную информацию и поздравлял с повышением жалованья. Впоследствии Мензис узнал, что итальянский генерал, начальник неаполитанского порта, был освобожден от занимаемой должности по подозрению в шпионаже. Немцам и в голову не пришло, что англичане читают их шифрованную переписку.

К тому времени Роммель успел организованно отвести свои войска к западу от Бенгази, где мог получать снабжение непосредственно через Тунис. Однако Роммель ожидал прибытия последнего морского каравана, которому было приказано подойти как можно ближе к месту базирования Африканского корпуса Роммеля и сбросить в море бочки с горючим. Шифровка, в которой сообщались подробности операции, и ответ Роммеля, подчеркивавший ее крайнюю необходимость, были прочитаны в Блетчли-Парке в субботу вечером, когда Черчилль по обыкновению смотрел фильм в своей загородной резиденции. Пришлось ждать до двух часов ночи, когда Черчилль, наконец, вернулся из кинозала, чтобы по телефону доложить ему содержание перехваченных радиограмм. Черчилль приказал принять все меры для уничтожения немецкого каравана с горючим. Черчилль внимательно следил за военной кампанией в Северной Африке и рассчитывал, что, оставшись без горючего, Роммель будет вынужден бросить значительную часть военной техники и Монтгомери, который проявлял большую осторожность, преследуя отступавшего врага, сможет перейти к более решительным действиям.

Средиземноморье опять окутал густой туман. Разведывательный самолет англичан поначалу не смог обнаружить немецкий караван с горючим. Пилот кружил в небе до тех пор, пока через небольшой разрыв в тумане не увидел немецкие грузовые суда, которые шли совсем не тем курсом, который был ему известен. Посылать радиограмму с борта самолета, находившегося на большом расстоянии от Крита, было равносильно самоубийству, поскольку немцы могли засечь его и выслать с Сицилии истребители, которым не составило бы труда сбить английский самолет. Однако отважный английский летчик все-таки рискнул доложить о новом курсе каравана противника и поплатился за это жизнью. Его сообщение было принято, и находившиеся неподалеку английские корабли потопили немецкий караван. Роммель язвительно поблагодарил Кессельринга за пару бочек с топливом, которые прибило к берегу. Это было все, что осталось от столь необходимого ему груза.

В октябре 1942 года Кессельринг и Берлин обменялись шифровками, в которых информировали друг друга о разведывательных донесениях, касавшихся высадки англо-американских войск в Средиземноморье. Кессельринг сообщал, что пока не знает, где произойдет высадка, но уже в начале ноября радировал, что ожидает высадку либо в Северной Африке, либо в Сицилии. Это было очень важное сообщение. Если бы Кессельринг твердо знал о намерениях англичан и американцев, то смог бы заранее сосредоточить свои силы для ожесточенного сопротивления, что имело бы роковые последствия. Кессельринг просил у Гитлера подкрепление, чтобы повысить боеготовность своих войск в Сицилии, — это была мера предосторожности против англо-американского вторжения. Получив категорический отказ, Кессельринг приказал сконцентрировать имевшиеся в его распоряжении силы и транспортные самолеты на юге Италии.

Кессельрингу и Роммелю не понадобилось много времени, чтобы узнать о месте высадки англо-американских войск. Учитывая намерение противника высадиться в Северной Африке, Кессельринг просил Гитлера немедленно заручиться согласием французов на занятие немцами всех аэродромов и портовых сооружений в Тунисе. Вскоре Кессельринг получил радиограмму Гитлера, в которой Кессельрингу разрешалось захватить тунисские порты и аэродромы и подготовить войска для отправки в Тунис. Поскольку Гитлер отказался прислать подкрепление, Кессельрингу пришлось рассчитывать лишь на собственные силы. Благодаря дешифровкам «Энигмы» англичанам был хорошо известен состав этих сил, но было не ясно, как быстро Кессельринг сможет перебросить их по воздуху в Северную Африку.

Вскоре в Блетчли-Парке были перехвачены и прочитаны шифровки Гитлера командованию немецкими войсками во Франции с приказом оккупировать юг страны. В Лондоне эта шифровка вызвала чрезвычайную обеспокоенность судьбой французского флота в Тулоне. Англичане очень не хотели, чтобы он попал в руки немцев, и обратились к французам, находившимся в Лондоне, с предложением вывести французские военные корабли из Тулона и присоединить их к английскому флоту в Средиземном море. В конце концов, вопрос решили сами французы: они затопили свой флот.

В это время из дешифровок «Энигмы» англичане узнали, что Кессельринг получил долгожданное крупное подкрепление. В конце ноября 1942 года Кессельринг рапортовал в Берлин, что в Тунисе высадилось 15 тысяч немецких солдат с сотнями танков и что в этот район дополнительно отправлено еще около восьми тысяч итальянских солдат.

Из дешифровок «Энигмы» англичанам также стало известно, что Гитлер взял на себя «дистанционное» управление Африканским корпусом и приказал Роммелю занять оборону. Ознакомившись с этим приказом Гитлера, Монтгомери отправил одну из своих дивизий с задачей отрезать немцам пути отхода, и Роммелю пришлось снова отступить. Он, как положено, сообщил в Берлин, что собирается отойти в Тунис, однако Гитлер приказал ему занять позиции как можно дальше к востоку от Туниса и оборонять их. Основываясь на этих сведениях, Монтгомери послал через пустыню свою бронетанковую дивизию, чтобы атаковать позиции Африканского корпуса с запада.

В январе 1943 года была перехвачена и прочитана еще одна шифровка Роммеля немецкому верховному командованию. В ней Роммель сообщал, что вынужден снова оставить свои рубежи и отступить. Но на этот раз 8-я армия англичан не дала ему времени окопаться, и почти сразу же Роммель информировал Гитлера, что отходит на территорию Туниса.

В феврале 1943 года из Египта в Тунис прибыл генерал Гарольд Александер[1], который принял командование объединенными силами союзников. Тогда же англичане перехватили радиограмму Кессельринга Роммелю, в которой дублировалось распоряжение Гитлера любой ценой удержать рубеж Марет[2]. За радиограммой Кессельринга последовал один из самых подробных докладов Роммеля

[1] Александер Гарольд (1891—1969) — английский военачальник. Принимал участие в Первой мировой войне. Во время Второй мировой войны командовал 1-м корпусом во время эвакуации из Дюнкерка. За военную кампанию в Северной Африке 1942—1943 гг. был удостоен рыцарского звания, а позже получил почетный титул графа Александра Тунисского.

[2] Оборонительные укрепления, построенные французскими войсками до Второй мировой войны на границе Ливии и Туниса.

Гитлеру. В этом докладе содержался полный план рубежа Марет с указанием позиций каждой части Африканского корпуса и описанием ее оборонительных сооружений. Теперь Монтгомери точно знал, с чем ему предстоит столкнуться при штурме. Через Кессельринга Гитлер приказал Роммелю контратаковать противника в полосе действий 8-й армии Монтгомери, чтобы сдержать ее наступление. К тому времени Роммель достаточно хорошо изучил тактику действий англичан и американцев, чтобы осознать всю тщетность такого маневра. Поэтому он информировал Кессельринга, что контрнаступление сможет оказать лишь незначительное сдерживающее действие на противника. По мнению Роммеля, следовало оставить рубеж Марет, чтобы объединить силы группы немецких армий для действий на более узкой линии фронта. Кессельринг немедленно отклонил это предложение, и Роммель был вынужден выполнить приказ Гитлера.

Из дешифровок «Энигмы» англичане узнали, какие именно силы Роммель планировал использовать для своего контрнаступления в полосе 8-й армии Монтгомери. Роммелю удалось собрать для этой операции три немецкие танковые дивизии и две итальянские пехотные дивизии. Кроме того, благодаря дешифровкам «Энигмы» Монтгомери стало известно, где именно Роммель собирался нанести танковые удары. Немудрено, что 20 февраля 1943 года контратака Роммеля захлебнулась: 8-я армия отразила танковые удары сосредоточенным огнем противотанковой артиллерии, а потом нанесла главный удар по позициям Роммеля на самом рубеже Марет, слабые места которого Монтгомери хорошо знал из дешифровок «Энигмы». Для Роммеля это поражение означало конец активных боевых действий в Северной Африке. Он взял отпуск по болезни и выехал на лечение в Германию.

В своих радиограммах в Берлин Кессельринг заранее начал готовить верховное командование к сдаче Туниса. Конец немецкой военной кампании в Северной Африке наступил очень быстро. Уже после заключительного наступления англо-американских союзников 6 мая 1943 года из перехваченных и прочитанных шифровок противника в Блетчли-Парке удалось узнать и информировать военно-воздушные силы Англии и Соединенных Штатов о порядке эвакуации немецких войск из Туниса. В результате большинство немецких транспортных самолетов было сбито, был потоплен и последний эскадренный миноносец противника в Средиземном море. Об общих потерях, которые понесли немцы, англичанам стало известно из радиограммы Кессельринга, отправленной Гитлеру 13 мая 1943 года.

## Прорыв

4 марта 1941 года английская экспедиционная эскадра в составе пяти эсминцев и двух десантных кораблей прибыла к берегам Норвегии. Началась операция «Клеймор»[1]. Она была задумана как диверсионный рейд в тылу врага, призванный заставить его перебросить туда дополнительные силы с фронта. В ходе операции в основном предполагалось наносить удары по топливным резервуарам и рыбоперерабатывающим заводам, топить немецкие корабли и уничтожить как можно больше норвежских коллаборационистов. Однако военным морякам, участвовавшим в операции «Клеймор», была поручена и другая, более секретная миссия. Вдоль побережья Норвегии курсировало множество немецких траулеров, и было не исключено, что некоторые могли быть оснащены «Энигмой». Захват такого траулера позволил бы в очередной раз взломать немецкий шифратор.

Командный пост операции «Клеймор» был размещен на борту эсминца «Сомали». В 6.20 впередсмотрящий на «Сомали» заметил немецкий траулер «Краб». Одним из первых же снарядов, выпущенных «Сомали», «Краб» был подбит. Связист лейтенант Маршалл Вармингтон предложил капитану «Сомали» Клиффорду Каслону отправить призовую команду на подбитый немецкий траулер. Возглавил эту команду сам Вармингтон, который, оказав-

[1] Клеймор — сабля шотландских горцев.

шись на борту «Краба», обыскал капитанскую каюту и нашел два диска, которые, как он сразу же понял, были предназначены для использования в шифровальной машине.

В 13.30 рейд был закончен и экспедиционная эскадра отправилась к английским берегам. В отчете, составленном по итогам рейда, в частности, упоминалось о захваченных дисках. Однако главным трофеем стали не они, а ключевые установки к военно-морской «Энигме». Сотрудники английского дешифровального центра в Блетчли-Парке Алан Тьюринг и Питер Твинн, долго и безуспешно ломавшие голову над ее взломом, не переставали твердить о необходимости заполучить эти установки с тех пор, как в октябре 1940 года была отменена операция «Жестокость». И хотя Вармингтон нашел на борту «Краба» лишь ключевые установки для «Энигмы» за февраль, которые уже успели порядком устареть, пока 12 марта наконец попали в Блетчли-Парк, Тьюринг и Твинн были очень довольны. Эти установки помогли прочитать несколько немецких шифровок, которые, в свою очередь, позволили в конце марта 1941 года реконструировать таблицу биграмм и применить разработанный Тьюрингом бенберийский метод взлома «Энигмы». Параллельно с этим велось обучение персонала методам взлома военно-морской «Энигмы». В результате работа над чтением февральских шифровок заняла больше времени, чем планировалось, и продолжалась вплоть до начала апреля. Тогда же Тьюринг впервые получил возможность применить свой бенберийский метод, однако добиться немедленного успеха ему помешало наличие большого числа шифровок, состоявших из ничего не значившего набора согласных букв. Понадобилось время, чтобы разработать алгоритм, позволявший идентифицировать такие сообщения. Как следствие, ни одна из мартовских шифровок противника так и не была прочитана. К 10 мая 1941 года удалось прочесть лишь незначительную часть немецкой военно-морской переписки за апрель.

Захват «Краба» вместе с находившимися на его борту дисками и ключевыми установками для «Энигмы» вызвал у англичан справедливые опасения, что немцы могут догадаться о том, что их шифровки читает противник. Еще до захвата «Краба» командующий подводным флотом Германии Дениц забеспокоился, как бы противник не взломал военно-морскую «Энигму». Его не на шутку взволновало то обстоятельство, что английские морские караваны стали слишком часто избегать встречи с немецкими подводными лодками. Поначалу Дениц решил, что англичане пеленговали радиостанции, установленные на борту его субмарин. Однако уже в апреле 1941 года он сделал следующую запись в своем дневнике:

> «Похоже, что английские корабли обходят стороной места, выбранные нами для атаки. Можно предположить, что о наших засадах становится известно противнику. Хотя это только предположение, следует, не впадая в уныние, исключить даже малейшую его вероятность».

Согласно приказу Деница, было сильно ограничено количество людей, знающих о местах засад немецких подводных лодок. Дениц также распорядился, чтобы ключевые установки для «Энигм», которыми были оснащены немецкие субмарины, отличались от ключевых установок, которыми снабжались надводные военные корабли.

Однако в том, что касалось «Энигмы», англичанам следовало значительно больше опасаться событий, происходивших не в Германии, а во Франции. В декабре 1940 года немцы принялись тщательно изучать архивы штаб-квартиры французской полиции в Париже и наткнулись на документ, в котором излагалась информация, полученная от французского агента в Италии. В марте 1938 года агент сообщал, что завладел копией записки, написанной сотрудником шифрбюро министерства обороны Германии и касавшейся какого-то немецкого шифра. По словам агента, детальное описание шифра ему предложил продать некий Рудольф Лемуан. Так немцы впервые узнали об утечке секретных данных в своем шифрбюро.

А летом 1940 года немецкие контрразведчики сделали еще одно неприятное для себя открытие. В архиве французского Генерального штаба они отыскали несколько копий докладов, подготовленных в Исследовательском отделе — специальном ведомстве, занимавшемся в Германии тайным прослушиванием телефонных разговоров. Вывод напрашивался сам собой: кто-то в Исследовательском отделе и в шифрбюро передавал секретную информацию французам. Возможно, это было одно и то же лицо. Например, им мог быть Ганс Шмидт, который успел поработать в обеих организациях. Подозреваемых было несколько, и, чтобы найти предателя, немцам требовалось в первую очередь допросить Лемуана.

В апреле 1941 года начальник французской контрразведки Поль Пейоль опередил немцев, разыскав Лемуана в Сан-Рафаэле. Там Лемуан еле сводил концы с концами, приторговывая на черном рынке, а также продавая фальшивые пропуска людям, желавшим выехать за пределы Франции. Пейоль приказал Лемуану как можно скорее скрыться, чтобы не попасть в руки немецких агентов, разыскивавших его по всей стране. Лемуан должен был поселиться в одном марсельском отеле, где за ним присматривали бы друзья Пейоля из французской полиции. Пейоль надеялся, что Лемуану хватит здравого смысла и денежных средств, чтобы спокойно дождаться там окончания войны. Однако этим надеждам не суждено было оправдаться.

Шифровки, прочитанные в английском дешифровальном центре в Блетчли-Парке после захвата немецкого траулера «Краб» в марте 1941 года, попали в секцию военно-морской разведки. Одним из сотрудников секции являлся 22-летний Гарри Хинсли. Но это был совсем не тот длинноволосый и неопрятный Хинсли, который безуспешно трудился над взломом «Энигмы» в 1939 году. С тех пор он очень сильно изменился: уже не занимал у сослуживцев денег, чтобы купить пару приличных брюк, а разгуливал по Блетчли-Парку в хорошем костюме, регулярно посещал парикмахерскую и больше не позволял офицерам адмиралтейства разговаривать с ним свысока. Наоборот, они сами заискивали перед ним и уважительно называли между собой кардиналом.

Такой поворот в судьбе Хинсли отнюдь не был связан с «Энигмой». Все дело было в анализе трафика, которым Хинсли было поручено заниматься в Блетчли-Парке. Он должен был собирать любую информацию, имевшую отношение к немецким шифровкам, которые в Блетчли-Парке не удавалось прочесть, и пытаться прийти к обоснованному заключению о намерениях противника. До апреля 1940 года никаких особенных результатов Хинсли добиться не удалось. Однако в ходе подготовки высадки немецких войск в Норвегии он зафиксировал неожиданный всплеск радиопереговоров противника, о чем 7 апреля доложил в адмиралтейство.

Доклад Хинсли попал к капитану 1-го ранга Норману Деннингу. Тот, в свою очередь, доложил о нем вице-адмиралу Джоку Клейтону, начальнику Центра оперативной разведки (ЦОР) английского адмиралтейства. Руководимое Клейтоном подразделение занималось сбором информации о местоположении надводных кораблей и субмарин противника. До этого Хинсли ни разу лично не встречался ни с Деннингом, ни с Клейтоном, лишь разговаривал с ними по телефону. И немудрено: Хинсли нечем было их заинтересовать.

Однако в конце мая Хинсли заметил, что немцы неожиданно сменили частоты, на которых работали их радиостанции на Балтике. Хинсли пришел к выводу, что они собираются перебросить некоторые свои корабли из района Балтийского моря к побережью Норвегии, и сообщил о своем предположении Деннингу. А 7 июня известил его о том, что немецкие корабли вошли в территориальные воды Норвегии и собираются принять участие в наступательной операции в Северном море. Хинсли попросил Деннинга предупредить английских флотоводцев о том, что их корабли вот-вот встретятся там лицом к лицу с противником.

В это же самое время немецкие криптоаналитики, взломавшие английский военно-морской код № 3, информировали командование немецким флотом о перемещениях кораблей англичан. В частности, 2 июня они перехватили и прочли английскую шифровку, в которой сообщалось о местоположении авианосца «Блестящий» и двух эсминцев сопровождения у побережья Норвегии.

Предупреждение Хинсли, зафиксированное в журнале дежурного по ЦОР, так и не было доведено до сведения капитана «Блестящего», который, получи он его, наверняка послал бы разведывательный самолет, чтобы узнать, что затевает противник. В результате 5 июня «Блестящий» и эсминцы сопровождения были уничтожены двумя немецкими линейными крейсерами.

Только после этого Хинсли удостоился приглашения посетить здание в Лондоне, где размещался ЦОР. Он должен был рассказать сотрудникам ЦОР о своих методах, чтобы в следующий раз его предупреждениям уделили должное внимание. Однако в ЦОР к Хинсли отнеслись довольно прохладно. Молодой человек, годившийся Клейтону во внуки, нестриженый, в поношенной одежде, пришелся явно не ко двору среди подтянутых морских офицеров в безупречной форме. Да и методы анализа трафика, которые использовал Хинсли, были довольно сложными и запутанными. Необходимо было часами изучать маловразумительные шифровки противника в поисках крупиц полезной информации. Хинсли оказался наилучшим образом подготовлен для такой работы. Изучая средневековую историю в Кембридже, он научился работать с документами и находить в них малейшие расхождения и изменения. Подходящим было и воспитание Хинсли: он вырос в семье, где его научили с максимальной отдачей использовать то малое, что ему было дано. Отец Хинсли перебивался случайными заработками, мать была уборщицей, и денег едва хватало, чтобы прокормить и обуть-одеть членов семьи. Хинсли гордился, что в 1939 году во время каникул ему удалось посетить Германию, имея в кармане всего пять фунтов.

21 октября 1940 года коллега Хинсли Алек Дакин написал докладную записку на имя Фрэнка Берча, начальника «немецкого» отдела в Блетчли-Парке. В ней, в частности, говорилось:

«ЦОР, его взаимодействие с нами и отношение к нашим сотрудникам.

> Здесь основным испытуемым является Хинсли и его информация; от него фактически зависит наша судьба. Я полагаю, что любой, кто ознакомится с одной или двумя лучшими из его разработок (особенно в отношении «Блестящего»), придет к заключению, что найденные им взаимосвязи действительно служат ему «индикаторами» грядущих событий, о которых нельзя составить представление, не анализируя трафик в целом. Однако люди из ЦОР, кажется, никогда не изучали информацию Хинсли... То, что они завидуют его успехам, — вполне понятно; то, что они его недолюбливают, — не имеет особого значения, но то, что они чинят ему препятствия, — губительно».

Два дня спустя Хинсли написал Берчу рапорт, в котором изложил свою собственную позицию по данному вопросу еще более откровенно, чем Дакин:

> «Единственный вывод состоит в том, что они не только дублируют нашу работу и работу других сотрудников, но дублируют ее так вяло и неэффективно, что тратят почти все свое время на то, чтобы лишь нащупать истину и объяснить то, что и так всем известно. При наличии нужного настроя и правильно выбранной цели дублирование позволяет находить верные ответы и чаще всего способствует успеху... Одной из причин, мешающей им добиться положительных результатов, является дух нездорового соперничества, который, очевидно, носит личный характер и выражается в демонстрации независимости и враждебности. По всей видимости, он основывается на неприязненном отношении к Блетчли-Парку. Это отношение усиливается за счет того, что им кажется, будто присутствие человека из Блетчли-Парка лишает их существование всякого смысла, они чувствуют себя ненужными... Кроме того, я полагаю, что еще одной причиной их неадекватного поведения является некомпетентность, простая и очевидная. Все факты им известны... однако они не осознают причинно-следственной связи

между этими фактами. Им недостает воображения. Они не могут применить на практике знания, которые так усердно накапливают».

Враждебность со стороны сотрудников ЦОР была не единственной трудностью, с которой пришлось столкнуться Хинсли. Один из администраторов в Блетчли-Парке пожаловался Берчу на незаслуженные привилегии, которыми пользовался Хинсли. Берч унял не в меру ретивого администратора, сказав, что тот лезет не в свое дело.

Конечно, Хинсли прекрасно понимал, что анализ трафика ни в коей мере не может компенсировать неспособность его коллег в Блетчли-Парке взломать военно-морскую «Энигму». Но даже после захвата англичанами немецкого траулера «Краб» с дисками и ключевыми установками для «Энигмы» в Блетчли-Парке не удавалось наладить оперативное чтение немецких шифровок. Поэтому Хинсли немедленно поделился со своим руководством идеей, которая пришла ему в голову, когда он изучал дешифровки «Энигмы». Из них следовало, что немецкое командование регулярно посылало траулеры в северные районы Атлантики для наблюдения за погодой. Хинсли выяснил, что подтверждения о получении сообщений, отправленных с этих траулеров, иногда были зашифрованы «Энигмой». Это означало, что некоторые траулеры были оснащены «Энигмой».

Учитывая, что легко вооруженные немецкие суда представляют собой легкую добычу для английских военных кораблей, Хинсли отправил в адмиралтейство рапорт, в котором предложил провести операцию по захвату одного из таких траулеров. По его мнению, в качестве наиболее вероятной цели можно выбрать «Мюнхен», который должен был находиться в открытом море на протяжении всего мая месяца. Скорее всего, «Мюнхен» продолжит патрулирование Атлантики и в июне. Если бы «Мюнхен» удалось захватить в мае, немецкие моряки, конечно, успели бы избавиться и от самой «Энигмы», и от ключевых установок для нее за май месяц. Однако могли не успеть выбросить за борт ключевые установки за июнь, поскольку они, по всей вероятности, хранятся в сейфе. К этому времени в ЦОР уже научились с должным вниманием относиться к информации, исходившей от Хинсли. Предложенная им операции была одобрена в течение нескольких дней.

Для захвата небольшого немецкого траулера англичане снарядили три огромных крейсера и четыре самых быстроходных миноносца. В 3 часа ночи 7 мая 1941 года все семь английских боевых кораблей выстроились в линию с интервалом примерно в 20 километров и отправились в район предполагаемого местонахождения «Мюнхена». Два часа спустя впередсмотрящий на эсминце «Сомали» заметил дым на горизонте. Это был «Мюнхен».

Команда «Мюнхена» была захвачена врасплох. «Сомали», оказавшись вблизи от немецкого траулера, открыл огонь из всех имевшихся на борту орудий. Было важно как можно сильнее напугать немецких моряков, чтобы, в панике покидая свой корабль, они забыли выбросить секретные документы за борт. Вскоре от «Мюнхена» отчалили две спасательные шлюпки, до отказа заполненные членами команды, но немецкий радист успел выбросить за борт «Энигму» и действующие ключевые установки для нее. Призовой командой, взошедшей на борт «Мюнхена» с подоспевшего английского эсминца «Эдинбург», руководил человек в штатском. Это был сотрудник ЦОР адмиралтейства капитан Джаспер Хейнс. Через несколько минут он вышел из капитанской каюты, прижимая к груди какие-то документы. Через пятнадцать минут с борта «Эдинбурга» в Лондон ушла шифровка следующего содержания:

> «Траулер “Мюнхен” захвачен... Немецкий экипаж находится на борту “Сомали” и “Эдинбурга”, жертв нет. В распоряжении капитана Хейнса имеются важные документы. С траулера была послана шифровка, предположительно сообщение о том, что судно было затоплено прежде, чем мы сумели попасть на его борт».

Три дня спустя в руки сотрудника Блетчли-Парка Питера Твинна попали документы, захваченные на «Мюнхене». В них содержались ключевые установки для военно-морской «Энигмы» за июнь 1941 года. По итогам операции по захвату «Мюнхена» вице-адмирал Ланселот Холланд составил секретный доклад, в котором говорилось:

> «При проведении подобной операции необходимо присутствие офицера разведки. Без помощи капитана военно-морских сил Хейнса, находившегося на моем флагмане, мы не смогли бы должным образом оценить важность некоторых документов.
>
> Я полагаю, что второй корабль противника, находившийся севернее, ретировался в восточном направлении, получив сообщение с борта «Мюнхена». Сожалею, что не удалось захватить второй корабль, но есть надежда, что немцы не догадаются, что нашей целью был захват именно этих кораблей, и вряд ли предпримут шаги, чтобы затруднить проведение еще одной подобной операции».

Через несколько дней в английской прессе было напечатано официальное сообщение:

«Один из наших кораблей, осуществлявший патрулирование в северных водах, вступил в бой с немецким боевым судном "Мюнхен". Был открыт огонь, после чего экипаж "Мюнхена" покинул свое судно, затопив его. Экипаж был спасен и взят в плен».

## «Цветок с лепестками редкой красоты»

9 мая 1941 года на английский морской караван в Атлантике напала немецкая подводная лодка «У-110». Караван состоял из 35 торговых судов, следовавших из Америки в Англию. Выпустив по каравану три торпеды, капитан «У-110» Фриц Лемп заметил в перископ, что один из боевых кораблей сопровождения на всех парах приближается к его лодке. Лемп приказал начать экстренное погружение. Однако оно шло слишком медленно, и вскоре немецкие подводники услышали зловещие всплески, свидетельствовавшие о том, что англичане начали сбрасывать глубинные бомбы. После серии разры-

вов «У-110» полностью потеряла управление. Она перестала слушаться руля, у нее отказали аккумуляторные батареи и система управления танками, с помощью которой лодка всплывала на поверхность и погружалась под воду. Через некоторое время неуправляемая подводная лодка показалась на поверхности моря. Два английских миноносца устремились к «У-110», обстреливая ее из пулеметов и явно намереваясь протаранить ее. Лемп приказал команде покинуть подводную лодку.

Немецкий радист Хайнц Вайлде спросил у Лемпа, как поступить с «Энигмой» и документами к ней. Лемп махнул рукой и приказал как можно скорей убираться с тонущей лодки. Тут второй радист с «У-110» Георг Гегель вдруг вспомнил, что оставил в радиорубке тетрадку, куда записывал стихи, посвященные своей подружке. Гегель успел спуститься в радиорубку, схватить тетрадку и подняться наверх, а «Энигма» с ключевыми установками так и осталась внизу.

По приказу Лемпа инженеры открыли клапаны на «У-110» и спрыгнули за борт, рассчитывая, что лодка затонет в считанные минуты. Когда же этого не произошло, они были уже слишком далеко от лодки, чтобы попытаться исправить положение.

Надо сказать, что англичане не ожидали нападения на свой караван в этом районе Атлантики. Однако они не потеряли голову и сразу же прибегли к тактике, которую всегда с успехом использовали в подобных случаях. Пять из восьми боевых кораблей сопровождения выстроились в линию в трех километрах перед торговыми судами, чтобы немецкие субмарины не могли осуществить частичное погружение, а затем снова всплыть, когда английские эсминцы пройдут над ними. Еще два английских эсминца располагались на флангах на случай, если немецкие подводные лодки попробуют атаковать караван. Заметив перископ «У-110», эсминцы «Бродвей» и «Бульдог» устремились в погоню. Определив по радару, что немецкая подводная лодка находится прямо под ними, они начали сбрасывать глубинные бомбы. Когда «У-110» показалась на поверхности, «Бульдог» приблизился к ней на расстояние 100 метров и открыл ураганный огонь из своих пулеметов. Заметив, что немцы не собираются оказывать сопротивления, капитан «Бульдога» Джой Бейкер распорядился прекратить стрельбу и быстро снарядил призовую команду, которую возглавил младший лейтенант Давид Балм.

Спустившись в радиорубку «У-110», Балм нашел там некое подобие пишущей машинки, привинченное к столу. Открутив винты, Балм вынес машинку наверх и снова вернулся в радиорубку. Понадобилось примерно полтора часа, чтобы собрать и вынести на палубу все документы, имевшиеся на борту «У-110», а затем перевезти их на «Бульдог». Бейкер доложил о случившемся и получил ответ из Лондона:

> «Во всех последующих сообщениях проведенную операцию называть "Примула". Все сообщения о ней передавать только в зашифрованном виде с грифом "совершенно секретно"».

«Бульдог» взял «У-110» на буксир, однако на следующий день лодка начала крениться на один борт и тонуть. Бейкер вынужден был приказать перерезать буксировочный трос. Позднее он написал:

> «Это было одно из самых худших событий в моей жизни. Какой бы меня ждал триумф, если бы я пришел в свой порт, ведя на буксире "У-110"!»

Вечером 10 мая Бейкер получил шифровку из адмиралтейства:

> «То, что "Примула" пошла ко дну, не означает, что больше не следует хранить в секрете факт ее захвата. Это необходимо строго внушить всем, причастным к данному событию».

12 мая прибывший в порт «Бульдог» встретила группа офицеров военно-морской разведки во главе с лейтенантом Аланом Бэконом. Они забрали захваченные на «У-110» трофеи и переправили их в Блетчли-Парк. Уже через несколько часов после приезда туда Бэкона в адмиралтейство были отправлены прочитанные немецкие военно-морские шифровки за первую половину мая 1941 года. Не вся информация, которая содержалась в этих шиф-

ровках, оказалась полезной. Некоторые шифровки были отправлены 1 мая и успели устареть, шифровки за 13 мая удалось прочесть только неделю спустя. Однако чтение было продолжено и в июне, благодаря захвату ключевых установок для военно-морской «Энигмы» на борту еще одного немецкого траулера. Полученные разведывательные данные позволили своевременно изменять маршруты английских морских караванов, чтобы они могли избежать встречи с немецкими подводными лодками.

Вечером того же дня Бейкера поздравил Первый морской лорд[1] Дадли Паунд:

> «Отправлено от имени Первого морского лорда. Примите мои сердечные поздравления. Я восхищен редкой красотой лепестков Вашего цветка».

А летом 1941 года на церемонии награждения Бейкера и членов его команды английский король Георг IV сказал, что операция «Примула» «была самой важной операцией во всей войне на море».

Отдавая должное важности операции «Примула», следует все же упомянуть, что документы с борта «У-110» были не так важны, как те, что были найдены на немецком траулере «Мюнхен». Только благодаря последним в Блетчли-Парке удалось наладить *оперативное* чтение военно-морских шифровок немцев, уменьшив среднее время их прочтения с 10 дней в мае 1941 года до 6 часов в июне того же года.

Но не следует преуменьшать значение захвата «У-110». Среди документов, которые лейтенант Бэкон привез в Блетчли-Парк, были специальные ключевые установки, которые использовались в особых случаях. Например, так называемые «офицерские» ключевые установки, которые применялись для предварительного шифрования важных сообщений, после чего эти сообщения подлежали шифрованию с использованием действующих ключевых установок, находившихся в распоряжении всех операторов военно-морской «Энигмы». Разработав метод чтения «офицерских» шифровок противника, в Блетчли-Парке

[1] Начальник Генерального штаба военно-морских сил Англии.

заложили основу для дальнейшего успешного взлома военно-морской «Энигмы». Ведь именно с помощью «офицерских» ключевых установок немцы дополнительно шифровали всю информацию, касавшуюся изменений, которые они время от времени вносили в процедуру шифрования сообщений.

Помимо прочего, документы, захваченные на «У-110», позволили восполнить имевшиеся пробелы в таблице биграмм, которая была частично реконструирована в конце марта 1941 года, благодаря документам, захваченным на борту немецкого траулера «Краб» в ходе операции «Клеймор»[1]. Английским криптоаналитикам из Блетчли-Парка также очень пригодились коды, применявшиеся подводным и надводным флотом Германии для засекречивания сводок погоды (захвачены на «У-110» и «Мюнхене»). Они помогли составить несколько «подстрочников», которые были с успехом использованы, когда в Блетчли-Парк стали в массовом порядке поступать «Бомбы».

Захват «У-110» вызвал у англичан справедливые опасения, что пленные из числа экипажа могут сообщить своим родственникам в Германии об этом событии. Старший лейтенант Дитрих Лоэве был спасен в ходе проведения операции «Примула» и попал в число трех с лишним десятков немецких моряков с «У-110», оказавшихся в лагере для военнопленных на территории Англии. Там Лоэве сумел переговорить с шестью членами экипажа «У-110» и выяснил, что ни один из них не видел своими глазами, как она затонула. Несколько дней спустя Ганс Эйхельборн, главный инженер «У-110», рассказал Лоэве, что получил назад свой Железный крест, который оставил в каюте, когда в спешке покидал подводную лодку. Рассказ Эйхельборна окончательно убедил Лоэве, что на «У-110» все-таки побывали англичане. В письме родным Лоэве попытался иносказательно сообщить о своем открытии, однако английская контрразведка перехватила его письмо.

---

[1] В июне 1941 г. эта таблица биграмм была заменена немцами на новую.

Вряд ли англичане были настолько глупы, чтобы просто так отдать немецким подводникам их вещи, найденные на борту «У-110». Скорее всего, английские контрразведчики затеяли своеобразную игру с пленными немцами, чтобы узнать их истинное мнение относительно событий, связанных с захватом «У-110». Перехваченное письмо Лоэве явилось неоспоримым доказательством, что экипаж подозревает о захвате «У-110» противником.

В апреле 1942 года Лоэве был отправлен в лагерь для военнопленных в Канаде. Там он встретился с одним из членов экипажа «У-110», который поведал ему, что своими глазами видел, как лодка пошла ко дну. В очередном письме домой Лоэве написал, что «У-110», скорее всего, затонула. А в феврале 1944 года другой немецкий подводник с «У-110» рассказал Лоэве, что видел, как англичане взошли на борт лодки и спустились вниз, после чего она почти сразу пошла на дно. Вскоре Лоэве сообщил своим родственникам о том, что «У-110» затонула прежде, чем англичане сумели добыть какие-либо трофеи с нее. Через некоторое время в ходе обмена военнопленными Лоэве было разрешено вернуться в Германию.

## В нокауте

Захваченные на подводной лодке «У-110» и траулере «Мюнхен» документы все же не позволили решить проблему с военно-морской «Энигмой» раз и навсегда. 15 июня 1941 года, всего через месяц после того, как документы с «У-110» были доставлены в английский дешифровальный центр в Блетчли-Парк, немцы ввели в действие новую таблицу биграмм, с помощью которой шифровали разовые ключи к «Энигме». Тьюринг в беседе с Хинсли с огорчением констатировал, что для продолжения чтения немецких шифровок в июле им необходимо заполучить ключевые установки для военно-морской «Энигмы» за июль месяц. Еще не зная о том, что немцы сменили таблицу биграмм, Тьюринг надеялся, что ему удастся использовать старую таблицу, чтобы создать новую. А для этого ему были нужны июльские ключевые установки.

После разговора с Тьюрингом Хинсли сообщил в Центр оперативной разведки адмиралтейства о необходимости провести очередной захват немецкого военного судна. В качестве возможной цели он назвал траулер «Лауенбург», осуществлявший патрулирование Атлантики к северо-востоку от Исландии. 19 июня Хинсли подготовил и отослал в ЦОР следующий доклад:

> «“Лауенбург“ покинул порт в ночь с 27 на 28/5, чтобы сменить “Заксен”. Следовательно, к 17/6 он находился в море уже 3 недели, а к концу июня проведет в море почти 5 недель... Судя по всему, “Лауенбург“ продолжит патрулирование и в июле, то есть проведет в море более 5 недель. Что касается других кораблей противника, то о них известно меньше, но отмечено, что они в избытке снабжаются шифрматериалами, и, значит, на борту “Лауенбурга”, отплывшего в конце мая, должны быть ключи как за июнь, так и за июль месяц».

Хинсли и сотрудники ЦОР разошлись во мнении относительно захвата «Лауенбурга». Основные споры разгорелись вокруг сроков проведения операции. По мнению сотрудников ЦОР, с момента захвата предыдущего немецкого траулера прошло слишком мало времени и противник может догадаться, что и «Мюнхен», и «Лауенбург» подверглись нападению исключительно с целью захвата «Энигмы» и ключевых установок для нее. В результате в процедуру шифрования будут внесены изменения, и тогда все усилия специалистов из Блетчли-Парка пойдут насмарку. Та же участь могла постичь и модификацию «Энигмы», которой пользовались в люфтваффе. Реконструировать же таблицу биграмм можно было попытаться и не прибегая к захвату новых немецких кораблей, а за счет «подстрочников», которых в Блетчли-Парке накопилось предостаточно.

В конце концов было решено все-таки рискнуть и провести операцию по захвату «Лауенбурга». 22 июня вице-адмирал Гарольд Берроу получил из адмиралтейства приказ, в котором ему предписывалось захватить немецкий траулер «Лауенбург» вместе с имевшейся на его борту «Энигмой» и ключевыми установками для нее. Английские эсминцы «Дикарь», «Нигерия», «Бедуин» и «Юпитер», которые должны были принять участие в операции, вышли в открытое море 25 июня. Члены экипажей этих кораблей были в полном неведении относительно ее целей. Лишь 27 июня им сообщили, что они охотятся за немецким метеорологическим судном, занимавшимся составлением сводок погоды для бомбардировщиков, которые совершали налеты на Лондон. Первому моряку, заметившему «Лауенбург», была обещана солидная денежная премия, а стрелкам было приказано немедленно открывать огонь, но стрелять исключительно мимо цели — просто чтобы напугать немецких моряков и заставить их в панике покинуть свое судно.

28 июня впередсмотрящий на «Дикаре» заметил «Лауенбург». Нескольких орудийных залпов с «Дикаря» и «Нигерии» хватило, чтобы экипаж «Лауенбурга», погрузившись на две шлюпки, покинул свое судно. Призовая команда, посланная с «Дикаря», обнаружила на покинутом немецком траулере лишь груду бумаг и гору пепла в паровом котле. Несколько минут спустя на борт «Лауенбурга» с «Юпитера» прибыл лейтенант Алан Бэкон, офицер военно-морской разведки. Изучив обстановку на «Лауенбурге», он решил, что, скорее всего, экипаж судна все-таки успел сжечь секретные документы, находившиеся на борту, и выбросить в море «Энигму». Бэкон распорядился упаковать все найденные бумаги в мешки и перевезти их на «Дикарь». После того как Бэкон и призовая команда вернулись восвояси, немецкий траулер был затоплен.

Через час на борт «Нигерии», где находился вице-адмирал Берроу, поступила радиограмма с «Бедуина», который отвечал за захват «Лауенбурга» и допрос членов экипажа. В ней говорилось:

> «Немецкий радист утверждает, что послал в Вильгельмсхейвен сообщение о том, что “Лауенбург“ подвергся нападению, но не указал, кто именно осу-

ществил нападение, и не получил подтверждения, что сообщение дошло до адресата».

Берроу ответил «Бедуину» следующей радиограммой:

> «Следует соблюдать строжайшую секретность в отношении проведенной операции. На все вопросы рядовой состав должен отвечать, что нами был обнаружен и потоплен вооруженный немецкий траулер, а его экипаж взят в плен».

Утром 29 июня Берроу сообщил в адмиралтейство:

> «Цель операции не достигнута, так как не удалось заполучить самую главную вещь. Траулер потоплен, 22 человека взяты в плен. Радист утверждает, что сообщил о нападении, не уточняя, кто его осуществил, но не получил подтверждения о приеме сообщения».

Под «самой главной вещью» Берроу понимал военно-морскую «Энигму», которую немецкие моряки с «Лауенбурга» выбросили за борт задолго до того, как призовая команда с «Дикаря» оказалась на борту немецкого траулера.

На обратном пути Бэкон заперся в капитанской каюте и занялся разбором бумаг, найденных на «Лауенбурге». Среди карт и пустых бланков Бэкону удалось отыскать три важные бумаги: две из них содержали описание соединений на коммутационной панели «Энигмы», а третья — порядок следования дисков в «Энигме» и угловое положение колец на этих дисках. 2 июля Бэкон передал находку в Блетчли-Парк, а в английских газетах появилось следующее коммюнике:

> «Вчера вечером адмиралтейство сообщило, что в ходе одной из разведывательных операций, которые периодически проводятся к северу от Исландии, наши военные корабли потопили немецкий метеорологический траулер, взяв в плен 22 члена его экипажа».

В Блетчли-Парке и адмиралтействе затаив дыхание ожидали реакции немцев на очередную потерю своего траулера и вздохнули с облегчением, когда поняли, что и эта удачно проведенная операция сойдет им с рук. В результате криптоаналитики секции № 6 в Блетчли-Парке в конце июля 1941 года смогли наладить оперативное чтение военно-морских шифровок противника. Теперь их содержание доводилось до сведения адмиралтейства через несколько часов после того, как они были перехвачены. В августе и сентябре было предпринято еще несколько попыток захватить немецкие военные суда, но все эти попытки закончились неудачей, а одна из них и вовсе превратилась в настоящий фарс. Шесть английских эсминцев на всех парах бросились на перехват немецкого морского каравана, зафиксировав его появление на своих радарах, но вскоре выяснилось, что это был не караван, а несколько аэростатов заграждения, унесенных ветром в открытое море.

Не следует полагать, что английским криптоаналитикам удавалось легко вскрывать ключевые установки для военно-морской «Энигмы». Придуманные ими методы вскрытия иногда давали осечку, как это случилось с бенберийским методом Тьюринга в первую неделю августа 1941 года. Однако если в Блетчли-Парке не могли вскрыть ключевые установки за какой-то день, то там переключались на так называемый парный день, когда немецкие операторы связи использовали тот же самый порядок следования дисков и такое же угловое положение колец на этих дисках. В результате англичане не сумели вскрыть ключевые установки для военно-морской «Энигмы» только 18 и 19 сентября. В остальные же дни, даже после того как в конце июля 1941 года перестали действовать ключевые установки, захваченные на «Лауенбурге», среднее время, затрачиваемое на вскрытие новых ключевых установок, составляло порядка 50 часов.

В распоряжении английских криптоаналитиков были два основных алгоритма взлома военно-морской «Энигмы». Первый включал использование бенберийского метода, который позволял существенно сократить количество возможных вариантов расположения дисков в «Энигме». Затем с помощью «подстрочников» или информации, собранной в ходе применения бенберийского метода, англичане вручную проверяли относительно небольшое количество оставшихся вариантов. Если первый метод не давал результата, то в Блетчли-Парке применяли второй метод — осуществлялся ввод «подстрочника» в «Бомбу», которая проверяла все возможные варианты расположения дисков в «Энигме».

Решение задачи взлома военно-морской «Энигмы» англичанам упростили сами немцы. Они осуществляли смену ключевых установок в соответствии с определенными правилами. Зная эти правила, английские криптоаналитики могли исключить из своего рассмотрения значительное количество ключевых установок. Первое правило гласило, что один из трех дисков, значившихся под номерами 6, 7 и 8, всегда присутствовал в «Энигме». Это означало, что из 336 вариантов порядка следования дисков в «Энигме» можно было не рассматривать 60, в которые не входили диски 6, 7 и 8. Второе правило состояло в том, что если в какой-то день диск занимал определенное положение в «Энигме», то на следующий день этот диск никогда не устанавливался в то же самое положение. Например, если в понедельник и во вторник порядок следования дисков в «Энигме» был 2, 6 и 7, а в пятницу и в субботу — 8, 7 и 4, то можно было со всей уверенностью заключить, что в среду и в четверг диски под номерами 2 и 8 не будут использованы в качестве первого диска «Энигмы», диски с номерами 6 и 7 — в качестве второго диска, а диски с номерами 7 и 4 — в качестве третьего диска. В результате количество вариантов, которые следовало проверить с помощью «Бомбы», сокращалось с 336 до 105 (после применения бенберийского метода оставалось всего порядка десяти вариантов). Однако учитывая, что количество «Бомб», имевшихся в распоряжении англичан, было весьма ограниченным, надеяться на сверхоперативное чтение немецких шифровок не приходилось. Среднее время проверки на «Бомбе» одного варианта порядка следования дисков составляло около 20 минут. Это означало, что для тестирования 105 вариантов потребовалось бы примерно 35 часов непрерывной работы одной «Бомбы».

Большинство «подстрочников», которые в Блетчли-Парке использовались при вскрытии ключевых установок для военно-морской «Энигмы», были взяты из немецких сводок погоды. После поражения Франции немцы разместили на французском побережье свои метеостанции, которые регулярно посылали стереотипные сообщения на одних и тех же радиочастотах. Эти сообщения начинались с позывного сигнала из трех букв, за которым обычно следовало указание местоположения метеостанции. Например, все сообщения, отправляемые немецкой метеостанцией в окрестностях города Булонь, начинались с VONWEWABOULOGNE, где WEWA — это сокращение для Wetter Warte, что по-немецки означает метеорологическая станция. А метеостанция немцев недалеко от Шербура начинала все свои сообщения с VVVWEWACHERBOURG.

Бдительные немцы иногда вставляли ничего не значащие последовательности букв в начало сообщения, чтобы сбить с толку английских криптоаналитиков. К примеру, они могли заменить уже успевший стать привычным «подстрочник» WEWABOULOGNE на ABCDEWEWABOULOGNE, и в результате англичанам приходилось тратить дополнительные усилия, чтобы определить местоположение «подстрочника» в перехваченной немецкой шифровке. Чтобы сделать это, они использовали тот факт, что нажатие на клавиатуре «Энигмы» любой клавиши с буквой никогда не приводило к высвечиванию лампочки с этой же буквой на световой панели. Таким образом, чтобы найти правильное местоположение «подстрочника», требовалось последовательно сдвигать его на одну позицию вправо от начала перехваченной немецкой шифровки до тех пор, пока между текстом шифровки и «подстрочником» не будет отмечено ни одного совпадения. И только после того, как установлено правильное местоположение «подстрочника», можно было переходить ко вводу «подстрочника» в «Бомбу», которая вычисляла искомые ключевые установки для военно-морской «Энигмы».

Наиболее преуспел в работе с «подстрочниками» еврейский эмигрант Рольф Носквит. Вместе с родителями он приехал в Англию из Германии в 1932 году. Смена места жительства была вызвана не политическими, а чисто экономическими причинами: отец Рольфа занимался экспортом в Англию чулочно-носочных изделий, а введение чрезмерно высоких тарифов сделало его бизнес нерентабельным.

В Блетчли-Парке впервые обратили внимание на 20-летнего Носквита в 1940 году, когда, обучаясь в Кембридже, он проявил интерес к работе над взломом шифров. Несмотря на то что и сам Рольф, и его родители к этому времени стали английскими подданными, иностранное происхождение помешало Носквиту попасть в Блетчли-Парк. Он встречался с сотрудником дешифровального центра Гордоном Уэлчменом, но получил отказ в приеме на работу. В мае 1941 года Носквит был на собеседовании у другого сотрудника дешифровального центра — Хью Александера, и тот пригласил его в Блетчли-Парк. 19 июня 1941 года Рольф Носквит приступил к исполнению своих служебных обязанностей.

Носквит сумел довольно быстро отличиться, получив задание разработать метод вскрытия «офицерских» ключевых установок. Англичане впервые узнали об этих установках 9 мая 1941 года, когда обнаружили их на борту захваченной немецкой подводной лодки «У-110». Они позволили читать июньские сообщения, но в июле были введены в действие новые установки, и чтение прекратилось. И хотя порядок следования дисков, задаваемый «офицерскими» и обычными ключевыми установками для «Энигмы», был одинаковым, они отличались соединениями на коммутационной панели. По общему мнению, единственный способ вскрыть «офицерские» ключевые установки состоял в том, чтобы найти подходящий «подстрочник» и определить искомый вариант с помощью «Бомбы». Однако считалось маловероятным, чтобы среди перехваченных немецких шифровок отыскались стереотипные сообщения, которые можно было бы успешно использовать в качестве «подстрочника».

Носквит не терял надежды вскрыть «офицерские» ключевые установки. Внимательно изучив немецкие сообщения, перехваченные в июне 1941 года, он выделил среди них те, которые обычно начинались с EEESSSPATRONE (в переводе с немецкого Patrone означает патрон) и имели отношение к опознавательным сигналам, применяемым военными кораблями Германии, чтобы отличать свои суда от вражеских. Носквит предложил использовать начало этих сообщений в качестве «подстрочника». Не дождавшись результатов проверки своей гипотезы, Носквит взял отпуск на пару дней, чтобы навестить родителей. Перед отъездом он попросил сослуживцев прислать ему телеграмму, в которой упомянуть рыбу, если его «подстрочник» поможет вскрыть ключевые установки для «Энигмы».

Отец Носквита был очень удивлен, когда ему позвонили по телефону и попросили принять маловразумительную телеграмму, в которой говорилось о какой-то паломете. Рольф же сразу заметил, что это незнакомое ему слово начинается с той же буквы, что и «подстрочник». Сверившись со словарем, он узнал, что паломета — это рыба. Значит, «офицерские» ключевые установки были вскрыты.

## Гибель «Бисмарка»

21 мая 1941 года немецкий линкор «Бисмарк» в сопровождении тяжелого крейсера «Принц Евгений» вышел из Гдыни. Это был новейший боевой корабль водоизмещением более 50 тысяч тонн. Паровые турбины «Бисмарка» мощностью в 170 тысяч лошадиных сил позволяли развить скорость до 40 узлов. «Бисмарк» был оснащен восемью 381-миллиметровыми орудиями главного калибра, расположенными в бронированных башнях; общая масса брони, в которую был одет линкор, составляла 16 тысяч тонн. При проектировании «Бисмарка», поражавшего своим техническим совершенством, были использованы новейшие разработки мирового кораблестроения.

По замыслу главного командования военно-морскими силами Германии «Бисмарк» и «Принц Евгений» должны были нанести удар по английским морским караванам в Атлантическом океане и отвлечь внимание от активной подготовки к нападению на Советский Союз. 20 мая 1941 года «Бисмарк» и «Принц Евгений» с кораблями сопровождения были замечены с борта шведского крейсера «Готланд», который сообщил о курсе следования немецкой эскадры в Стокгольм. Среди шведов было немало людей, с большой симпатией относившихся к англичанам. К их числу принадлежал и майор Тернгрен, помощник начальника шведской разведки. Он был на дружеской ноге с английским военно-морским атташе в Швеции Генри Денхемом. Сообщение, переданное с борта «Готланда», попало на глаза Тернгрену, который немедленно ознакомил с его содержанием Денхема. Вечером 20 мая Денхем отправил в Лондон следующую шифровку:

> «Сегодня в 15.00 2 тяжелых немецких военных корабля в сопровождении 3 эсминцев, 5 эскортных кораблей, 10 или 12 самолетов проследовали курсом на северо-запад».

По приказу главнокомандующего английским флотом ранним утром 21 мая разведывательные самолеты начали интенсивный поиск «Бисмарка» и «Принца Евгения». Поиск вскоре увенчался успехом — английский самолет-разведчик обнаружил и сфотографировал «Бисмарка» и «Принца Евгения» на стоянке в норвежском порту Бюрген. Снимки были срочно отправлены в Лондон.

А в это время в Атлантике находилось в общей сложности 11 английских морских караванов. Опасаясь за их судьбу, адмиралтейство мобилизовало для уничтожения «Бисмарка» и «Принца Евгения» все имевшиеся силы. На перехват немецкой эскадры вышли два однотипных линкора «Король Георг V» и «Принц Уэльский», а также гордость английского военно-морского флота — крейсер «Шлем».

«Шлем» поступил на вооружение 5 марта 1920 года. В ходе постройки его проект был частично пересмотрен — в основном это касалось толщины бронирования палубы и погребов. Он имел водоизмещение более 40 тысяч тонн и был вооружен 381-миллиметровыми орудиями, расположенными по классической схеме. Паровая установка «Шлема» обладала мощностью более 140 тысяч лошадиных сил и позволяла развивать скорость полного хода более 30 узлов.

Новейший английский линкор «Принц Уэльский» был спущен на воду 3 мая 1939 года. Он имел полное водоизмещение в 43 тысячи тонн. Десять конструктивно новых 356-миллиметровых орудий располагались в двух 4-орудийных и одной 2-орудийной башнях. Скорость полного хода «Принца Уэльского» составляла 30 узлов.

22 мая 1941 года под прикрытием низкой облачности «Бисмарк» и «Принц Евгений» покинули Бюрген и взяли курс на Датский пролив, где вечером 23 мая были обнаружены английскими крейсерами «Норфолк» и «Суффолк», предусмотрительно направленными сюда адмиралтейством. «Шлем», на котором держал свой флаг вице-адмирал Ланселот Холланд, и «Принц Уэльский» получили приказ присоединиться к «Норфолку» и «Суффолку» с тем, чтобы атаковать «Бисмарка» и «Принца Евгения».

Выполняя полученный приказ, 24 мая в 01.47 Холланд сообщил командирам «Шлема» и «Принца Уэльского» свой план операции по уничтожению вражеских кораблей. «Шлем» и «Принц Уэльский» должны были вести огонь по «Бисмарку», а находившиеся под командованием контр-адмирала Уокера «Суффолк» и «Норфолк» — по «Принцу Евгению». Однако Уокер не получил никаких указаний на этот счет от Холланда, и его корабли продолжали следовать на значительном удалении от «Бисмарка» и «Принца Евгения».

24 мая в 5.52 начался бой. Немецкие корабли заняли более выгодную позицию — справа по носу кораблей Холланда, что исключило действие кормовых орудий главного калибра англичан. Немцы умело воспользовались тактической ошибкой противника и обрушили всю свою огневую мощь на «Шлем». Со второго залпа им удалось накрыть «Шлем», и на нем вспыхнул сильный пожар.

В 6.00 Холланд приказал изменить курс, но как только «Шлем» начал выполнять поворот, в его среднюю часть попал тяжелый снаряд с «Бисмарка». «Принцу Уэльскому» пришлось пойти на резкую смену курса, чтобы не попасть под град стальных обломков взорвавшегося «Шлема». С погибшего крейсера «Шлем» спаслись только три человека.

После гибели «Шлема» «Бисмарк» и «Принц Евгений» дружно перенесли огонь на «Принца Уэльского». В результате в линкор за короткое время попало пять 381-миллиметровых снарядов с «Бисмарка» и три 203-миллиметровых — с «Принца Евгения». Командир «Принца Уэльского» решил вывести свой поврежденный корабль из боя, чем спас его от верной гибели. Потопление «Шлема» с адмиралом Холландом и его штабом на борту ошеломляюще подействовало на англичан, однако «Норфолк» и «Суффолк» продолжили преследование «Принца Евгения» и «Бисмарка», у которого была повреждена носовая топливная цистерна и началась утечка мазута.

Вечером, между 18.00 и 19.00, «Бисмарк» неожиданно развернулся и пошел навстречу кораблям вице-адмирала Уокера. Англичане отошли и потеряли «Бисмарка» из виду. В это же время «Принцу Евгению» удалось скрыться в юго-западном направлении. Береговые радиостанции англичан сумели запеленговать «Бисмарка», однако допустили грубую ошибку при определении его местонахождения. В результате английская эскадра, посланная на перехват «Бисмарка», на полной скорости пошла в обратном направлении.

На поиски «Бисмарка» были подняты в воздух гидросамолеты, один из которых обнаружил его западнее Бреста[1]. Английские корабли тотчас получили координаты «Бисмарка». Но куда он держал курс — во Францию или в Норвегию?

Анализ событий, связанных с «Бисмарком», позволяет сделать обоснованный вывод о том, к чему может привести чтение шифровок противника, осуществляемое со значительной задержкой. В ходе охоты за «Бисмарком» в распоряжении Тьюринга и его коллег не было текущих

[1] Город и порт на северо-западе Франции, на полуострове Бретань.

ключевых установок для военно-морской «Энигмы». Поэтому им приходилось эти установки вычислять, используя бенберийский метод. Вычисления были весьма трудоемкими, и на чтение немецких шифровок уходило от трех до семи дней. В результате разведывательные сведения, добываемые в английском дешифровальном центре в Блетчли-Парке, особого влияния на исход событий не оказывали. Нельзя сказать, что эти сведения были совершенно бесполезны. Например, 21 мая было прочитано несколько немецких военно-морских шифровок, из которых следовало, что «Бисмарк» принял на борт призовую команду и английские трофейные карты. Отсюда английское адмиралтейство пришло к заключению, что «Бисмарк» готовится к нападению на английские морские караваны в Атлантике. Однако это была единственная помощь в отношении «Бисмарка», которую смогла оказать секция военно-морской разведки в Блетчли-Парке.

25 мая в 6.10 в английском адмиралтействе решили, что «Бисмарк» следует на военно-морскую базу в Бресте. Это означало, что немецкий линкор легко уйдет от преследования. Поэтому было решено ввести в действие торпедоносцы с английского авианосца «Королевский Ковчег«, находившегося в 70 милях от «Бисмарка». 26 мая около 20.00 была совершена первая атака торпедоносцев на «Бисмарк», которая не принесла желаемого результата. Только в ходе повторной атаки одна из выпущенных торпед попала в кормовую часть «Бисмарка». Последовавшим взрывом у «Бисмарка» заклинило руль и повредило винты. В результате «Бисмарк» был вынужден изменить курс следования и идти малым ходом.

Отряд английских линкоров нагнал «Бисмарка» 27 мая около 9.00. В этот момент противники находились почти на встречных курсах. Разгорелся ожесточенный бой. Через час после его начала вся артиллерия главного калибра «Бисмарка» была выведена из строя и лишь противоминные пушки еще в течение 10 минут продолжали вести огонь. Тем не менее окутанный дымом и пламенем «Бисмарк» исправно держал заданный курс, его машины все еще функционировали.

Некоторое время английские линкоры стреляли по «Бисмарку» как по учебной мишени, пока ими не был получен приказ добить немецкий линкор торпедами. Но «Бисмарк» не затонул и после проведенной торпедной атаки. Оставшиеся в живых немецкие моряки открыли кингстоны, и «Бисмарк», перевернувшись через левый борт, затонул. В этом бою погибло более 2000 человек команды и нештатного состава «Бисмарка». Спасено было всего около 100 человек.

Известие о потоплении «Бисмарка» было с ликованием встречено в Блетчли-Парке. Особенно радовались сотрудники секции № 6, которые занимались взломом военно-воздушной «Энигмы». Они полагали, что именно благодаря их усилиям удалось своевременно обнаружить «Бисмарк» и выяснить, в каком направлении он держал курс. Дело в том, что 25 мая Кейт Бейти, математик секции № 6, заглянул в машинописное бюро, где были установлены копии «Энигмы», которые использовались для дешифрования перехваченных шифровок люфтваффе. Одна из машинисток обратила внимание Бейти на только что прочитанную шифровку. В ней офицер люфтваффе, находившийся в Афинах, отправил в Берлин запрос о местонахождении «Бисмарка», на котором проходил военную службу его сын. В ответ офицеру было сообщено, что «Бисмарк» следует на военно-морскую базу в Бресте. Эта информация была немедленно передана в Центр оперативной разведки английского адмиралтейства. Однако там на нее не обратили особого внимания, поскольку уже пришли к однозначному выводу о конечном пункте назначения «Бисмарка» и известили о нем главнокомандующего военно-морскими силами Англии.

Более веские основания для ликования были не у Бейти и его коллег из секции № 6, а у другого сотрудника английского дешифровального центра — Гарри Хинсли. После того как английские линкоры упустили «Бисмарк» в ночь с 24 на 25 мая, именно Хинсли обратил внимание на то, что немецкий линкор неожиданно прекратил обмен сообщениями с береговой радиостанцией в Вильгельмсхейвене и установил радиосвязь с Брестом.

Хинсли немедленно позвонил по телефону сотруднику ЦОР Норману Деннингу и уведомил его о своих наблюдениях:

> «Что касается всей этой неопределенности относительно пеленгации, то я думаю, она позади. Наш подопечный держит курс на Францию».

## Миллион терзаний

Наступило 1 июня 1941 года. Имея июньские ключевые установки для военно-морской «Энигмы», захваченные 7 мая на борту немецкого траулера «Мюнхен», сотрудники английского дешифровального центра в Блетчли-Парке стали читать немецкие шифровки почти одновременно с самими немцами. Благодаря разведывательной информации, добываемой в Блетчли-Парке, английское адмиралтейство устраивало в Атлантике засады на грузовые суда Германии. Только за период с 3 по 21 июня 1941 года англичане потопили восемь таких судов, из которых шесть удалось отправить на дно именно благодаря чтению шифровок «Энигмы». Однако 21 июня адмиралтейство решило больше не планировать свои морские операции на основе данных, полученных с помощью взлома «Энигмы», — чтобы немцы об этом не догадались.

По иронии судьбы, событие, которое заставило немцев всерьез задуматься над безопасностью своих каналов связи, никак не было связано с дешифровками «Энигмы». 4 июня 1941 года английский эсминец «Марсдейл» натолкнулся в Атлантике на немецкое грузовое судно «Гедания» и отконвоировал его к берегам Шотландии. Немцы никогда бы не узнали о печальной судьбе «Гедании», если бы некоторое время спустя не взяли в плен двух английских моряков, служивших на «Марсдейле». Они поведали обо всем, что видели, однако не смогли точно сказать, какие документы удалось захватить на борту «Гедании». В октябре 1941 года офицер абвера, которому было поручено провести расследование обстоятельств потери «Гедании», написал в своем отчете:

> «Правила, согласно которым необходимо уничтожать имеющиеся на борту судна секретные документы, не были должным образом соблюдены... Весьма огорчителен тот факт, что шифры... и морские карты вместе с секретными сообщениями попали в руки противника».

Премьер-министр Англии Уинстон Черчилль всегда беспокоился о том, чтобы немцы не узнали об успехах английских криптоаналитиков. Еще задолго до захвата немецкого траулера «Мюнхен» он распорядился свести к минимуму количество людей за пределами Блетчли-Парка, которые знали о взломе «Энигмы». Черчилль потребовал от военно-морского командования использовать разведывательную информацию, почерпнутую из дешифровок «Энигмы», только если та же информация могла быть получена и из других источников. Старшим офицерам, которым было известно об «Энигме», нередко запрещалось принимать участие в боевых действиях. К сожалению, этот запрет действовал не всегда и не везде, как это случилось с моряками с «Марсдейла», попавшими в плен к немцам.

Возможно, что Черчилль забеспокоился еще больше, если бы узнал, что в мае 1941 года в ходе боев на острове Крит в руки к немцам попал документ, в котором содержались данные, полученные англичанами с помощью дешифрования «Энигмы». Этим документом была телеграмма, датированная 24 мая 1941 года и адресованная командующему союзническими войсками генералу Фрейбергу. Со ссылкой на весьма надежный источник Лондон в деталях информировал Фрейберга о ближайших планах немецкого командования, о которых никак нельзя было узнать с помощью традиционных методов ведения разведки. Сделанный немцами перевод телеграммы был отослан в Берлин.

6 сентября 1941 года Черчилль лично прибыл в Блетчли-Парк, чтобы своими глазами увидеть, как английские криптоаналитики читают немецкие шифровки. Он еще не знал, что дальнейшее чтение этих шифровок находится под серьезной угрозой. Зайдя в секцию воен-

но-морской разведки, Черчилль увидел в коридоре человека, сидевшего на полу и читавшего какой-то документ. Это был старший криптоаналитик Шен Вилье. Раздосадованный Черчилль открыл первую попавшуюся дверь — и снова его ждало разочарование: в комнате, куда он зашел, на полу сидели еще несколько человек и разбирали груду бумаг. Заметив премьер-министра, они вскочили на ноги. Черчилль остался весьма недоволен хаосом, царившим в Блетчли-Парке. Это нашло отражение в словах, с которых он начал свою речь, выступая перед сотрудниками дешифровального центра: «Взглянув на вас, никто бы и не подумал, что вы способны узнать какие-то секреты...»

После визита Черчилля несколько старших сотрудников Блетчли-Парка обратились к нему с письмом, жалуясь на трудности, с которыми им приходится сталкиваться в своей работе. Письмо было датировано 21 октября и начиналось так:

> «Уважаемый премьер-министр!
>
> Несколько недель назад Вы удостоили нас чести своим визитом, и мы полагаем, что Вы считаете нашу работу важной. Вы обратили внимание на то, что благодаря энергии и дальновидности капитана Тревиса мы имеем в своем распоряжении достаточное количество «Бомб» для взлома немецкого шифра «Энигма». Однако Вы должны знать, что в нашей работе постоянно происходят задержки, а иногда она и совсем не выполняется — в основном потому, что у нас не хватает сотрудников... В результате вскрытие военно-морских ключей каждый день задерживается по крайней мере на 12 часов...
>
> Мы написали письмо исключительно по своей собственной инициативе, и, без всякого сомнения, не желаем, чтобы Вы считали, что мы критикуем капитана Тревиса, который делает все от него зависящее, чтобы помочь нам любыми доступными способами. Но если мы хотим делать нашу работу именно так, как ее можно и нужно делать, совершенно необходимо, чтобы своевременно выполнялись все наши требования, даже самые мелкие. Мы полагаем,

что не исполним должным образом свой долг, если не привлечем Вашего внимания к имеющимся проблемам и их последствиям...»

Черчилль ознакомился с этой жалобой 22 октября и начертал на ней следующую резолюцию:

«Как можно быстрее дайте им все, что они хотят, и доложите мне об исполнении».

Еще до визита Черчилля в Блетчли-Парк взлом военно-морской «Энигмы» стал одним из решающих факторов, повлиявших на исход битвы в Атлантике. С 1 по 23 июня 1941 года немецкие подводные лодки не потопили ни одного морского каравана: Центр оперативной разведки английского адмиралтейства, пользуясь разведывательными данными из Блетчли-Парка, направлял корабли в обход немецких засад. В июле 1941 года в течение трех недель также не было отмечено ни одного нападения. В августе немецкие подводные лодки в течение десяти дней бесцельно бороздили просторы Атлантики. В июле и августе 1941 года общее водоизмещение пущенных ко дну английских кораблей впервые составило меньше 100 тысяч тонн. А в ноябре 1941 года этот показатель составил всего 62 тысячи тонн, несмотря на то, что количество подводных лодок противника возросло на 50 процентов по сравнению с началом войны.

Справедливости ради надо сказать, что чтение немецких шифровок было не единственным фактором успеха. В ноябре 1941 года Гитлер перебросил значительную часть своего подводного флота в Средиземноморье для оказания поддержки немецкому экспедиционному корпусу в Северной Африке, а также приказал подводным лодкам сопровождать надводные военные корабли во время рейдов в Атлантике. Летом 1941 года немецким субмаринам было запрещено нападать на американские морские караваны, чтобы на ранних стадиях вторжения в Советскую Россию не спровоцировать Соединенные Штаты на объявление войны Германии. Английские суда, курсировавшие между Западной Африкой, Гибралтаром и побережьем Англии, были значительно меньше океанских кораблей, ходивших в Атлантике. Соответственно упал и «улов» немецких подводных лодок, передислоцированных в Средиземноморье. К тому же англичане усилили воздушное патрулирование к северу-западу от Англии и к югу от Исландии. Немцы были вынуждены расходовать значительно больше горючего, забираясь в более удаленные районы Атлантики, и у них оставалось меньше времени на поиск английских конвоев. Учитывая, что районы, которые немецким подводным лодкам приходилось прочесывать, становились все больше, шансы отыскать подходящую цель для удачной атаки становились все меньше.

Поэтому точно подсчитать, скольким именно английским кораблям удалось благополучно добраться до места назначения благодаря взлому военно-морской «Энигмы» в Блетчли-Парке, не представляется возможным. Однако известно, что доля английских морских караванов, которые были обнаружены немецкими подводными лодками, составила: в августе — сентябре 1940 года — 36 процентов, в январе — мае 1941 года — 23 процента. После того как в июне — августе 1941 года в Блетчли-Парке удалось наладить оперативное чтение немецких военно-морских шифровок, эта доля упала до 4 процентов, но опять выросла до 18 процентов, когда английским криптоаналитикам требовалось около двух суток, чтобы полностью вскрыть ключевые установки для «Энигмы» (немцы осуществляли полную смену ключевых установок через каждые два дня). А доля конвоев, которые потеряли по крайней мере три своих судна в ходе атаки немецких подводных лодок, составляла: с августа по декабрь 1940 года — 16 процентов, с января по май 1941 года — 10 процентов, с июня по август 1941 года — всего 4 процента и с сентября по декабрь 1941 года — 9 процентов.

Англичанам в определенной степени повезло, что им не удалось добиться стопроцентного чтения немецких шифровок. Ведь в противном случае немцы наверняка догадались бы, что их шифр взломан противником. В июне 1941 года немцы ввели в действие специальный код, с помощью которого засекречивали координаты своих подводных лодок. До этого англичане пользовались картами, найденными в мае 1941 года на борту захваченной немецкой субмарины «У-110». Но 16 июня 1941 года немцы внедрили новую систему, предназначенную для того, чтобы сузить круг лиц, которые знали о районах, где осуществляли патрулирование подводные лодки. В новой системе положение подводных лодок указывалось относительно двух произвольно выбранных точек в море, которым немцы присвоили кодовые имена «Франц» и «Герберт». Англичане взломали этот код в июле 1941 года. Два месяца спустя немцы сменили его на другой код, который англичане сумели взломать в октябре 1941 года. Как следствие, в течение последних трех недель октября ни одна немецкая подводная лодка в Атлантике не смогла обнаружить и атаковать английские морские караваны.

Первым, кто проявил беспокойство по поводу резкого снижения эффективности в действиях немецкого подводного флота в Атлантике, был командующий флотом Карл Дениц.

27 августа 1941 года Дениц получил радиограмму, которая заставила его беспокоиться еще больше. В этой радиограмме, которая была послана с борта немецкой подводной лодки «У-570», всплывшей у побережья Исландии, говорилось: «Не могу осуществить погружение. Меня атакует самолет».

Обратная связь с «У-570» была затруднена, и Дениц приказал немецким кораблям, находившимся поблизости, идти ей на помощь. Однако первым на место аварии прибыл английский траулер. Командиру «У-570» Гансу Рамлоу следовало затопить лодку, как только он увидел англичан. Немецкие подводники, оказавшиеся в открытом море, были бы подобраны англичанами. Однако Рамлоу замешкался, а когда наконец собрался это сделать, было уже поздно. С подоспевшего английского эсминца «Беруэлл» просигналили, что при попытке затопить подводную лодку спасательные плоты будут тоже потоплены. Свою угрозу англичане подкрепили предупредительной очередью из пулемета. Рамлоу понял, что, пустив «У-570» ко дну, он подпишет смертный приговор и себе, и своей команде. Через некоторое время призовая команда с «Беруэлла» поднялась на борт немецкой субмарины и эвакуировала с нее экипаж. Затем «У-570» была отбуксирована в Исландию.

Там выяснилось, что немецкие подводники успели выбросить в море «Энигму» и избавиться от большей части секретных документов, находившихся на борту «У-570». Однако кое-что они уничтожить не успели. Обыскав захваченную подводную лодку, англичане нашли несколько отрывков из шифрованных и открытых текстов немецких радиограмм за последние три дня, а также фрагменты списка ключевых установок для «Энигмы».

В лагере для военнопленных в Англии экипаж «У-570» устроил офицерский суд чести над Рамлоу и вахтенным офицером Бернардом Берндтом. Оба были признаны виновными в нарушении служебного долга. Берндт попытался искупить свою вину, совершив побег из лагеря, но был застрелен лагерным охранником при попытке к бегству.

Дениц узнал некоторые подробности захвата «У-570» из публикаций в английских газетах. В своем дневнике он назвал это событие тягостным и предположил, что Рамлоу потерял сознание, отравившись газом. В результате решение сдаться в плен, по мнению Деница, было принято не Рамлоу, а вахтенным офицером Берндтом. Дениц знал о гибели Берндта и прокомментировал это событие следующим образом:

> «Скорее всего, он в полной мере не осознал значения того, что сделал, пока не оказался в плену, где предпочел умереть при попытке к бегству...»

Но значительно более важным Дениц считал вопрос о том, смогли ли англичане взломать «Энигму» с помощью документов, захваченных на борту «У-570». Он приказал вице-адмиралу Эрхарду Мартенсу, начальнику Службы связи военно-морских сил Германии, проработать этот вопрос. 18 октября Мартенс отправил Деницу свой доклад, в котором, в частности, говорилось:

> «Если предположить, что “У-570” была захвачена в нетронутом виде, то не исключено, что... большое количество шифрдокументов попало к противнику. Если это так, то наша процедура шифрования

перестала быть надежной... Наш шифр может быть скомпрометирован еще больше, если помимо захвата шифрдокументов противником наши офицеры, попавшие в плен, сообщили кодовое слово, которое, начиная с июня 1941 г., в устной форме доводилось до сведения каждого командира подводной лодки, чтобы он мог модифицировать ключевые установки для "Энигмы". Если это произошло, то придется смириться с тем, что наши радиосообщения читаются противником... То же самое могло случиться, если в нарушение всех правил кодовое слово было записано на бумаге и вместе с шифрдокументами попало к противнику, или, к примеру, ключевые установки, полученные с помощью кодового слова, были записаны на том же листе, где содержались исходные ключевые установки. Тогда противник может понять истинное значение кодового слова».

Несмотря на безрадостную картину, нарисованную Мартенсом, он отнюдь не утверждал, что англичане читают немецкие шифровки:

«Все свидетельствует о том, что экипаж имел возможность уничтожить по крайней мере часть секретных шифрдокументов. Если это так, то противник не может читать наши сообщения».

Мартенс придавал весьма важное значение шифровке, отправленной с «У-570» в 13.58, в которой говорилось, что на борту испытывают трудности, пытаясь прочесть адресованные ей шифровки. В результате Мартенс пришел к следующему выводу:

«Возможно, что, посылая это сообщение, экипаж лодки хотел обратить наше внимание на тот факт, что шифрдокументы уже уничтожены и поэтому он больше не может читать наши шифрованные сообщения. Трудно поверить, что никто из команды не нашел в себе достаточно мужества, чтобы избавиться от шифрдокументов (в первую очередь, от документов с красным штемпелем), выбросив их в море».

Мартенс также полагал, что англичанам вряд ли удалось догадаться о назначении кодового слова. Но даже если это и произошло, 1 ноября 1941 года должны были вступить в силу новые ключевые установки для «Энигмы», которых не было на борту «У-570». И тогда в надежности «Энигмы», по мнению Мартенса, можно было больше не сомневаться.

Чтобы пояснить, как производилась модификация ключевых установок для «Энигмы», предположим, что в качестве кодового используется слово BERLIN. Оператор «Энигмы» прибавлял цифру 2 к номеру каждого из трех дисков, которые он должен был установить в «Энигму» в соответствии с действующими ключевыми установками. Эта цифра определялась буквой В в слове BERLIN, которая является второй по порядку буквой латинского алфавита. Если в результате сложения получалось число больше 8 (максимальный порядковый номер, который мог встретиться на диске, предназначенном для установки в военно-морскую «Энигму»), то из него последовательно вычиталось 8, пока результат не становился меньше 8. Например, если в «Энигму» требовалось установить диски под номерами 7, 5 и 2, то после модификации получались номера 1, 7 и 4. Следующие три буквы кодового слова (Е, R и L — соответственно четвертая, восемнадцатая и двенадцатая буквы латинского алфавита) задавали числа, которые оператор «Энигмы» должен был прибавить к порядковым номерам трех букв, определявших угловое положение колец на дисках «Энигмы». К примеру, буквенная комбинация BYS в ходе такого преобразования превращалась в FQE. Аналогичным образом буква I (девятая буква латинского алфавита) в слове BERLIN заставляла оператора «Энигмы» прибавлять число 9 к соединениям штекерных гнезд на ее коммутационной панели. Например, если согласно списку ключевых установок следовало соединить гнездо А с гнездом В, то после модификации гнездо J надо было подсоединить к гнезду К.

Надо сказать, что от модификации ключевых установок для «Энигмы» было довольно мало толку. Она нисколько не затрудняла вскрытие ключевых установок при помощи «Бомбы» в случае, если в распоряжении английских криптоаналитиков был правильный «подстрочник». И даже без «Бомбы», если в Блетчли-Парке уже имелись ключевые установки, захваченные на немецком судне или подводной лодке, то, чтобы определить модифицированные ключевые установки, не надо было перебирать все 336 вариантов порядка следования дисков в «Энигме» и триллионы соединений на ее коммутационной панели. Достаточно было проверить всего 8 вариантов расположения дисков и 26 соединений штекерных гнезд. Конечно, это затрудняло работу английских криптоаналитиков, однако не столь сильно, как было бы в случае полной смены ключевых установок для «Энигмы». Так что Мартенс был не прав, когда пытался рассеять подозрения Деница относительно надежности «Энигмы», полностью полагаясь на процедуру модификации ее ключевых установок.

Проанализировав последствия захвата «У-570», Мартенс затронул и вопрос о захвате немецкого грузового судна «Гедания». По мнению Мартенса, беспокоиться было совершенно не о чем: у команды «Гедании» было вполне достаточно времени, чтобы уничтожить секретные документы, имевшиеся на борту. Кроме того, с тех пор уже успели вступить в действие новые ключевые установки для военно-морской «Энигмы».

В своем отчете Мартенс был абсолютно точен, когда утверждал, что и на «У-570», и на «Гедании» англичанам удалось захватить в качестве трофеев лишь разрозненные документы, имевшие отношение к «Энигме». Используя их, англичанам никогда бы не удалось наладить оперативное и бесперебойное чтение немецких шифровок. Однако Мартенс сконцентрировал свое внимание лишь на двух отдельных случаях, когда «Энигма» могла быть скомпрометирована. Если бы он проанализировал все события последнего времени, то несомненно обратил бы внимание на то, что летом 1941 года немецкие подводные лодки неожиданно утратили способность отыскивать в Атлантике английские конвои, и связал бы этот факт с потерей «Мюнхена» и «Лауенбурга», а также с участившимися случаями потопления англичанами немецких грузовых судов. Мартенс этого не сделал. В результате к началу октября 1941 года немцы все еще не догадывались о том, что их военно-морская «Энигма» была взломана английскими криптоаналитиками. Но как долго это могло продолжаться?

## Риск — благородное дело

Сотрудники английского дешифровального центра в Блетчли-Парке испытывали разные чувства, знакомясь с содержанием прочитанных немецких шифровок. Они радовались, когда командующий немецким подводным флотом адмирал Карл Дениц бранил командира какой-либо субмарины за то, что он недостаточно энергично атакует противника. И огорчались, когда Дениц поздравлял другого командира с удачной атакой. А последнее, к сожалению, в сентябре 1941 года случалось все чаще, поскольку на вскрытие ключевых установок для военно-морской «Энигмы» у английских криптоаналитиков уходило от двух до трех дней. К этому времени информация, которая содержалась в прочитанных немецких шифровках, успевала потерять свою актуальность.

Начало одной из таких печальных историй относится к первой половине дня 9 сентября, когда немецкая подводная лодка «У-85» отправила следующее короткое сообщение:

> «В квадрате 92-59 замечен вражеский морской караван. Держит курс на север, скорость 7 узлов»[1].

Через некоторое время Дениц передал данные, полученные с борта «У-85», всем остальным немецким субмаринам, находившимся в этом районе:

> «У-85 сообщила о вражеском морском караване в квадрате 92-59. Приказываю... отработать этот караван».

Сутки спустя Дениц послал еще одну шифровку:

---

[1] В Блетчли-Парке эта шифровка была прочитана лишь 12 сентября в 9.32.

«Караван не должен пройти. Атакуйте и потопите его!»

Эфир заполнился сообщениями с других немецких подводных лодок, которые подтянулись в квадрат 92-59:

«У-652 докладывает. Потоплены 3 корабля каравана водоизмещением 20 тысяч тонн».

«У-81 докладывает. Потоплены 4 корабля каравана водоизмещением 31 тысяча тонн».

«У-432 докладывает. Потоплены 5 кораблей каравана водоизмещением 25 тысяч тонн».

За этими сообщениями последовали поздравления Деница с успешно проведенной операцией:

«Для У-85. Хорошая работа! Вы были первыми, кто заметил караван».

«Для У-81. Отлично! Отлично!»

«Для У-82. Браво!»

Когда морской караван «К-42» добрался, наконец, до берегов Англии, то не досчитался двух третей своего состава, в котором отправился через Атлантику.

После полудня 11 сентября на помощь каравану «К-42» подоспело английское сторожевое судно «Мус Джо». В 12.30 оно зафиксировало на своем гидролокаторе подозрительное эхо. Капитан Дуглас Прентис приказал сбросить глубинные бомбы, что заставило всплыть немецкую подводную лодку «У-501». Прентис попытался протаранить вражескую субмарину, но ее капитан Гуго Форстер в последнюю минуту сумел изменить курс, так что некоторое время «У-501» и «Мус Джо» шли параллельно друг другу. Только после того как Прентис пригрозил потопить «У-501», если она не заглушит двигатель, немцы остановились. Увидев, что от «Мус Джо» отошла спасательная шлюпка с английскими моряками, инженер «У-501» Герхард Шиманн спустился в радиорубку, разбил молотком «Энигму», а затем открыл кингстоны.

Лейтенант Тед Симмонс, возглавивший призовую команду, которая причалила к «У-501», попытался проникнуть внутрь, но не смог этого сделать и еле успел выбраться наверх, чтобы приказать своим людям покинуть тонущую немецкую субмарину.

Несмотря на то что район буквально кишел немецкими подводными лодками, происшествие с «У-501», к счастью для англичан, прошло незамеченным. В ином случае немцы несомненно предположили бы самое худшее. Другой инцидент, который произошел две недели спустя, наглядно продемонстрировал, насколько немцы были близки к догадке, что «Энигма» взломана англичанами.

23 сентября немецкая субмарина «У-111» отправила шифровку, в которой подтвердила свою готовность встретиться 25 сентября с субмаринами «У-67» и «У-68» у западного побережья Африки. Перед возвращением на военно-морскую базу во Франции «У-111» должна была передать «У-68» неиспользованные торпеды, а с борта «У-67» забрать тяжело больного подводника, которого нужно было как можно скорее отправить в Германию для лечения. В Блетчли-Парке прочли шифровку и довели содержавшуюся в ней информацию до сведения английского адмиралтейства, которое выслало в район встречи немецких субмарин английскую подводную лодку «Клайд» с приказом потопить противника.

Операция прошла крайне неудачно. Немецкие субмарины сумели ускользнуть из ловушки, а английская подводная лодка получила значительные повреждения и чудом не затонула.

Эта операция просто не могла не убедить немцев, что противник читает их шифрованную переписку. Все офицеры с «У-67», «У-68» и «У-111» пришли к единому мнению, что координаты и время их встречи стали известны англичанам. А капитан «У-111» прямо заявил, что противник каким-то образом перехватывает и читает немецкие шифровки. Его поддержал Дениц, который 28 сентября записал в своем дневнике:

> «Самое подходящее объяснение этому состоит в том, что наш шифр был скомпрометирован или что произошло какое-то другое нарушение режима секретности. Маловероятно, чтобы английская подводная лодка случайно оказалась в таком удаленном районе».

Дениц приказал начальнику Службы связи немецких военно-морских сил Эрхарду Мартенсу еще раз проанализировать ситуацию с «Энигмой». В своем докладе Мартенс отметил, что 23 сентября, всего за четыре дня до засады, с борта «У-111» была отправлена шифровка, в которой упоминались место и время встречи немецких подводных лодок. В частности, Мартенс писал:

> «Если бы противник прочел эту шифровку, то он, скорее всего, предпринял бы попытку помешать встрече».

Тем не менее Мартенс почему-то решил, что англичанам не удалось взломать «Энигму». Он просто не мог поверить, что, имея на руках все козыри, англичане умудрились провалить такую выигрышную операцию. Возможно, Мартенса убедило мнение немецких криптографов, которые заявили, что «Энигма» является «одной из самых надежных в мире систем, предназначенных для шифрования сообщений».

В результате вывод, который Мартенс сделал в своем докладе Деницу 24 октября, был однозначным:

> «Крайнее беспокойство относительно утечки секретных данных о наших операциях не имеет никаких оснований. По всей вероятности, наш шифр не был взломан противником».

Провалившаяся с треском попытка устроить засаду на немецкие подводные лодки ничему не научила Первого морского лорда Англии Дадли Паунда. Другой на его месте непременно бы понял, что действовать надо крайне осмотрительно, чтобы не дать немцам повод усомниться в надежности «Энигмы». Однако события 25 сентября не послужили уроком для Паунда и он продолжал снабжать командующих английским флотом информацией, полученной благодаря чтению немецких шифровок.

Надо сказать, что эта информация была весьма заманчивой. С ее помощью можно было устраивать засады на грузовые суда, снабжавшие боеприпасами, провиантом и топливом немецкие субмарины, которые находились на боевом дежурстве. Так, из перехваченной немецкой шифровки англичане узнали, что 22 ноября подводная лодка противника «У-126» должна встретиться с грузовым судном «Атлантида» у западного побережья Африки. Чтобы продолжить патрулирование этого района, «У-126» было необходимо пополнить запасы продовольствия. Когда встреча состоялась, капитан «Атлантиды» Бернард Рогге чувствовал себя в полной безопасности и пригласил офицеров с «У-126» позавтракать на борту своего судна. «Атлантида» взяла «У-126» на буксир, и моторная шлюпка сновала туда-сюда, доставляя груз на подводную лодку. Но только Рогге и его гости сделали первый глоток кофе, как впередсмотрящий на «Атлантиде» сообщил, что видит на горизонте какой-то корабль. Это был английский крейсер «Девоншир», получивший приказ из адмиралтейства помешать встрече «Атлантиды» и «У-126».

Капитан «Девоншира» не был вполне уверен, что обнаружил то самое немецкое судно. И был озадачен еще больше, когда получил с «Атлантиды» сообщение, что это датское судно «Полифем». Убедиться в этом «Девоншир» мог, только подойдя ближе, но капитан боялся стать мишенью для «Атлантиды» или немецкой подводной лодки, находившейся где-то поблизости. «Девоншир» запросил адмиралтейство, действительно ли это судно «Полифем», получил отрицательный ответ, и к 10.15 «Атлантида» была потоплена.

Эта операция, как и предыдущая, была продумана очень плохо. «Девоншир» должен был либо уничтожить, либо захватить в плен всех без исключения членов экипажа «Атлантиды», чтобы немецкие моряки не рассказали своему командованию, что «Девоншир» прибыл к месту встречи «Атлантиды» и «У-126» в удаленном районе, словно заранее знал о ней. Не было ни малейших признаков, что английский крейсер случайно наткнулся на корабли противника. Естественно, что в результате немцы могли расценить этот случай как явное свидетельство того, что их «Энигма» скомпрометирована.

Однако, потопив «Атлантиду», «Девоншир» был вынужден спешно ретироваться, опасаясь встречи с немецкими подводными лодками. Ни об уничтожении, ни о взятии в плен членов экипажа «Атлантиды» не было и речи. После ухода «Девоншира» на помощь к немецким морякам пришла «У-126», но была не в состоянии взять на борт всех моряков с «Атлантиды», которых насчитывалось более трехсот. Большая их часть разместилась в спасательных шлюпках и катерах, которые «У-126» была вынуждена тянуть за собой на буксире. Мало того, что этот кортеж был весьма уязвим, у подводной лодки кончалось горючее. Лишь 24 ноября к ним на помощь подоспело грузовое судно «Питон».

Тем временем английское адмиралтейство получило из Блетчли-Парка новые дешифровки «Энигмы», в которых содержалась информация о планировавшихся встречах «Питона» с немецкими подводными лодками. Было решено устроить новую засаду.

1 декабря «Питон» должен был встретиться с немецкой подводной лодкой «У-68» у берегов Западной Африки. Капитан «Питона» Карл Фридрих Мертен был так встревожен печальной участью «Атлантиды», что прибыл к месту встречи на сутки раньше. Если англичане знали об этой встрече, то он хотел приготовиться, чтобы дать им достойный отпор.

Капитан прибывшей на следующее утро «У-68» разделял опасения Мертена и отказался подняться на борт «Питона», чтобы там позавтракать. Примерно в 17.00, когда уже была закончена заправка подводной лодки топливом и почти все продовольствие было перегружено на ее борт, впередсмотрящий на «Питоне» заметил на горизонте вражеский военный корабль. Это был английский крейсер «Дорсетшир», капитан которого Август Агар получил из адмиралтейства информацию о том, где находится «Питон». И опять, как и в случае с «Атлантидой», англичане не приняли никаких мер, чтобы не возбудить у немцев подозрений относительно надежности «Энигмы».

Сблизившись с «Питоном», «Дорсетшир» сделал два предупредительных выстрела, которые убедили немецких моряков, что им следует как можно скорее покинуть свое судно. Зная о том, что где-то неподалеку должна находиться немецкая подводная лодка, «Дорсетшир» держался от «Питона» подальше и все время маневрировал, чтобы избежать вражеской торпеды. Тем временем экипаж «Питона» открыл кингстоны и, пересев в спасательные шлюпки, отчалил. Примерно в 18.30 «Питон» затонул.

Потеря «Питона» очень расстроила Деница, который 1 декабря сделал следующую запись в своем дневнике:

> «После потопления “Питона” мы потеряли возможность осуществлять дозаправку топливом в Атлантике. Возобновить дозаправку в море будет нельзя — время для подобных операций упущено».

2 декабря начальник Службы наблюдения дешифровального центра немецких военно-морских сил Хайнц Бонатз написал:

> «В третий раз наше грузовое судно захвачено врасплох противником в момент встречи с подводной лодкой...»

Еще в сентябре 1941 года Служба наблюдения вскрыла английский военно-морской Код № 3 и с тех пор читала значительную часть шифрованной переписки англичан. Однако, по словам Бонатза, из информации, получаемой из прочитанных английских шифровок, нельзя было сделать однозначный вывод о том, насколько англичане были осведомлены об этих трех встречах. Бонатз предложил еще раз проанализировать английские шифровки на предмет наличия в них признаков того, что англичане взломали «Энигму».

У немецкого военно-морского командования не было недостатка в очевидцах, которые могли подробно рассказать, как были потоплены «Питон» и «Атлантида». В конце декабря четыреста моряков с «Атлантиды» и «Питона» были доставлены во Францию, где поведали, что были замечены с английских крейсеров «Девоншир» и «Дорсетшир», которые, по всей вероятности, точно знали, где найти немецкие грузовые суда.

Два месяца длилось в Германии разбирательство относительно обстоятельств гибели «Атлантиды» и «Питона». 18 марта 1942 года адмирал Курт Фрике поставил свою подпись под докладом, в котором, в частности, говорилось:

> «...Капитаны “Атлантиды” и “Питона”, а также военно-морской штаб подозревают, что эти суда бы-

ли потеряны исключительно вследствие совершенного предательства или вследствие того, что шифр, используемый нашей службой радиосвязи, недостаточно надежен».

Однако сам Фрике полагал, что дело было отнюдь не в предательстве и не в слабости «Энигмы», и утверждал, что при шифровании сообщений, касавшихся «Атлантиды» и «Питона», были соблюдены все необходимые правила, и, значит, противник не мог прочесть эти сообщения, поскольку, по его мнению, «наша система обмена сообщениями по радио лучше любой другой иностранной системы». Кроме того, Фрике заявил, что «ни в одном из многочисленных сообщений, посланных противником с самого начала войны и прочитанных нами, не содержится ни малейшего намека на то, что «Энигма» им взломана».

Фрике считал, что сделанные им выводы полностью подтверждались событиями, произошедшими после гибели «Атлантиды» и «Питона». Одно из таких событий было связано с тяжелым линкором «Тирпиц». 12 января 1942 года после участия в серии учебных маневров «Тирпиц» покинул военно-морскую базу в Вильгельмсхейвене и направился к берегам Норвегии. В течение нескольких месяцев англичане были в курсе всего, что происходило на «Тирпице». Это было особенно важно, поскольку «Тирпиц» мог существенно повлиять на расстановку сил в Атлантике. Хотя у англичан не было недостатка в военных кораблях, которые мало уступали «Тирпицу» по огневой мощи и надежности, «Тирпиц» превосходил их в скорости. А значит, мог безнаказанно совершать нападения на английские морские караваны и легко уходить от погони. Поэтому в английском адмиралтействе уделяли самое серьезное внимание дешифровкам «Энигмы», в которых упоминался «Тирпиц». Из них в адмиралтействе узнали о том, что «Тирпиц» регулярно участвует в военных учениях, оснащен новыми торпедными установками и что в январе 1942 года он будет готов покинуть балтийский берег. Однако, чтобы прочесть немецкие шифровки, англичанам требовалось в среднем 32 часа. Поэтому о том, куда направлялся «Тирпиц», они узнали слишком поздно, чтобы успеть предпринять какие-либо решительные действия, дабы помешать ему благополучно прибыть 16 января в норвежский порт.

Адмирал Фрике, занимавшийся расследованием обстоятельств гибели «Атлантиды» и «Питона», полагал, что если «Тирпиц» сумел беспрепятственно совершить свой маневр, то это значило, что англичане не взломали «Энигму». Ему и в голову не пришло, что этому можно легко найти совершенно другое объяснение: просто англичане читают немецкие шифровки со значительной задержкой, которая не позволяет им оперативно использовать получаемую информацию. Фрике еще больше укрепился в своем мнении, проанализировав обстоятельства прорыва немецких линейных крейсеров «Шарнхорст» и «Гнейзенау» из Бреста.

Из дешифровок «Энигмы» следовало, что прорыв планировалось осуществить с 10 по 15 февраля 1942 года. Предполагалось, что «Шарнхорст» и «Гнейзенау» попытаются прорваться через пролив Па-де-Кале к берегам Германии или Норвегии, поскольку не могли вечно оставаться в Бресте, где представляли собой отличную мишень для английской авиации. В адмиралтействе Англии решили, что «Шарнхорст» и «Гнейзенау» выйдут из Бреста днем, чтобы пройти через пролив Па-де-Кале под покровом ночи. А они покинули Брест поздним вечером 11 февраля. И поскольку немецкая шифровка, сообщавшая об этом, была прочитана в Блетчли-Парке только 15 февраля, английское адмиралтейство не было своевременно предупреждено о прорыве.

14 февраля английская газета «Таймс» так отозвалась об этом событии:

> «Начиная с XVII века наша великая морская держава никогда не подвергалась такому оскорблению».

Данное суждение было бы значительно менее резким, если бы в «Таймс» узнали, что во время своего прорыва из Бреста «Шарнхорст» и «Гнейзенау» получили серьезные повреждения, подорвавшись на английских минах, установленных на предполагаемом маршруте движения немецких крейсеров. И о маршруте, и о повреждениях, полученных «Шарнхорстом» и «Гнейзенау», в английском адмиралтействе стало известно исключительно из дешифровок «Энигмы». А эта информация не подлежала разглашению ни при каких обстоятельствах.

Риск, на который шло английское адмиралтейство, планируя свои военно-морские операции на основе дешифровок «Энигмы», вступал в резкие противоречия с мерами предосторожности, которые предпринимались в Блетчли-Парке для сохранения в тайне всего, что было связано с «Энигмой». В начале 1942 года Уэлчмен, возглавлявший подразделение, которое занималось взломом военно-воздушной и сухопутной модификаций «Энигмы», написал письмо Тревису, незадолго до этого возглавившему английский дешифровальный центр в Блетчли-Парке вместо Деннистона, о необходимости со всей прямотой рассказать персоналу станций радионаблюдения, занимавшихся перехватом немецких шифровок, о том, что в Блетчли-Парке ведется активная работа над взломом «Энигмы». Опасность, по мнению Уэлчмена, состояла в том, что «если их об этом не проинформировать, то они решат, что свою работу могут свободно обсуждать с кем угодно».

Но больше всего Уэлчмена беспокоило, как бы немцы не сделали далеко идущих выводов относительно возросших дешифровальных возможностей Англии:

> «Если противник в конце концов сообразит, что мы читаем шифрпереписку люфтваффе и сухопутных войск, наши шансы продолжить ее чтение в обозримом будущем станут практически нулевыми. Что еще хуже, шансы на успешное продолжение чтения военно-морской переписки станут столь же малы, и нет нужды останавливаться на последствиях, к которым приведет подобная катастрофа. Меры, которые немцы предпринимают для защиты своих сообщений, передаваемых по радио, настолько совершенны, что я сомневаюсь в возможности добиться каких-либо положительных результатов без дешифрования. Немцы прекрасно это осознают, а если они еще узнают, что 1) мы придаем огромное

значение перехвату сообщений сухопутных войск и люфтваффе, 2) мы многое знаем о немецкой системе радиосвязи, которая используется для передачи таких сообщений, то они должны догадаться, что нам удалось взломать "Энигму", и одной только догадки будет вполне достаточно, чтобы принять эффективные контрмеры».

Забота о том, чтобы сохранить в тайне взлом модификаций «Энигмы», используемых сухопутными войсками и люфтваффе, была вызвана осознанием важности той роли, которую эти шифраторы играли в военных действиях на севере Африки. Особенно это касалось «Энигмы» сухопутных войск. Хотя процедура шифрования сообщений с помощью «Энигмы» и в военно-воздушных силах Германии, и в ее сухопутных войсках была примерно одинакова, «сухопутная» «Энигма» была более стойкой. Поэтому в самом начале Второй мировой войны ее удавалось взламывать крайне редко. Однако к началу английской наступательной операции в Северной Африке в середине ноября 1942 года в Блетчли-Парке смогли наладить регулярное чтение шифровок сухопутных войск, что позволило получать довольно точные данные о передвижениях немецких войск в этом регионе.

Беспокойство Уэлчмена разделяли далеко не все, кто был в курсе успехов, достигнутых английскими криптоаналитиками. В первую очередь это касалось Густава Бертрана, начальника французского дешифровального центра. После оккупации Франции возглавляемый им центр переехал из Парижа в поместье Фузес на юге Франции. Бертран настаивал на получении доступа к ключевым установкам «Энигмы», которые вскрывались в Блетчли-Парке. 15 июня 1941 года Деннистон письменно изложил свои соображения относительно того, как следовало вести себя с Бертраном:

«Если он захочет заполучить дешифрованные тексты телеграмм, то мы будем вынуждены отказать ему, поскольку рискуем их скомпрометировать. Пусть он занимается дешифрованием материала, который сам и перехватывает. Мы не посылали ему ключевые установки начиная с 23 марта, и будет крайне нежелательно, если мы пошлем ему текущие ключевые установки. Я предлагаю ответить ему, что в настоящее время мы испытываем непреодолимые трудности при вскрытии ключевых установок...

Я считаю, что нам вряд ли следует отвечать на его запрос... который означает, что он хочет получить от нас все, чтобы прибегнуть к нашей помощи в случае успешного немецкого вторжения на юг Франции...»

В декабре 1941 года Деннистон получил новое письмо от Бертрана. В нем говорилось:

«Вам действительно не удалось добиться успехов с "Энигмой" или Вы не хотите делиться этими успехами?.. Уверяю Вас, мы здесь трудимся в полной безопасности».

Позиция Деннистона в этом вопросе не выдерживает никакой критики. Если он действительно хотел сохранить достигнутые успехи в тайне, то вообще не следовало посылать Бертрану никакие ключевые установки, в том числе и устаревшие. Да и дело было вовсе не в ключевых установках. Самую большую опасность представляли сам Бертран и польские криптоаналитики, которые после поражения Польши бежали во Францию и нашли приют в поместье Фузес. Они были в курсе событий, происходивших в Блетчли-Парке. В случае успешного вторжения на юг Франции немцы, скорее всего, арестовали и допросили бы Бертрана вместе с другими сотрудниками французского дешифровального центра. И тогда вряд ли что помешало бы немцам узнать обо всем, что касалось их шифратора.

## Операция «Лучник»

В годы Второй мировой войны английский дешифровальный центр в Блетчли-Парке стал настоящим прибежищем для разного рода чудаков, клоунов и людей с нетрадиционной сексуальной ориентацией. Как рыба в воде чувствовал себя в Блетчли-Парке гомосексуалист

Алан Тьюринг. Весьма эксцентричным поведением отличался и руководитель «итальянской» секции дешифровального центра Дилли Нокс. Но особенно странно вели себя сотрудники секции, занимавшейся взломом флотского ручного шифра (ФРШ), который использовался небольшими немецкими судами и подводными лодками, не оснащенными «Энигмой».

Алан Росс прославился тем, что в качестве успокоительного средства постоянно давал своему сыну настойку опия, а когда отправлялся с ним в железнодорожную поездку, укладывал его спать на багажную полку. Бентли Бриджуотер стал прямо-таки легендарной личностью, когда поссорился со своим любовником Энгусом Уилсоном, тоже сотрудником секции ручных шифров, и тот был вынужден залезть в пруд, спасаясь от разгневанного Бриджуотера. Да и сам Уилсон страдал неконтролируемыми приступами гнева. Однажды он выбил ногой входную дверь дома, где снимал комнату. На следующий день коллеги Уилсона, проходя мимо, могли видеть, как он старательно помогал хозяину починить сломанную дверь.

Руководство секции ручных шифров терпело выходки своих сотрудников, поскольку их работа была очень важна для успешного взлома военно-морской «Энигмы». Впервые ФРШ был взломан англичанами в июне 1941 года, благодаря документам, захваченным месяцем раньше на борту немецкой подводной лодки «У-110». При использовании ФРШ немецкий шифровальщик сначала записывал исходный текст сообщения на специальном бланке. При этом текст разбивался на биграммы (группы из двух букв), которые затем шифровались с помощью таблицы биграмм. Форма бланка и таблицы биграмм должны были меняться каждый месяц. Однако немцы почему-то делали это не одновременно, а поочередно: по нечетным месяцам они меняли форму бланка, а по четным — таблицу биграмм. Этой оплошностью немцев воспользовались английские криптоаналитики, которые могли взламывать составные элементы ФРШ по очереди — по мере того как немцы вносили в них изменения.

С точки зрения адмиралтейства, немецкие сообщения, зашифрованные посредством ФРШ, были малоинформативными. Однако они весьма ценились английскими криптоаналитиками, поскольку очень часто одно и то же сообщение шифровалось и с помощью ФРШ, и с помощью «Энигмы». Взломав более простой ФРШ, можно было использовать прочитанное сообщение в качестве «подстрочника» при вскрытии ключевых установок для «Энигмы».

Этот же самый трюк англичане проделали и с так называемым «портовым» шифром немцев, который применялся для засекречивания сообщений небольших немецких судов при заходе в гавани и на судоверфи, а также для организации связи между этими судами и более крупными военными кораблями Германии. Англичане впервые взломали «портовый» шифр в 1940 году, а уже в начале октября 1941 года успешно использовали его для взлома «Энигмы».

С 3 по 5 октября 1941 года в Блетчли-Парке неожиданно перестали читаться шифровки немецких подводных лодок, хотя сообщения надводного флота Германии англичанам по-прежнему удавалось прочитать. Командующий немецким подводным флотом Карл Дениц опасался, что координаты его субмарин становятся каким-то образом известны противнику, поэтому в ключевые установки, которыми снабжались немецкие подводные лодки, по его распоряжению были внесены изменения, чтобы эти ключевые установки отличались от используемых надводными военными кораблями.

7 октября 1941 года начальник Секретной разведывательной службы (центрального органа английской разведки) Стюарт Мензис, который курировал работу дешифровальщиков из Блетчли-Парка, обратился к премьер-министру Уинстону Черчиллю с докладной запиской, в которой, в частности, написал:

> «В начале октября испытываемые нами трудности возросли, поскольку немцы разделили сообщения подводного и надводного флотов. Чтение последних не представляет для нас особого труда,

однако с сообщениями немецких подводных лодок возникли проблемы, которые приходится решать с помощью наших счетных машин. Например, сегодня нам удалось прочесть сообщения подводных лодок, датированные 5 октября».

Черчилль начертал на письме Мензиса следующую резолюцию:

«Поздравляю всех, причастных к этому событию. УСЧ»[1].

В тот же день Мензис отправил Черчиллю еще одну докладную записку:

«Мы справились с трудностями, касавшимися сообщений немецких подводных лодок».

Черчилль ограничился краткой резолюцией: «Отлично. УСЧ».

Заметив, что время от времени одно и то же немецкое сообщение засекречивалось с помощью сразу двух различных шифровальных систем — «портового» шифра и «Энигмы», англичане решили сделать так, чтобы можно было с большой вероятностью предсказать содержание этого сообщения. Английские криптоаналитики окрестили свою уловку «садоводчеством». Они просили военных летчиков или моряков минировать определенные районы, чтобы заставить немцев посылать сообщения, текст которых поддавался прогнозированию. К сожалению, этот метод был небезупречен. Например, вполне можно было предположить, что немцы передадут зашифрованное с помощью и «портового» шифра, и «Энигмы» сообщение типа:

«Трасса пять номер семь».

Однако разные немецкие связисты могли изложить одинаковую по своей сути информацию по-разному — ради экономии места заменить слово «номер» на «ном.» или даже на «н.», а цифры «пять» и «семь» — на порядковые числительные «пятая» или «седьмой» соответственно.

Еще одной защитной мерой, призванной повысить надежность военно-морской «Энигмы», была усложнен-

[1] Уинстон Спенсер Черчилль.

ная индикаторная система, применявшаяся для того, чтобы отправитель сообщения мог довести до сведения получателя разовый ключ, использованный для зашифрования сообщения. Для вычисления индикатора, который в незашифрованном виде присутствовал в начале и в конце каждого сообщения, немцы задействовали специальные таблицы биграмм. Всего на месяц немецкий шифровальщик получал девять таких таблиц, а также список, в котором указывалось, какой таблицей биграмм следовало воспользоваться в данный конкретный день месяца. В распоряжении английских криптоаналитиков такого списка не было, поэтому им приходилось догадываться, какая именно таблица была использована. Поначалу сделать это было совсем не трудно.

При захвате немецкой подводной лодки «У-110» в мае 1941 года на ее борту были обнаружены все девять таблиц биграмм, а также книга триграмм, которая вместе с таблицей биграмм использовалась немцами для выработки индикатора. Джоан Кларк и ее коллеги из секции № 8 дешифровального центра в Блетчли-Парке заметили, что немецкие шифровальщики выбирали триграммы вовсе не случайно, как это требовалось по инструкции. Книга триграмм состояла в общей сложности из 773 столбцов. Однако вместо того чтобы выбирать триграммы наугад, немцы чаще всего задействовали те триграммы, которые находились в верхней части одного из столбцов в середине книги триграмм. Кларк установила соответствие между индикатором, который немцы ставили в начало каждой своей шифровки, и триграммами, которые получались при использовании каждой из девяти таблиц биграмм. После этого оставалось только найти таблицу биграмм, которая трансформировала индикатор из перехваченной немецкой шифровки в одну из триграмм, расположенных в верхней части одного из столбцов в середине книги триграмм.

Однако некоторое время спустя немцы решили повысить стойкость своей шифрсистемы. Были введены новые правила, которыми должны были руководствоваться немецкие шифровальщики при выборе триграмм. Отныне необходимо было брать лишь те триграммы, которые еще ни разу не использовались. В результате метод, который придумала Кларк для определения подходящей таблицы биграмм, перестал срабатывать и пришлось искать новый. Эти поиски увенчались успехом лишь с приходом в Блетчли-Парк молодых сотрудников. Именно благодаря их свежему взгляду в немецкой шифрсистеме удалось найти слабые места, которые английские криптоаналитики со стажем никак не могли обнаружить.

Одним из таких молодых сотрудников, принятых на работу в Блетчли-Парк в 1941 году, стал выпускник Кембриджа Джек Гуд. Когда началась Вторая мировая война, Гуду исполнилось 23 года. Он уже имел степень бакалавра и работал над докторской диссертацией в области математики. Будучи хорошим игроком в шахматы, Гуд познакомился с Хью Александером, еще одним выпускником Кембриджа, принятым на работу в Блетчли-Парк в самом начале войны. По просьбе Александера Гуд прошел собеседование с Гордоном Уэлчменом, который отбирал выпускников Кембриджа для работы в английском дешифровальном центре. В ходе беседы характер будущей работы никак не затрагивался, однако приятель Гуда сообщил ему по секрету, что она была связана с шифрами. При следующей встрече с Уэлчменом Гуд задал вопрос о том, будет ли его будущая работа иметь отношение к криптографии. На что Уэлчмен отрицательно покачал головой и сказал, что работает в министерстве иностранных дел.

26 мая 1941 года Гуду было сообщено о том, что на следующий день ему следует прибыть дневным поездом из Лондона на станцию Блетчли в графстве Букингемпшир. Там его встретил Хью Александер, и пока они добирались пешком до Блетчли-Парка, рассказал о том, что ему предстоит принять участие в работе над взломом немецкого военно-морского шифра. Едва Гуд занял отведенное ему место за письменным столом в секции № 8, как туда вбежал какой-то человек и радостно сообщил о потоплении немецкого линкора «Бисмарк». Коллеги объяснили Гуду, что это удалось сделать лишь благодаря проделанной ими работе.

С самого начала своего пребывания в Блетчли-Парке Гуд сдружился с Александером, однако наладить хорошие отношения с Тьюрингом оказалось не так-то просто. В первую же ночную смену Тьюринг застал Гуда спящим на полу. Поначалу Тьюринг решил, что Гуд заболел. Но разбуженный Гуд простодушно объяснил, что устал и прилег отдохнуть. После этого Тьюринг несколько дней не разговаривал с Гудом и немедленно покидал комнату, если в нее заходил Гуд. Тьюринг изменил свое отношение к Гуду только тогда, когда тот придумал, как ускорить бенберийский метод вскрытия ключевых установок для военно-морской «Энигмы», не снижая его эффективности. А некоторое время спустя Гуд завоевал уважение Тьюринга тем, что сделал открытие, мимо которого прошли все сотрудники Блетчли-Парка, включая самого Тьюринга.

В одну из ночных смен, когда делать было особенно нечего, Гуд еще раз проанализировал немецкую индикаторную систему. В соответствии с инструкцией немецкие шифровальщики должны были дополнять триграммы, которые брали из книги триграмм, случайно выбранными буквами. Гуд засомневался в том, насколько случайно выбирались эти буквы. Изучив прочитанные немецкие шифровки, он выяснил, что некоторые буквы использовались чаще, чем остальные. Метод, придуманный Гудом для определения таблицы биграмм, которая использовалась немцами для выработки индикаторов, был очень похож на метод, предложенный ранее Джоан Кларк. Надо было отыскать таблицу биграмм, которая трансформировала индикаторы из перехваченных немецких шифровок так, что частота встречаемости наиболее популярных букв-пустышек была максимальной. Когда Гуд поделился сделанным открытием с Тьюрингом, тот смущенно пробормотал: «А я считал, что уже испробовал этот метод».

Нежелание Гуда продолжать работу, если никак не удавалось добиться положительного результата, сослужило ему хорошую службу, когда он безуспешно бился над чтением немецких сообщений, зашифрованных при помощи так называемых «офицерских» ключевых установок. Эти установки применялись для предварительного шифрования особо важных сообщений, которые затем подлежали шифрованию с использованием действующих ключевых установок, находившихся в распоряжении всех операторов военно-морской «Энигмы». Утомившийся Гуд по обыкновению устроился на полу и заснул мертвым сном. Ему приснилось, что, вопреки обыкновению, немцы поменяли очередность использования ключевых установок: сначала были применены обычные ключевые установки и только потом «офицерские». Проснувшись, Гуд проверил эту гипотезу, и она подтвердилась.

29 ноября 1941 года немцы осуществили замену биграммных таблиц. Последний раз они это делали в середине июня 1941 года. В результате, не зная биграммных таблиц, английские криптоаналитики не могли больше пользоваться бенберийским методом. Однако это отнюдь не означало, что положение стало безнадежным и чтение немецких шифровок полностью прекратится. В распоряжении англичан было полтора десятка «Бомб», на которых с помощью «подстрочников» можно было вскрывать ключевые установки для «Энигмы». Чтобы применить бенберийский метод, требовалось перехватить и рассортировать около трех сотен шифровок противника. «Бомба» же срабатывала, как только в Блетчли-Парке удавалось идентифицировать хотя бы одну немецкую шифровку, содержащую известный «подстрочник». Правда, затем необходимо было перебрать все 336 вариантов порядка следования дисков в «Энигме», а после применения бенберийского метода оставалось проверить меньше сотни таких вариантов.

Сотрудники секции № 8, работавшие над взломом военно-морской «Энигмы», решили реконструировать новые таблицы биграмм, используя те же методы, которые практиковали после захвата немецкого траулера «Краб» в начале марта 1941 года. В декабре 1941 года английское адмиралтейство разработало планы проведения двух специальных операций у побережья Норвегии. Захват ключевых установок для «Энигмы» не фигурировал в числе главных целей этих операции. Тем не менее нескольким офицерам из Центра оперативной разведки адмиралтейства было приказано принять в них участие, чтобы оказать посильную помощь сотрудникам дешифровального центра.

Первой и более важной операции англичане дали кодовое название «Браслет». В ходе операции предполагалось высадить четыре десантных отряда на Лофотенских островах. Там они должны были закрепиться на пару месяцев, чтобы прервать связь между Лофотенскими островами и немецкими войсками на севере Норвегии. Второй операции было присвоено кодовое наименование «Лучник». При ее проведении планировалось атаковать две немецкие военно-морские базы, расположенные на островах у юго-западного побережья Норвегии.

По мнению сотрудника английского дешифровального центра Алана Бэкона, именно операция «Лучник» имела наилучшие шансы захватить секретные документы, имевшие отношение к «Энигме». Бэкон оказал существенную помощь адмиралтейству при планировании этой операции. 18 декабря он направил в адмиралтейство докладную записку, в которой перечислил несколько потенциальных целей для атаки в ходе операции «Лучник». О них Бэкон узнал из разведывательного отчета, подготовленного сотрудниками ЦОР на основе информации, которая была получена от норвежского рыбака Джона Сигурдсона. Бэкон предложил захватить четыре немецких патрульных корабля, которые обычно сопровождали грузовые караваны, следовавшие вдоль норвежского побережья.

24 декабря от берегов Англии отошел и взял курс на Норвегию эсминец «Неторопливый» с Бэконом на борту. Ранним утром 27 декабря «Неторопливый» подошел к норвежскому побережью вместе с пятью другими английскими военными кораблями и транспортными судами с десантниками на борту. Зайдя в фьорд, указанный Сигурдсоном, моряки на «Неторопливом» заметили у берега четыре немецких патрульных корабля, покинутых своими экипажами. Бэкон в сопровождении вооруженной охраны обыскал все корабли и на одном из них нашел ключевые установки и таблицы биграмм для «Энигмы», а

на другом — пять дисков к ней. Капитан «Неторопливого» поинтересовался у возвратившегося Бэкона, нашел ли он что-нибудь интересное. Бэкон равнодушно ответил, что ему удалось отыскать лишь несколько топографических карт.

Высадка английского десанта была в самом разгаре, когда шанс захватить секретные документы по «Энигме» представился капитану английского эсминца «Оффа» Аластеру Эвингу. Впередсмотрящий на «Оффе» заметил немецкий траулер «Гром». Когда «Оффа» после короткой погони догнал вражеский траулер, команда уже успела покинуть его. Эвингу потребовалось два часа, чтобы высадить на неуправляемый «Гром» призовую команду. Переправить на «Оффу» документы и «Энигму», найденные на борту «Грома», тоже оказалось весьма непросто. Между двумя кораблями был переброшен трос, к которому привязали мешок с трофеями. Но как только мешок отправился в путешествие с «Грома» на «Оффу», трос лопнул и мешок вместе со всем содержимым утонул в море. Тем не менее, к счастью для англичан, в злополучный мешок поместилось далеко не все, найденное на «Громе». Экземпляр «Энигмы» и таблицы биграмм в целости и сохранности перекочевали на «Оффу» вместе с вернувшимися моряками из призовой команды. В 15.00 операция «Лучник» успешно завершилась.

Спустя 32 часа после операции «Лучник» началась другая военно-морская операция англичан в Норвегии — «Браслет». И хотя закрепиться на Лофотенских островах не удалось, в том, что касалось «Энигмы», эта операция оказалась не менее результативной. Когда английский крейсер «Аретуза» в сопровождении более дюжины эсминцев, сторожевых кораблей и минных тральщиков приближался к побережью Норвегии, с его борта был замечен немецкий траулер «Гриф». На перехват «Грифа» был выслан эсминец «Ашанти». Заметив приближающийся вражеский корабль, немцы в панике начали прыгать за борт. Капитан «Ашанти» Дик Онслоу, ошибочно предположив, что экипаж «Грифа» решил подорвать и затопить свое судно, приказал открыть огонь. Через минуту, поняв, что на самом деле произошло, Онслоу распорядился прекратить стрельбу. Один из выпущенных с «Ашанти» снарядов прошел навылет через радиорубку «Грифа» и так напугал немецкого радиста, что тот прыгнул за борт, забыв даже послать сигнал о том, что «Гром» атакован противником.

Трофеи, захваченные в ходе обеих операций, были примерно одинаковыми — «Энигма» и руководства по ее использованию, а также таблицы биграмм и ключевые установки. Все это благополучно прибыло в Блетчли-Парк 1 января 1942 года. А в английской газете «Таймс» была напечатана статья под заголовком «Блестящий рейд к норвежскому побережью». В ней рассказывалось о том, как у берегов Норвегии военные корабли Англии захватили врасплох пять патрульных судов противника, которые попытались причалить к берегу, но были уничтожены ураганным огнем. Та же участь постигла и несколько вооруженных немецких траулеров. О том, что произошло на борту вражеских патрульных судов и траулеров, прежде чем они были потоплены, в статье, естественно, не было сказано ни слова.

## По морям, по волнам

Благодаря трофеям, захваченным при проведении операций «Лучник» и «Браслет», в Блетчли-Парке удалось наладить регулярное чтение немецких шифровок, циркулировавших в сети связи «Гидра». С ее помощью обменивались сообщениями военные корабли и подводные лодки немцев, находившиеся в Арктике. Успехи английских криптоаналитиков позволили союзническим морским караванам, направлявшимся через Арктику к северному побережью Советского Союза, беспрепятственно прибывать в конечные пункты назначения. Сборным пунктом для американских и английских грузовых судов с вооружением и боеприпасами, которые были предназначены для оказания помощи Советскому Союзу, служила Исландия. Оттуда в сопровождении военных кораблей суда отправлялись в Мурманск и Архангельск.

В марте 1942 года англо-американский морской караван «ПК-12»[1], состоявший из восемнадцати грузовых судов, крейсера, двух эсминцев и нескольких противолодочных вельботов, сумел избежать нападения немецкого линкора «Тирпиц». Благодаря информации, полученной из дешифрованных немецких сообщений, караван был своевременно предупрежден о грозившей ему опасности и направлен в обход засады, устроенной противником. Для моряков, находившихся на борту грузовых судов в Арктике, такое предупреждение означало спасение от неминуемой смерти. Ведь они прекрасно понимали, что, оказавшись в ледяной воде, погибнут от переохлаждения в считанные минуты. А отогнать «Тирпиц» подальше от района прохождения каравана помог самолет с английского авианосца «Великолепный»: выпущенная с этого самолета торпеда едва не угодила в борт «Тирпица» и заставила его повернуть обратно на базу.

К марту 1941 года некоторые немецкие военно-морские шифровки англичанам удавалось прочесть уже через 2—3 часа после их отправки. К сожалению, это было исключением из общего правила. Английскому адмиралтейству чаще всего приходилось планировать свои операции, не получая из Блетчли-Парка никакой полезной информации на протяжении нескольких дней. Для вскрытия так называемых внутренних ключевых установок[2] для военно-морской модификации «Энигмы» (порядок следования дисков и угловое положение колец на дисках) требовалось в среднем 48 часов. После этого шифровки противника можно было читать довольно оперативно. Дело в том, что внутренние ключевые установки «Энигмы» менялись каждые двое суток (дни, когда действовали одни и те же внутренние ключевые установки, в Блетчли-Парке называли парными). Несмотря на то что

[1] В 1941—1942 гг. английское адмиралтейство присваивало всем караванам, шедшим к берегам Советского Союза, кодовое наименование «ПК» по инициалам морского штабного офицера Питера Квиннелла, который занимался планированием операций, связанных с прохождением этих караванов.

[2] Внутренними они назывались потому, что для их смены нужно было открыть лицевую панель шифратора.

немцы каждые сутки осуществляли смену так называемых внешних ключевых установок — соединений штекерных гнезд на коммутационной панели «Энигмы», зная внутренние ключевые установки, эти соединения можно было определить за 1—2 часа.

При вскрытии ключевых установок для «Энигмы» английские криптоаналитики активно использовали бенберийский метод, который позволял значительно сократить число проверяемых ключевых установок. Однако у этого метода был один весьма существенный недостаток: применить его можно было, только собрав достаточное количество статистических данных о немецких шифровках. Обычно на сбор таких данных уходило до 28 часов. Затем с помощью «Бомб» и «подстрочника» производилось вскрытие внутренних ключевых установок. Последними определялись внешние ключевые установки для парного дня. Если все это удавалось сделать меньше чем за 20 часов, то можно было оперативно читать немецкие шифровки, отправленные за последние двое суток. Таким образом, оперативное чтение шифрпереписки немцев шло с переменным успехом — не более двух часов каждые двое суток, после чего в полдень немцы осуществляли смену ключевых установок для «Энигмы», и процедуру вскрытия надо было начинать сызнова.

Весной 1942 года, оправившись после поражения под Москвой, Германия развернула новое наступление на Восточном фронте. Советские войска были сброшены с Керченского полуострова и потерпели тяжелое поражение под Харьковом. Теперь, когда немцы стремительно продвигались через задонские степи на Кавказ и к Сталинграду, в Берлине обратили особое внимание на полярные караваны. Англо-американская артерия помощи Советской России тянулась через Атлантику до портов Мурманска и Архангельска. Перерезать эту артерию, лишить Советскую Россию связи с союзниками и обескровить ее в полной изоляции — такая сверхзадача была поставлена перед военным флотом Германии.

27 июня 1942 года в Москве было подписано очередное соглашение между Советским Союзом и Англией о

продолжении финансирования поставок военной помощи советскому правительству. Именно в этот день в рискованный путь по маршруту «ПК-17» отправились 37 транспортов. Больше половины из них шли под американским флагом, а остальные — под английским, голландским и панамским. Смешанными были и их команды: на борту некоторых насчитывалось до двух десятков национальностей. Уже на четвертый день плавания караван «ПК-17» был обнаружен немецким самолетом-разведчиком.

Еще 18 июня 1942 года отправка каравана «ПК-17» была под большим вопросом. Английское адмиралтейство получило депешу от военно-морского атташе в Стокгольме Генри Денхема. В ней содержалось предупреждение о том, что немецкий линкор «Тирпиц» при поддержке одного крейсера, нескольких «карманных линкоров»[1] и эсминцев готовится к нападению на очередной полярный караван. Денхем снабдил свою депешу кодовым обозначением «А3». Это означало, что переданная информация получена из весьма надежного источника и, скорее всего, верна. У Денхема был хороший знакомый в шведской разведывательной службе, который за год до этого своевременно сообщил Денхему о том, что в Атлантику вышел другой немецкий линкор — «Бисмарк».

Встреча с «Тирпицем» не сулила «ПК-17» ничего хорошего. По своей огневой мощи он значительно превосходил английские военные корабли сопровождения. В результате «Тирпиц» мог связать боем силы эскорта, а эсминцы и «карманные линкоры» тем временем успели бы превратить караван в горящие обломки. 19 июня английский адмирал Джек Тови предложил Первому морскому лорду Англии Дадли Паунду пересмотреть тактику, которой должен был придерживаться «ПК-17». По мне-

---

[1] Разновидность немецких боевых кораблей, удовлетворявших ограничениям Версальского договора, который был подписан в 1919 г. державами-победительницами в Первой мировой войне (Англией, Францией и др.), с одной стороны, и побежденной Германией — с другой. Поскольку изначально было не вполне понятно, к какому классу отнести эти корабли, в Англии для них было придумано название «карманный линкор».

нию Тови, английский флот был не в состоянии обеспечить «ПК-17» надежную защиту на всем пути его следования, поэтому при первых же признаках угрозы со стороны «Тирпица» караван должен был развернуться и следовать обратно под надежную защиту английского флота. Однако Паунд отказался обсуждать такой пораженческий маневр и назначил отправку каравана на 27 июля. Паунд считал, что в случае вражеской атаки кораблям из состава «ПК-17» достаточно будет просто рассредоточиться.

В Центре оперативной разведки адмиралтейства действия «Тирпица» было поручено отслеживать капитану 1-го ранга Норману Деннингу. Он был первым офицером, который в 1937 году получил назначение в это только что созданное подразделение адмиралтейства, куда должна была поступать вся военно-морская разведывательная информация. Когда Уинстон Черчилль исполнял обязанности Первого морского лорда Англии, он время от времени заглядывал в ЦОР и обязательно выкраивал время для обстоятельной беседы с Деннингом, которого считал одним из самых способных офицеров военно-морской разведки.

Однако наладить такой же тесный контакт с Паундом, сменившим Черчилля на посту Первого морского лорда, Деннингу не удалось. Он считал, что необходимо предоставлять больше самостоятельности подчиненным, которые должны быть в курсе всего, что происходит с вверенным их заботам объектом наблюдения. И если Деннинг отвечал за информацию, касавшуюся надводных кораблей противника, то действиям немецкого подводного флота должен был посвящать все свое рабочее время другой сотрудник ЦОР. В начале Второй мировой войны ЦОР обладал определенной автономией. Деннинг добился для ЦОР права доводить информацию, полученную из немецких шифровок, непосредственно до сведения капитанов военных кораблей. В 1941 году все такие сообщения в обязательном порядке должны были иметь подпись начальника английской военно-морской разведки Джона Годфри. Однако начиная с 1942 года даже это ограничение было снято. Достаточно было лишь подписи самого Деннинга или начальника ЦОР Джона Клейтона.

Такое положение дел никоим образом не устраивало нового Первого морского лорда Англии Дадли Паунда. Как человек старой закалки, он был убежден, что демократический стиль управления, которого придерживалось руководство ЦОР, пустая трата времени. У присутствовавших на совещаниях, которые Паунд проводил в адмиралтействе, создавалось впечатление, что он уже заранее все решил и мнение участников совещания его совершенно не интересует. Паунд был настоящим трудоголиком и оправдывал свое нежелание передавать подчиненным хотя бы часть своих полномочий тем, что ни при каких обстоятельствах руководитель не должен перекладывать ответственность на чужие плечи.

3 июля 1942 года в ЦОР поступила информация о перехваченном немецком сообщении, которое было отправлено командующим военно-морской группировкой «Север» генерал-адмиралом Рольфом Карлсом командующему флотилией линкоров адмиралу Отто Шниевинду. Прочитать это сообщение в Блетчли-Парке не удалось, поскольку оно было зашифровано дважды — сначала с помощью так называемых «офицерских» ключевых установок для «Энигмы», которые применялись для предварительного шифрования важных сообщений, а затем — с использованием действующих ключевых установок, находившихся в распоряжении всех операторов «Энигмы». Тем не менее в ЦОР понимали: если сообщение Шниевинду послано по радио, значит, он находится в открытом море. Высланный на разведку английский самолет подтвердил эту догадку: обнаружить «Тирпиц» на немецкой военно-морской базе в Тронхейме[1], где он стоял у причала последнее время, не удалось.

Если бы в Блетчли-Парке немецкие шифровки читали в оперативном режиме, то из сообщения, отправленного ранним утром 4 июля, там бы узнали, что «Тирпиц» находится у северного побережья Норвегии. Однако не-

[1] Тронхейм — портовый город на северо-западе Норвегии.

задолго до этого немцы осуществили очередную смену ключевых установок для «Энигмы». Для того чтобы вскрыть их, англичанам понадобилось более 19 часов, и поэтому английское адмиралтейство пребывало в полном неведении относительно местонахождения «Тирпица». Вечером того же дня в ЦОР приехал Паунд, чтобы обсудить с Деннингом сложившуюся ситуацию. Впоследствии Деннинг так описал свою встречу с Паундом:

> «Паунд присел на стул перед главной картой. На ней был показан планируемый маршрут следования каравана, его нынешняя позиция, координаты наших кораблей, а также точные или ориентировочные данные о местонахождении немецких субмарин и военных кораблей... Почти сразу Паунд спросил о том, какое расстояние мог пройти "Тирпиц", если предположить, что, выйдя из Тронхейма, он отправился прямиком на перехват каравана... Кто-то предположил, что "Тирпиц", возможно, уже атакует караван. Я заметил, что в любом случае маловероятно, чтобы "Тирпиц", покинув Тронхейм, шел прямым курсом... Некоторое время Паунд молча разглядывал карту. Я вывел его из состояния глубокой задумчивости, сказав, что более точные данные, скорее всего, будут получены в течение трех-четырех часов после того, как в Блетчли удастся вскрыть ключевые установки для "Энигмы" за последние сутки».

Деннинг был уверен, что в ближайшее время из Блетчли-Парка поступят новые разведывательные данные, поскольку незадолго до совещания у него состоялся обстоятельный разговор с сотрудником секции военно-морской разведки дешифровального центра Гарри Хинсли. Хинсли заверил Деннинга, что в Блетчли-Парке предпринимаются экстраординарные меры, чтобы добиться результата в кратчайшие сроки. Вместо использования трудоемкого бенберийского метода английские криптоаналитики решили позаимствовать на время несколько «Бомб» у своих коллег, занимавшихся взломом «Энигмы» сухопутных войск и люфтваффе. Эти дополнительные «Бомбы» были использованы, чтобы ускорить проверку всех вариантов порядка следования дисков внутри «Энигмы». Поскольку на проверку одного такого варианта уходило около 20 минут, то проверка 336 вариантов осуществлялась за 112 часов непрерывной работы одной «Бомбы». А пять «Бомб» могли справиться с этой работой примерно за 22 часа. Однако заимствовать «Бомбы» у других секций разрешалось только в экстренных случаях, поскольку это негативно сказывалось на результатах их работы.

4 июля около 19.00 в ЦОР позвонил Хинсли и довел до сведения Деннинга содержание двух немецких шифровок, которые удалось прочесть в Блетчли-Парке. Первую из них командующему флотилией эсминцев послал 4 июля в 7.40 главнокомандующий военно-морскими силами Германии. В ней, в частности, говорилось:

> «Буду в гавани Альта[1] в 09.00. Подготовьте якорную стоянку для “Тирпица” перед входом в фьорд (сразу после получения сообщения). Дозаправку топливом эсминцев и торпедных катеров произвести немедленно по прибытии».

Во второй шифровке, которая была отослана 4 июля в 0.40 командиром немецкого авиаотряда особого назначения, базировавшегося на Лофотенских островах, сообщалось:

> «В 00.15 наш разведчик С-3/406[2] доложил: мной замечены 1 линкор, 1 тяжелый крейсер, 2 легких крейсера, 3 миноносца...»

Прочитав эту шифровку, Деннинг сделал вывод, что вражеский самолет-разведчик засек английскую эскадру, состоявшую из четырех крейсеров и трех эсминцев. Эта эскадра, которой командовал контр-адмирал Гамильтон, осуществляла прикрытие каравана «ПК-17». Немецкий пилот по ошибке посчитал один из крейсеров линкором. Дело в том, что в справочнике люфтваффе главным при-

---

[1] Альта — небольшой портовый город в провинции Тромс в Норвегии.

[2] Деннинг предположил, что это был разведывательный самолет немцев, который постоянно отслеживал прохождение каравана «ПК-17».

знаком, по которому следовало производить опознание английских военных кораблей, было количество труб. А флагманский крейсер «Лондон» недавно подвергся перестройке, и у него осталось всего две трубы. В результате противник часто принимал «Лондон» за английский линкор «Граф Йоркский».

Следующий вопрос, который должен был решить Деннинг, прежде чем изложить Гамильтону и Този свои соображения относительно полученной из Блетчли-Парка информации, касался выводов, которые сделало для себя немецкое командование. Поверит ли оно, что поблизости от «ПК-17» действительно находится линкор? Может быть, оно решит, что и «ПК-17», и эскадра Гамильтона являются частью более крупного военно-морского соединения англичан, действующего при поддержке авианосца? Если так, то, по мнению Деннинга, немцы ни за что не позволят «Тирпицу» подойти близко к каравану. Деннинг хорошо помнил содержание немецких шифровок, прочитанных в Блетчли-Парке сразу после того, как в марте 1942 года самолет с английского авианосца «Великолепный» атаковал «Тирпиц», когда тот вышел на охоту за другим караваном — «ПК-12». Из этих шифровок явствовало, что немецкое командование отнюдь не желало, чтобы «Тирпиц» снова подвергался преследованию со стороны английских самолетов.

Деннинг приступил к составлению текста радиограммы, которую собирался отправить Гамильтону и Този, когда в ЦОР приехал Паунд. Он поинтересовался у Деннинга, о чем именно планировалось сообщить командующим английскими флотилиями. Деннинг ответил: о том, что, судя по всему, «Тирпиц» все еще находится в гавани города Альта. Паунд счел мнение Деннинга недостаточно обоснованным. В результате 4 июля в 19.17 Гамильтон и Този получили из ЦОР шифровку, в которой говорилось:

> «4 июля в 09.00 главнокомандующий флотом прибыл на «Тирпице» в гавань Альта. Эсминцам и торпедным катерам приказано немедленно произвести дозаправку топливом».

Паунд отказался довести до сведения Гамильтона и Тови соображения Деннинга относительно местонахождения «Тирпица». Впоследствии Деннинг так описал эту встречу с Паундом:

> «Паунд снова сел на стул перед картой и поинтересовался, сколько времени понадобится немецким эсминцам на полную заправку топливом. Я уже подсчитал в уме, что на это уйдет около трех часов. Тогда Паунд спросил, какова вероятная скорость "Тирпица". Я ответил, что 25 или 26 узлов при условии, что погодные условия будут благоприятными для эсминцев, и на 2 или 3 узла меньше, если с ними отправятся еще и "карманные линкоры". Произведя необходимые расчеты, Паунд пришел к выводу, что если сегодня утром "Тирпиц" вышел из Альта, то к полуночи он окажется вблизи каравана. Затем спросил меня, почему я считаю, что "Тирпиц" еще не покинул Альта. Я напомнил, что случилось с "Тирпицем", когда он бросился на перехват каравана "ПК-12", и заметил, что сегодня до полудня не было получено ни одной дешифровки, приказывавшей подводным лодкам держаться подальше от каравана, а с помощью радиопеленгации удалось выяснить, что они все еще находятся поблизости. Несмотря на интенсивную разведку, люфтваффе пока не удалось обнаружить другие наши корабли. Сегодня рано утром немцы засекли группу эсминцев, однако было сообщено, что в нее также входит линкор. А сейчас из люфтваффе получено сообщение, что в районе прохождения каравана обнаружен наш самолет. Следовательно, немецкое военно-морское командование не исключает возможности того, что это часть более крупного соединения, включающего авианосец. Я сказал, что хотя в Блетчли-Парке до сих пор не удалось вскрыть ключевые установки для "Энигмы", вступившие в действие сегодня (4 июля 1942 г.) в полдень, тем не менее в немецких радиопередачах, перехваченных во второй половине дня, напрочь отсутствуют признаки, характерные для

надводных кораблей, находящихся в открытом море. Более того, ни наши, ни русские подводные лодки, патрулирующие этот район, не сообщили об обнаружении противника... Через некоторое время Паунд встал и прошел в комнату, где отслеживались перемещения немецких подводных лодок, но перед уходом спросил меня: "Вы можете мне гарантировать, что "Тирпиц" все еще находится в Альта?" Мой ответ сводился к тому, что хотя я и уверен, что "Тирпиц" все еще там, абсолютной гарантии дать не могу. Но я рассчитывал получить исчерпывающую информацию, когда в Блетчли-Парке будут прочитаны новые шифровки».

Новые шифровки все еще не были прочитаны, когда Паунд отправил Гамильтону следующее сообщение:

«Вскоре ожидается поступление дополнительной информации. Продолжайте сопровождение каравана и ждите дальнейших распоряжений».

4 июля после 20.00 в ЦОР стали поступать прочитанные немецкие шифровки, перехваченные после полудня. В них содержались довольно противоречивые данные. Второй разведывательный самолет немцев, посланный в район, где находился караван «ПК-17», сообщил, что заметил там английскую эскадру из четырех крейсеров и трех эсминцев. Впервые в докладе воздушной разведки противника ничего не говорилось о том, что в составе этой эскадры, сопровождавшей караван, был линкор. Однако всего через полчаса в ЦОР был прислан текст еще одного дешифрованного сообщения немцев. Оно было отослано 4 июля в 11.30 командующим Северным флотом Германии и адресовано подводной флотилии «Ледяные дьяволы», которая, по замыслу немецкого командования, должна была принять активное участие в операции по уничтожению «ПК-17». В этом сообщении говорилось:

«Наших военно-морских сил в районе операции нет. В настоящее время координаты крупной группировки противника неизвестны, но в случае обнаружения эта группировка является главной целью для атаки...»

Деннинг сделал вывод, что незадолго до полудня «Тирпиц» все еще был в Альта и что он выйдет в открытое море только после того, как немцы убедятся в отсутствии английских крейсеров и авианосцев поблизости от каравана. Деннинг проинформировал о своих выводах Клейтона, который собирался на очередное срочное совещание у Паунда. После этого Деннинг сел составлять сообщение Тови и Гамильтону, в котором планировал известить их о том, что в полдень 4 июля «Тирпиц» находился в Альта и что по некоторым признакам остается там до сих пор. Однако Деннинг решил пока не отсылать это сообщение и показать его Клейтону, когда тот вернется от Паунда.

Вскоре к Деннингу заглянул Роджер Уинн, который руководил в ЦОР подразделением, занимавшимся слежением за немецкими подводными лодками. Прочитав подготовленное Деннингом сообщение, Уинн сильно удивился. После своего недавнего разговора с Паундом Уинн пребывал в полной уверенности, что «Тирпиц» вышел в море. Уинн поделился с Деннингом слухами о том, что караван вот-вот будет рассредоточен. Расстроенный Деннинг позвонил Хинсли, и тот высказался категорически против рассредоточения каравана и предложил повернуть его назад, пока в Блетчли-Парке не будет получена информация о местонахождении «Тирпица».

На совещании Паунд попросил присутствующих по очереди изложить свое мнение относительно дальнейших действий. Никто не высказался в пользу рассредоточения каравана, за исключением заместителя начальника штаба военно-морских сил адмирала Генри Мура. Да и он впоследствии заявил, что поступил так лишь потому, что перед совещанием его убедили, будто «Тирпиц» уже вышел на перехват «ПК-17». После того как все выступили, Паунд несколько минут сидел закрыв глаза. Потом словно очнулся и вынес окончательное решение: «Караван должен быть рассредоточен».

4 июля в 21.11 адмирал Гамильтон получил приказ:

> «Крейсерская эскадра должна спешно отойти в западном направлении».

Через 10 минут Паунд отдал приказ Джеку Бруму, командиру конвоя, сопровождавшего караван «ПК-17»:

> «Из-за угрозы со стороны надводных кораблей противника приказываю каравану рассредоточиться и продолжать движение по направлению к русским портам».

Когда Клейтон вернулся с совещания у Паунда, Деннинг предложил взять подготовленный им проект сообщения и попытаться убедить Паунда изменить свое решение. Клейтон согласился и снова уехал. Вернулся он довольно скоро и сказал Деннингу, что Паунд отказался внести коррективы в принятое им решение.

Отдавая приказ, Паунд полагал, что Брум продолжит охрану рассредоточившихся грузовых судов из состава «ПК-17». Конечно, Бруму не удалось бы защитить всех, однако обеспечить прикрытие хотя бы для некоторых он мог. Но приказ Паунда допускал двоякое толкование, и Брум, решив, что на горизонте вот-вот должен показаться «Тирпиц», приказал своим эсминцам отойти к югу, чтобы отвлечь внимание «Тирпица», и караван успел рассредоточиться. Затем, увидев, что эскадра Гамильтона уходит в западном направлении, Брум приказал своим кораблям присоединиться к ней. Беззащитный «ПК-17» стал легкой добычей для немецких самолетов и подводных лодок. В результате из тридцати шести грузовых судов, отправившихся в конце июня в путь от исландских берегов, в Мурманск и Архангельск удалось дойти только одиннадцати.

Около 2 часов ночи Деннинга, который прилег отдохнуть на диване в своем рабочем кабинете, разбудил Клейтон, чтобы показать сообщение, подготовленное для рассылки всем военным кораблям в Баренцевом море. В сообщении говорилось:

> «1. Неизвестно, вышла ли крупная немецкая группировка из Альта, но вряд ли это было сделано до 12.00 4-го.
>
> 2. Похоже, что немцы никак не могут выяснить, входит ли линкор в состав флотилии Гамильтона.
>
> 3. Немцы ничего не знают о местонахождении других наших кораблей в этом районе».

Абсолютно такое же сообщение Деннинг хотел разослать шестью часами раньше. Что же изменилось с тех пор? Просто за эти шесть часов в прочитанных немецких шифровках не было найдено ни единого упоминания о «Тирпице». Поэтому в ЦОР укрепились во мнении, что «Тирпиц» так и не вышел в море.

Получив это сообщение, Гамильтон послал Бруму следующую радиограмму:

> «Имеется ли у вас приказ относительно действий конвоя после рассредоточения каравана, на основании которого вы пришли к выводу, что нашим эсминцам следует объединиться и действовать в соответствии с распоряжениями старшего офицера?..»

На что Брум ответил:

> «Такого приказа у меня нет. Предложение присоединиться к вам исходит от меня лично. Решение оставить караван огорчило меня, и я в любой момент готов вернуться, чтобы опять взять его под охрану».

Однако приказа вернуться так и не последовало. Караван «ПК-17» был обречен на верную гибель.

Ну а что же «Тирпиц»? В 15.00 он вышел в море, однако почти сразу был замечен с борта английских субмарин, патрулировавших побережье Норвегии. Служба наблюдения (дешифровальный центр немецких военно-морских сил) перехватила и прочла английские шифровки, в которых сообщалось об обнаружении «Тирпица». Чтобы не рисковать, тот спешно ретировался на базу.

Гибель каравана «ПК-17» в начале июля 1942 года была связана с нерегулярным поступлением оперативной разведывательной информации из Блетчли-Парка. Однако к 1942 году относится и другое событие, которому суждено было оказать существенное влияние на исход многих морских сражений между Англией и Германией. 1 февраля 1942 года немцы добавили еще один диск и рефлектор в «Энигму», которая использовалась подводным флотом Германии в Атлантике. Эти дополнительные элементы размещались там же, где прежде находились три диска и рефлектор в трехдисковой модификации «Энигмы». Свою новую сеть связи немцы окрестили «Тритоном», а английские криптоаналитики назвали ее «Акулой», намекая на губительные последствия, которые сулило это нововведение.

К счастью для англичан, четвертый диск не был взаимозаменяем с остальными тремя дисками и не мог вращаться. Ведь если бы все четыре диска можно было поставить в произвольном порядке, число возможных вариантов их расположения возросло бы с 336 до 3024. Однако, согласно инструкции, перед установкой в «Тритон» немецкий шифровальщик должен был вручную задать один из 26 вариантов углового положения кольца, смонтированного на этом диске. В результате количество ключевых установок, которые английским дешифровальщикам приходилось перебирать на «Бомбе», увеличилось всего в 26 раз, а не в 336. Поскольку на трехдисковой «Бомбе» требовалось около шести часов, чтобы протестировать один вариант порядка следования дисков в «Тритоне», то для оперативного чтения немецких шифровок необходимо было 48 «Бомб». А к концу 1941 года в Блетчли-Парке было всего 12 «Бомб». Их были вынуждены как-то делить между собой английские дешифровальщики, занимавшиеся взломом «Энигмы», используемой сухопутными войсками, люфтваффе и военно-морским флотом.

Определить внутренние соединения входных и выходных контактов четвертого диска и дополнительного рефлектора англичане сумели еще в конце 1941 года. Тогда немецким шифровальщикам было предписано использовать «Тритон» как обычную трехдисковую «Энигму». При этом кольцо на четвертом диске необходимо было установить в заранее заданное фиксированное положение (через специальную прорезь на лицевой панели «Тритона» должна была виднеться буква «А»). Однако немецкие шифровальщики нередко ошибались. Один из них, например, регулярно вместо буквы «А» использовал «В», а потом, спохватившись, посылал сообщение, в котором просил расшифровать сообщение с указанным порядковым номером, установив кольцо на четвертом диске в положение «В». В результате подобных ошибок английские криптоаналитики смогли начертить схему внутренних соединений четвертого диска и дополнительного рефлектора.

Компенсировать увеличение количества ключевых установок для «Энигмы» можно было за счет увеличения числа «Бомб», на которых эти установки проверялись, и «подстрочников» — известных отрывков из текста перехваченных немецких шифровок. До 20 января 1942 года подавляющее большинство «подстрочников» англичане получали из немецких сводок погоды. Когда подводная лодка немцев передавала на берег сводку погоды, шифровальщик сначала кодировал ее с помощью так называемого «погодного» кода, а потом шифровал с использованием «Энигмы». Получив сводку погоды, береговая метеорологическая станция ретранслировала ее другим станциям, применяя свой собственный «погодный» код. В мае 1941 года на траулере «Мюнхен» и подводной лодке «У-110» англичанами были захвачены оба варианта «погодного» кода немцев. Перехватив и декодировав сводку погоды, отправленную метеорологической станцией, в Блетчли-Парке кодировали полученный текст при помощи «погодного» кода немецких субмарин, а потом, найдя в потоке перехваченных сообщений шифровку с соответствующей сводкой погоды, отправленной с борта субмарины, использовали текст этой шифровки в качестве «подстрочника». Но 20 января 1942 года немцы сменили свои «погодные» коды, и этот источник «подстрочников» мгновенно иссяк.

Оставалось только надеяться, что доступ к новым кодовым книгам удастся получить в результате удачно проведенной операции по захвату судна или подводной лодки противника. Или что он сам невольно поможет английским криптоаналитикам добыть «подстрочник». Нередко немцы шифровали одно и то же сообщение как с помощью военно-морской «Энигмы», так и с использованием другого шифра, который был уже взломан англичанами. Например, так произошло с немецким сообщением от 14 марта 1942 года о присвоении командующему подводным флотом Германии Карлу Деницу звания адмирала. И все равно шесть трехдисковых «Бомб» работали без перерыва в течение 17 дней, чтобы вскрыть ключевые установки, использованные для зашифрования этого сообщения.

В условиях острого дефицита «Бомб» и «подстрочников» английские дешифровальщики могли воспользоваться бенберийским методом вскрытия ключевых установок для «Энигмы». Теоретически этот метод был применим как к трехдисковой, так и к четырехдисковой модификации «Энигмы». Однако на практике бенберийский метод срабатывал только при наличии достаточного числа сообщений, зашифрованных при помощи похожих ключевых установок. Понятно, что появление четвертого диска в «Энигме» никак не повлияло на количество посылаемых немцами сообщений, которые шифровались с ее помощью. Но с ростом числа ключевых установок отыскивать шифровки с примерно одинаковыми ключевыми установками становилось все трудней.

В результате из ЦОР перестала поступать информация, позволявшая своевременно оповещать караваны о грозившей им опасности со стороны немецких подводных лодок. Хорошо иллюстрирует сложившуюся ситуацию уведомление, которое было отправлено из ЦОР 9 февраля 1942 года:

> «С конца января мы больше не получаем специальную информацию о немецких подводных лодках, за исключением тех из них, которые участвуют в операциях в Арктике. В результате сведения о противнике в Атлантике перестали быть точными и узнать о текущих и планируемых перемещениях немецких подводных лодок не удается».

Потеря ценного источника информации, каким являлись дешифровки «Энигмы», совпала по времени с резким увеличением числа американских судов, потопленных немецкими субмаринами в Атлантике. 11 сентября 1942 года Германия объявила войну Америке. Воспользовавшись тем, что грузовые суда покидали восточное побережье Соединенных Штатов без всякого сопровождения, немецкие подводные лодки топили их в таких количествах, перед которыми меркнут потери, понесенные англо-американскими союзниками в результате гибели каравана «ПК-17». Общее водоизмещение американских судов, пущенных ко дну за первые 8 месяцев 1942 года, составило более 4 миллионов тонн (примерно 500 тысяч тонн в месяц). В этот период количество потопленных за месяц судов колебалось в пределах от 60 до 108. Импорт сырья и товаров в Англию упал на 5 миллионов тонн, или на 18 процентов.

Положение еще больше осложнил успех, которого удалось добиться немецким криптоаналитикам. В феврале 1942 года они сумели взломать военно-морской шифр, который использовался английскими и американскими судами для обмена сообщениями в Атлантике. Получая оперативную информацию о перемещениях грузовых судов и военных кораблей противника, немцы значительно повысили эффективность действий своих субмарин в Атлантике.

Но нет худа без добра. Высшее командование военно-морских сил Германии, обратив внимание на возросшую эффективность своего подводного флота, решило, что это связано исключительно со взломом вражеского шифра, а не с изменениями, внесенными в конструкцию военно-морской модификации «Энигмы». Немцы по-прежнему ни о чем не догадывались...

## Конфликт между союзниками

Разногласия между Соединенными Штатами и Англией по поводу «Энигмы» впервые возникли в конце 1940 года, когда между ними начались переговоры об обмене разведывательными данными, полученными путем дешифрования. 15 ноября Аластер Деннистон, руководитель английского дешифровального центра в Блетчли-Парке, обратился к Стюарту Мензису, начальнику Секретной разведывательной службы Англии, с рапортом, в котором, в частности, говорилось:

> «Немецкие и итальянские шифры настолько важны для нас, что мы не можем передать их без вся-

ких ограничений. Мы должны потребовать, чтобы нам во всех подробностях сообщали о мерах безопасности в отношении этой информации, после того как мы передадим ее американцам».

Спустя два с половиной месяца в Англию для обмена опытом прибыли первые американские криптоаналитики. Они поведали своим английским коллегам об успехах в области взлома японского дипломатического «пурпурного» шифра, а взамен рассчитывали на информацию об «Энигме». В Блетчли-Парке их встретили бокалами хереса и байками о необыкновенных успехах английских дешифровальщиков, однако за спиной у прибывших из-за океана гостей Деннистон и Мензис придумывали, как бы устроить так, чтобы поделиться с американцами минимумом полезной информации.

В феврале 1941 года Мензис доложил премьер-министру Черчиллю, что хочет рассказать американцам об «Энигме», однако не собирается обсуждать с ними содержание дешифровок. На рапорт Мензиса Черчилль наложил следующую резолюцию: «Согласен. УСЧ. 27.2».

Заокеанских гостей спешно привели к присяге, и они поклялись ни при каких обстоятельствах не разглашать полученных сведений. Американских моряков, например, заставили дать расписку с обещанием передать эти сведения только начальнику дешифровальной секции военно-морской разведки. Аналогичное обещание дали сотрудники дешифровальной секции американских сухопутных войск. В обмен они увезли с собой детальное описание конструкции и принципов функционирования «Энигмы».

Летом 1941 года Черчилль предложил Мензису регулярно снабжать американцев информацией, которая была получена из немецких шифровок. Таким образом английский премьер-министр рассчитывал помочь Соединенным Штатам бороться с растущей угрозой со стороны немецких подводных лодок. Мензис отказался, написав в ответ:

> «Я не в состоянии придумать безопасный способ замаскировать эту информацию таким образом, чтобы не подвергать опасности ее источник... Практи-

> чески невозможно сделать вид, что она получена от нашего агента. Я сомневаюсь, что даже на короткое время мы сможем ввести в заблуждение противника, если американцы будут вести себя неосмотрительно. Полностью исключить этого нельзя, поскольку американцы не заботятся о безопасности в той степени, в какой это необходимо...»

После того как в начале августа 1941 года англичане стали регулярно читать шифрованную переписку немцев, Деннистон решил совершить поездку в Вашингтон, чтобы на месте урегулировать все вопросы, связанные с обменом дешифровальной информацией с Соединенными Штатами. Деннистон намеревался объяснить американцам, что не может предоставить в распоряжение заокеанских союзников ни одной «Бомбы», но решил смягчить свой отказ, пригласив молодых американских математиков на стажировку в Блетчли-Парк. Мензис выступил против обеих инициатив Деннистона и запретил ему даже упоминать о «Бомбах», чтобы американцы не ухватились за эту идею и не занялись созданием «Бомб» у себя в Соединенных Штатах. В конце концов Мензис согласился, чтобы американцам разрешили участвовать в исследовательско-конструкторских работах по «Энигме», но отказал им в доступе к дешифрованным сообщениям немцев.

1 февраля 1942 года немцы ввели в действие усложненную модификацию военно-морской «Энигмы», добавив в нее дополнительный диск и еще один рефлектор. Деннистон продолжал уверять американцев, что готов предоставить им любую информацию по «Энигме», которую они захотят получить. Однако английские дешифровальщики явно не собирались делиться всем, что знали об «Энигме». В результате раздраженные американцы стали поговаривать, что им придется взломать «Энигму» самим, без помощи со стороны англичан.

В апреле 1942 года в своем рапорте на имя Эдуарда Тревиса, сменившего Деннистона в феврале, сотрудник английского дешифровального центра Джон Тильтман так охарактеризовал сложившуюся ситуацию:

«Учитывая, что американцы ведут войну и крайне заинтересованы в получении информации о подводном флоте противника, они имеют право на доступ к дешифровкам или детальным сведениям о том, почему не осуществляется чтение шифрованной переписки немцев и каковы шансы на ее чтение в ближайшем будущем. Если быстрое и удовлетворительное решение проблемы не будет найдено, американское высшее командование потребует, чтобы их военно-морские криптоаналитики попытались продублировать нашу работу над “Энигмой”».

Через некоторое время Тревис информировал американцев, что в Блетчли-Парке не удается взломать четырехдисковую «Энигму», используемую подводным флотом Германии в Атлантике. Однако он возражал против того, чтобы в Соединенных Штатах было создано криптоаналитическое подразделение, которое получит от англичан всю информацию об «Энигме». Тревис считал это крайней мерой: «Если возникнет опасность лишиться возможностей, которыми мы сейчас обладаем, мы несомненно пошлем к вам своих экспертов».

Но 13 мая Тревис изменил свое решение и написал американцам письмо, в котором согласился, чтобы они занялись проработкой вопроса о создании электромеханических устройств для взлома «Энигмы», и пообещал, что в течение четырех месяцев отправит в Соединенные Штаты «Бомбу» вместе с сотрудником, который займется ее обслуживанием. Это обещание Тревис так и не выполнил. Скорее всего, он просто старался любыми доступными способами сгладить остроту разногласий относительно «Энигмы». В сентябре Уильям Фридман, американский криптоаналитик, работавший над взломом модификации «Энигмы», используемой сухопутными войсками и люфтваффе, написал меморандум, из которого следовало, что американцы особо не настаивали на том, чтобы Тревис выполнил обещанное:

«В настоящее время англичане имеют весьма ограниченное число таких машин, а потребность в них столь высока, что, хотя мы и можем заставить их выполнить свое обещание, они сделают это очень неохотно, поскольку это лишит их надежды на успешное решение проблемы... Если они пришлют нам машину, это будет одна из самых ранних и наименее эффективных моделей — вряд ли ее можно будет использовать в качестве образца для массового создания таких машин... Уже сейчас у нас есть необходимые чертежи и схемы... и нам не нужен образец, чтобы сконструировать машину».

Решимость американцев создать собственное подразделение, которое занялось бы взломом «Энигмы», еще больше окрепла, когда они узнали, что, по самым оптимистическим прогнозам, англичане смогут изготовить «Бомбу», предназначенную для взлома четырехдисковой «Энигмы», только через полгода. В Соединенных Штатах также справедливо опасались, что Англия в любой момент могла лишиться своего дешифровального центра вместе со всем персоналом и секретами, которыми он владел, в результате целенаправленного бомбового удара со стороны немцев. Об этой опасности Фридман упомянул в своем меморандуме, чтобы обосновать решение о создании собственной «Бомбы»:

> «Если хотя бы несколько бомб попадут точно в цель и уничтожат три здания, в которых в настоящий момент находится оборудование для взлома «Энигмы», все работы по дешифрованию будут приостановлены, и в результате будет потерян ценный источник разведывательной информации».

Эдуард Гастингс, сотрудник английского дешифровального центра, отвечавший за связь с американцами, принял участие в совещании, состоявшемся в конце августа 1942 года в Вашингтоне. Иосиф Венгер, начальник подразделения «ОП-20Г»[1], сообщил Гастингсу, что не может больше ждать и хотел бы обзавестись собственной дешифровальной машиной. Гастингс высказался против та-

[1] Секция «Г» 20-го оперативного отдела штаба военно-морских сил США, американский аналог секции № 8 английского дешифровального центра в Блетчли-Парке.

кого решения. По его мнению, трудности с чтением немецкой шифрованной переписки были временными и в самое ближайшее время должны быть преодолены. Но Венгер возразил, что решение уже принято на самом высоком уровне.

3 сентября Венгер обратился к своему руководству с просьбой профинансировать программу по созданию собственной «Бомбы». Обосновывая свой запрос о выделении двух миллионов долларов, Венгер написал:

> «Задумывая этот проект, мы понимаем, что идем на значительный риск... Говоря про риск, я имею в виду, что хотя проект и сулит нам успех в отношении взлома системы шифрования, которая в настоящее время используется немцами, но вполне возможно, что они могут внести в нее существенные изменения, и это сведет на нет наши усилия».

Потом Венгер, видимо, спохватился, что на таких условиях никто не решится дать ему два миллиона, и добавил:

> «Наши исследования убедительно показали, что предлагаемый проект теоретически обоснован. Более того, было продемонстрировано, что он может быть реализован на практике, и в результате мы добьемся необходимого ускорения процесса дешифрования».

Проект Венгера был одобрен. Вслед за этим решением вскоре последовали новые уступки со стороны англичан. 2 октября Тревис написал текст соглашения, по которому при работе над взломом военно-морской «Энигмы» английские криптоаналитики должны были сотрудничать со своими американскими коллегами без всяких ограничений. Гарри Хинсли специально летал в Вашингтон, чтобы согласовать условия с Венгером. Англичане сохраняли общее руководство перехватом и чтением немецких шифровок, но были обязаны оказывать американцам всяческое содействие при конструировании «Бомб» и делиться с ними перехваченными вражескими сообщениями и «подстрочниками», чтобы в «ОП-20Г» могли самостоятельно вскрывать ключевые установки для «Энигмы».

За три дня до написания Тревисом текста этого соглашения сотрудники «ОП-20Г» вступили в переговоры с инженерами из корпорации «Белл» по поводу создания американской «Бомбы». Инженеры пообещали изготовить опытный экземпляр уже в ноябре 1942 года, а рабочий образец представить в апреле 1943 года.

Несмотря на подписанное соглашение относительно военно-морской «Энигмы», американские криптоаналитики из Службы связи сухопутных войск долгое время не могли заключить аналогичное соглашение с англичанами по поводу «Энигмы», используемой сухопутными войсками и люфтваффе. В Англии считали, что американские военные моряки, может, и сумеют сохранить в секрете все, что узнают об «Энигме», а вот пехотинцы — вряд ли. В этом отношении весьма показателен следующий случай. В конце 1942 года Тьюринг был командирован в Соединенные Штаты, чтобы проконсультировать инженеров фирмы «Белл» относительно конструкции нового телефонного шифратора. Однако попасть в производственные здания корпорации ему удалось не сразу. Тьюринга пустили туда только после того, как англичане пообещали снабдить американцев всей необходимой информацией по «Энигме» сухопутных войск и люфтваффе, если они соблаговолят приехать в Англию.

Когда американцы в очередной раз попросили у англичан разрешения самим заняться вскрытием ключевых установок для «Энигмы», англичане обвинили своих заокеанских союзников в том, что они пытаются «присвоить себе чужие заслуги, чтобы скрыть отсутствие сообразительности и эрудиции».

В апреле 1943 года Телфорд Тейлор, американский криптоаналитик, отвечавший за контакты с сотрудниками английского дешифровального центра в Блетчли-Парке, решил применить более гибкий подход к урегулированию взаимоотношений с англичанами. В своей докладной записке он изложил суть этого подхода следующим образом:

> «Нам не следует формулировать собственное решение проблемы так открыто, чтобы англичанам не

показалось, будто мы в Арлингтон-Холле[1] хотим дублировать их работу или заставить их перехватывать для нас немецкие сообщения... Сейчас нам действительно необходимо хорошенько "зацепиться" за "Энигму", войти в курс дела и постепенно наладить взаимодействие, чтобы расширить масштабы совместной деятельности. В конечном итоге мы хотим добиться независимости, но если мы "зацепимся" за "Энигму" и разработаем собственные методы, независимость придет к нам сама собой. По мере укрепления наших позиций в Западной Европе мы все меньше будем зависеть от англичан в отношении перехвата; с ростом опыта мы все меньше будем нуждаться и в их помощи для получения "подстрочников"».

В мае 1942 года было заключено итоговое соглашение, которое помогло американцам «зацепиться» за «Энигму». По этому соглашению команда американских криптоаналитиков во главе с Тейлором должна была отбыть в Англию. В их распоряжение было обещано предоставить несколько «Бомб» для дешифрования немецких сообщений, полученную в результате информацию Тейлор мог отсылать в Вашингтон. Американцам было даже позволено развернуть в Англии собственные станции перехвата.

Однако проблему взлома четырехдисковой «Энигмы» соглашение никак не затрагивало. Чтобы приступить к ее решению, необходимо было дождаться изготовления американского варианта «Бомбы». Сотрудник «ОП-20Г» Ральф Мидер, командированный в город Дейтон в штате Огайо, где шли работы по ее изготовлению, на собственном опыте убедился, насколько сложно было сделать это в срок, учитывая требования абсолютной секретности и острую нехватку необходимых материалов.

В своем рапорте начальник «ОП-20Г» Иосиф Венгер

[1] В 1942 г. дешифровальная секция Службы связи сухопутных войск США получила в свое распоряжение здание школы для девочек в Арлингтоне на противоположном от Вашингтона берегу реки Потомак. С тех пор правительственные чиновники и военные стали неофициально называть эту секцию Арлингтон-Холлом — по имени школы, на территории которой она разместилась.

указал, что при условии выделения требуемых денежных средств новая высокопроизводительная «Бомба» будет изготовлена примерно через пять месяцев — в феврале 1943 года. Но даже если с ее помощью удастся наладить регулярное вскрытие ключевых установок для четырехдисковой «Энигмы», необходимо решить, что делать, пока этого не произошло.

В конце лета 1942 года американцы сумели предпринять эффективные меры и очистить свои прибрежные воды от немецких субмарин, которые в результате перебрались в Атлантику. В июне 1942 года общее водоизмещение потопленных немцами англо-американских судов составило 700 тысяч тонн, в августе — 550 тысяч, а в октябре — 620 тысяч. Ожидалось, что эти показатели будут и дальше расти по мере ввода в строй новых подводных лодок противника. В начале сентября 1942 года в распоряжении командующего подводным флотом Германии Карла Деница находилось 126 субмарин. Из-за планировавшейся высадки англо-американских войск в Северной Африке значительно уменьшилось число военных кораблей, которые могли быть задействованы для сопровождения трансатлантических караванов. Все свидетельствовало о том, что катастрофа неизбежна, если в самое ближайшее время не будут приняты радикальные меры.

30 октября 1942 года в Восточном Средиземноморье английский разведывательный самолет засек немецкую подводную лодку «У-559». К месту ее обнаружения спешно направились пять английских эсминцев. В их числе был и эсминец «Заряженный» под командованием капитан-лейтенанта Марка Торнтона, который был просто одержим идеей захватить какую-нибудь немецкую субмарину вместе с документами по «Энигме».

Найдя «У-559» с помощью сонаров, английские эсминцы преследовали ее остаток дня и всю ночь напролет, время от времени сбрасывая глубинные бомбы. На следующий день около 10.00 бортовой инженер «У-559» Гюнтер Гресер доложил командиру Гансу Хейдтманну, что больше не может удерживать лодку в горизонтальном положении, поскольку в ее кормовой части образовалась течь. Хейдтманн приказал Гресеру начать всплытие, а экипажу — готовиться к эвакуации.

И тут немцы допустили ошибку, которая дорого им обошлась. Сразу после всплытия Гресер распорядился открыть кингстоны, чтобы затопить лодку. Однако в спешке он сам или кто-то из его подчиненных забыл вынуть из кингстонов предохранительные шпильки. Когда Гресер заметил это, было уже поздно что-то поправить: механизм управления кингстонами оказался поврежден и открыть их уже не представлялось возможным.

Торнтон, чей эсминец оказался ближе всех к всплывшей немецкой субмарине, приказал четверым морякам — старшему помощнику Энтони Фассону, а также Колину Гразье, Кеннету Лакруа и Томасу Брауну прыгнуть за борт и вплавь добраться до «У-559». Они выполнили приказ и, оказавшись на борту подлодки, спустились внутрь. Впоследствии Браун так описал произошедшее:

> «Свет не горел, но у старшего помощника имелся фонарь. Внутри воды было немного, но она постепенно прибывала... Старший помощник стал вскрывать шкафы в капитанской каюте. Найдя ключи, висевшие на крючке за дверью, он открыл с их помощью ящики письменного стола, извлек несколько пачек секретных документов и передал их мне. Я отнес их наверх и сложил около крышки люка. Потом я еще несколько раз поднимался наверх, чтобы отнести другие найденные документы...
>
> Прямо перед рубкой в корме была огромная дыра, и любого, кто шел вниз, обдавало мощным потоком воды... Я спустился по лестнице и увидел, что старший помощник пытается отодрать какой-то аппарат, прикрепленный к переборке в рубке управления. Этот аппарат представлял собой небольшую коробку размером восемнадцать дюймов в длину и один фут пять дюймов в ширину. Мы отделили аппарат от переборки, но от него вглубь уходило множество проводов. Оторвать их мы не смогли и отказались от своей затеи поднять аппарат наверх. Вода все прибывала, и я сказал старшему помощнику, что с палубы

нам что-то кричат. Он дал мне еще пачку документов, с которыми я поднялся наверх в третий раз».

Тем временем с борта «Заряженного» на шлюпке была отправлена призовая команда во главе с морским офицером Гордоном Коннелом. По пути шлюпка взяла на борт двух немецких подводников. Один из них, 19-летний Герман Детлефс, впоследствии вспоминал, как шлюпка подошла к «У-559» и англичане стали перегружать на нее документы, найденные на борту. Детлефс сначала хотел предпринять отчаянную попытку выбросить их за борт, но потом передумал, заметив, что за ним внимательно наблюдает один из членов призовой команды, вооруженный пистолетом.

Высунувшись из рубки, Браун прокричал Коннелу, что собирается спуститься вниз, чтобы помочь Гразье и Фассону. Однако Коннел, заметив, что «У-559» вот-вот пойдет ко дну, приказал Брауну позвать Гразье и Фассона наверх и вместе с ними покинуть субмарину. Последним, кто живым выбрался из «У-559», был Лакруа. Позднее Браун рассказывал:

> «Сначала я увидел Гразье, а за ним — старшего помощника. Я крикнул: “Быстрее! Быстрее!” И только они начали подниматься, как лодка затонула».

Коннел написал рапорт, в котором красочно изложил события:

> «Морские волны били в корпус, который едва выступал из воды, и в рубку лодки, вода лилась внутрь через пробоины от снарядов. Это было потрясающее душу зрелище, ярко освещенное с борта эсминца, который описывал медленные круги, пытаясь оказать помощь тонущей субмарине. Слышались крики немецких подводников, некоторые из них изо всех сил цеплялись за борт нашей шлюпки... Я уже был готов броситься в море и взобраться на рубку, но она почти мгновенно исчезла под водой, не оставив никакого следа на поверхности. Мы кричали и звали наших товарищей. Отозвался один лишь Томми, голова которого показалась среди волн рядом со шлюпкой».

Торнтон увидел, что немецкая субмарина уходит под воду, и отдал приказ поспешить к ней, чтобы зацепить ее тросом за корму и дать Гразье и Фассону возможность выбраться наверх. Однако осознав, что тогда может перевернуться шлюпка и потери будут значительно более тяжелыми, Торнтон отменил свой приказ. «Заряженный» взял на борт членов призовой команды и вместе с «Дальвертоном», другим английским миноносцем, отправился на военную базу в ближневосточном городе Хайфа.

Торнтон со всей строгостью предупредил всех своих подчиненных, чтобы они не смели никому говорить о трофеях, найденных на «У-559». Однако капитан «Дальвертона», очевидно, забыл сделать то же самое. По прибытии в Хайфу двое моряков с «Дальвертона» отправились в бар, где их оживленный разговор о захвате «У-559» был услышан полицейскими. На следующий день эта парочка была отконвоирована в Каир, где с ними провели необходимую разъяснительную работу.

Необходимо было уделить особое внимание и немецким подводникам, которые своими глазами видели, как с борта «У-559» на шлюпку перегружались пачки документов. Детлефс попытался написать о захвате «У-559» в своем письме родителям:

> «Англичане попали на борт нашей подводной лодки. А в остальном все нормально».

Но это письмо было перехвачено английской военной цензурой.

Трофейные документы с борта «У-559» представляли большую ценность для английских дешифровальщиков. Среди документов оказался «погодный» код, использовавшийся немецкими субмаринами для засекречивания сводок погоды. Этот код попал в Блетчли-Парк лишь 24 ноября, спустя более трех недель после того, как был захвачен на «У-559». «Погодный» код помог англичанам получить новые «подстрочники», однако, чтобы взломать четырехдисковую «Энигму», одних «подстрочников» было мало. Требовалось обзавестись большим количеством трехдисковых «Бомб» или меньшим — быстрых четырехдисковых.

Ситуация коренным образом изменилась только 13 декабря 1942 года. Роковую ошибку совершили сами немцы. Англичане обнаружили, что для шифрования сводок погоды немецкие связисты использовали лишь три диска из четырех. Дополнительный четвертый диск всегда устанавливался в угловое положение, соответствовавшее букве A, а кольцо на этом диске — букве Z. Таким образом, ключевые установки для сводок погоды можно было вскрывать на трехдисковых «Бомбах», пользуясь «подстрочниками», полученными за счет чтения немецких сообщений, засекреченных при помощи «погодного» кода. А дальше можно было отдельно определять положение четвертого диска при шифровании сообщений, не содержавших сводок погоды.

Однако необходимо было научиться в потоке перехваченных шифрованных сообщений, посылаемых немецкими подводными лодками, вылавливать шифровки, содержавшие сводки погоды. Сделать это помогли сами немцы, которые применяли стандартную процедуру для оформления запроса на передачу сводок погоды и для подтверждения их получения. В типичном запросе, как правило, указывалось:

«От Хейдтманна завтра утром между 03.00 и 06.00 сводка погоды».

После того как капитан немецкой подводной лодки Хейдтманн присылал свою сводку погоды, в ответ ему отправлялось подтверждение, в котором, чаще всего, говорилось примерно следующее:

«От Хейдтманна в 04.16 получена сводка погоды».

Зная это, английские дешифровальщики могли довольно легко отыскать шифровку со сводкой погоды и использовать ее текст в качестве «подстрочника». Дополнительным подтверждением правильности их догадки служили данные, полученные от радиопеленгаторной службы, которая помогала выяснить, какая немецкая субмарина была ее отправителем.

Дадли Паунд, проинформированный об успехе криптоаналитиков, послал сообщение командующему американским флотом в Атлантике Эрнсту Кингу:

«В результате длительного напряженного труда скоро удастся прочесть сообщения немецких подводных лодок за последние несколько дней, что может привести к еще более значительным успехам в ближайшем будущем. Я уверен, что Вы прекрасно понимаете, с какой осторожностью следует обращаться с этой информацией, чтобы не возбудить подозрений относительно ее истинного источника. Мы испытываем серьезные трудности, когда требуется добиться определенной реакции от различных ведомств за пределами адмиралтейства, занимающихся прокладкой океанских маршрутов. Необходимость начать все сначала обернется катастрофическими последствиями, при этом решать придется гораздо более сложную задачу».

Через семь месяцев после того, как трофеи с «У-559» попали в Блетчли-Парк, английский король Георг VI лично вручил награды некоторым морякам, принимавшим участие в операции по захвату немецкой подводной лодки. Во время церемонии награждения Георг VI спросил Кеннета Лакруа: «Нам нельзя говорить на эту тему?» «Нет, это секрет», — ответил Лакруа. «Тогда просто примите мои искренние поздравления», — сказал король.

## Трудный путь к успеху

Утром 6 ноября 1942 года Густав Бертран, начальник французского дешифровального центра, разместившегося в поместье Фузес на юге Франции между городами Монпелье и Авиньон, принимал ванну. Неожиданно в дверь к нему постучал один из сотрудников центра — поляк Гвидо Лангер, который сообщил Бертрану, что, по всей видимости, немцы готовятся совершить налет на поместье. Полуодетый Бертран подбежал к окну и увидел, что к поместью приближаются темно-синий фургон с антенной на крыше и большой черный лимузин.

Хотя дешифровальный центр французов находился вне оккупированной немцами территории, его сотрудники пребывали на полулегальном положении, поскольку немецкой разведке было разрешено проводить свои операции по всей Франции. Пока подчиненные Бертрана спешно прятали оборудование и секретные документы, из черного лимузина вышли три человека в штатском и отправились на одну из двух ферм, расположенных рядом с поместьем. Они избили обитателей фермы увесистыми дубинками, затем перешли на вторую ферму, где продолжили расправу, и после этого уехали. Фургон возвращался еще трижды, но каждый раз отбывал, так и не заехав на территорию поместья. После войны Бертран написал: «Мы ждали, наблюдая за происходящим через щели в ставнях, — ни живы ни мертвы от страха».

Еще за несколько дней до этих событий Бертран принял решение при первом же удобном случае покинуть Фузес. 4 ноября он посетил Лазурный берег, где обсудил план эвакуации с руководителями французского Сопротивления. Там он узнал о высадке англо-американских войск в Северной Африке и решил ускорить переезд из опасений, что в ближайшее время немцы оккупируют юг Франции. Бертран отправил в Лондон сообщение, в котором предупредил о своем намерении совершить поездку в Париж. Из Лондона пришел ответ, в котором содержался настоятельный совет не делать этого. 5 ноября Бертран вернулся в Фузес, а три дня спустя узнал по радио о начавшемся вторжении союзных войск в Северную Африку. На следующий день сотрудники дешифровального центра спешно покинули Фузес, а утром 12 ноября туда вошли немецкие войска.

Помимо Фузеса, у англичан был еще один повод беспокоиться о сохранении в тайне информации, имевшей отношение к «Энигме». На юге Франции находился Рудольф Лемуан, бывший агент французской разведки, который в 30-е годы поддерживал контакт с сотрудником шифрбюро министерства обороны Германии Гансом Шмидтом, работавшим на французов. С мая 1941 года, по совету начальника французской контрразведки Поля Пейоля, Лемуан проживал в отеле «Великолепный» в Марселе. Там его посетил немецкий шпион и предложил работать на немцев. Прежде чем дать ответ, Лемуан решил посоветоваться с Пейолем: может ли он согласиться на вербовку и стать двойным агентом? Пейоль приехал в Марсель, чтобы лично переговорить с Лемуаном. Пейоль наотрез отказался санкционировать вербовку Лемуана немцами и предложил ему участвовать в поимке немецкого агента. Лемуан отказался, и Пейоль заподозрил его в нечестной игре. По мнению Пейоля, Лемуан хотел сохранить возможность в любой момент перейти на сторону немцев. Желая обезопасить своего бывшего агента, Пейоль предложил Лемуану переехать на север Африки. Однако тот отказался, сославшись на преклонный возраст и необходимость заботиться о детях, которых он не мог оставить во Франции на произвол судьбы. Тогда Пейоль предложил Лемуану компромиссный вариант: переехать в небольшое французское селение Сейлагусс в Пиренеях, с тем чтобы перейти испанскую границу в случае, если юг Франции будет оккупирован немцами. Лемуан согласился и вместе с женой отправился в Сейлагусс.

В конце сентября 1942 года Лемуан получил письмо от своего старого приятеля по фамилии Дерай, работавшего портье в отеле «Великолепный». На следующий день они встретились в здании отеля. Дерай рассказал, что ему предложили приобрести итальянскую кодовую книгу, и хотел знать, не заинтересует ли она немцев. Лемуан пообещал выяснить, и в результате немцы узнали о том, где он прятался. Когда Германия оккупировала юг Франции, Лемуан так и не уехал в Испанию, поскольку ему позвонил сын Гай и сказал, что арестован. Лемуан не мог бежать, оставив своего сына в беде.

15 ноября 1942 года немецкий агент, которому было поручено следить за Лемуаном, получил инструкции арестовать его, если он попытается скрыться. Лемуану было позволено оставаться в Сейлагуссе, поскольку немцы надеялись выйти через него на других агентов французской разведки. Однако 25 февраля 1943 года начальнику немецкой военной разведки Вильгельму Канарису надоело ждать и он распорядился немедленно задержать и допросить Лемуана. Два дня спустя арестованный Лемуан был

привезен для допроса в Париж. Арест Лемуана поставил под угрозу операцию англо-американских союзников по взлому «Энигмы»: ведь он мог рассказать немцам о Гансе Шмидте. Однако Пейоль пребывал в полной уверенности, что Лемуан выполнил свое обещание и перешел франко-испанскую границу, поэтому никаких действий, чтобы как-то смягчить последствия ареста Лемуана, не предпринял.

А тем временем англичане и американцы продолжали вести рискованную игру на море, пытаясь развить успех, которого добились благодаря захвату немецкой подводной лодки «У-559». 17 февраля 1943 года около 9 часов утра командир немецкой подводной лодки «У-205» Фридрих Бергель, находясь у берегов Ливии, заметил англо-американский морской караван, который следовал из Триполи в Александрию. В составе каравана было всего три грузовых судна, которые сопровождал конвой из четырех эсминцев. Один из этих эсминцев, «Паладин», первым засек субмарину немцев, пошел на сближение и начал сбрасывать глубинные бомбы в месте ее предполагаемого нахождения. В результате на подводной лодке погас свет и пришлось включить аварийное освещение, а затем в кормовой части образовалась пробоина. Поступавшая сквозь пробоину вода грозила вывести подводную лодку из равновесия. Глубиномер показывал, что «У-205» уже находится на глубине в 200 метров и продолжает погружаться. Когда стрелка глубиномера достигла отметки 250 метров, «У-205» неожиданно изменила направление своего движения и стала всплывать. Несколько минут спустя она показалась на поверхности. Положение «У-205» было безнадежным. С близкого расстояния по ней вел прицельный огонь «Паладин», а над головой был слышен гул пикирующего самолета. Бергель приказал дать малый ход, открыть кингстоны и покинуть подводную лодку. В то же самое время с «Паладина» был спущен вельбот с призовой командой, который вскоре пришвартовался к немецкой подводной лодке. Сидней Констебль, один из членов призовой команды, спустился вниз в надежде раздобыть какие-нибудь документы по «Энигме». Это был вдвойне смелый поступок, поскольку Констебль знал о трагической судьбе, которая в подобной ситуации постигла Фассона и Гразье. Внутри «У-205» было темно, но Констеблю все-таки удалось найти и перегрузить на вельбот то, ради чего он рисковал своей жизнью. Другой английский эсминец «Глоксиния» взял «У-205» на буксир, чтобы отвести ее в ближайший порт, но по пути она затонула.

Документы, найденные на «У-205», включали таблицы биграмм и «погодный» код. Большого интереса для английских криптоаналитиков они не представляли: таблица биграмм была захвачена еще в декабре 1941 года в ходе операции «Лучник», а «погодный» код — годом позже на борту «У-559». Тем не менее 21 марта 1943 года документы были переданы в распоряжение сотрудников английского дешифровального центра.

Если бы к этому времени в Блетчли-Парке удалось наладить оперативное и бесперебойное вскрытие ключевых установок для «Тритона» (четырехдисковой модификации военно-морской «Энигмы»), то захват документов по «Энигме», уже имевшихся в распоряжении англичан, скорее всего побудил бы их отложить все дальнейшие попытки, нацеленные на захват новых документов. Однако 10 марта 1943 года немцы сменили «погодный» код надводного флота Германии, и английские дешифровальщики лишились ценного источника «подстрочников», которые с середины декабря 1942 года они использовали для вскрытия ключевых установок для «Тритона». Джон Эдельштейн, помощник начальника главного штаба военно-морских сил Англии, информировал об этом Дадли Паунда:

> «То, чего мы больше всего опасались, произошло. 8 марта НВМР[1] сообщил, что мы “ослепли” в том, что касается дислокации подводных лодок противника. Это продлится довольно долго и, возможно, растянется на месяцы».

Паунд, в свою очередь, доложил обстановку заместителю начальника главного штаба Генри Муру:

[1] Начальник военно-морской разведки.

«Специальная информация относительно немецких подводных лодок почти полностью иссякла. После 10 марта мы вряд ли будем получать... необходимые нам данные чаще чем 2 или 3 раза в месяц, причем эти данные не будут носить оперативный характер. Через 2—3 месяца ситуация должна улучшиться».

Катастрофические последствия этого события не заставили себя долго ждать. Английское адмиралтейство лишилось возможности своевременно предупреждать свои морские караваны, следовавшие через Атлантику, о засадах, которые устраивали немецкие субмарины. А немцы, взломавшие английский военно-морской Код № 3, заблаговременно получали информацию о маршрутах следования англо-американских караванов. Так случилось с караваном из 38 грузопассажирских судов «ГК-229»[1] в Северной Атлантике. С 15 по 18 марта 1943 года немецкие подводные лодки потопили 22 судна, при этом погибла примерно четверть из находившихся на их борту членов экипажа и пассажиров.

Общее водоизмещение англо-американских судов, пущенных ко дну в Атлантике в марте 1943 года, достигло 627 тысяч тонн. В отчете, подготовленном в адмиралтействе, говорилось:

«До 20 марта 1943 г. включительно существовала реальная опасность того, что враг сумеет разорвать все морские коммуникации, связывавшие Англию с Северной Америкой... В первые двадцать дней марта были потоплены наши суда общим водоизмещением более 500 тысяч тонн. Всего за месяц это число выросло на 68% и достигло максимальной отметки за всю войну. К этому времени в море находилось более сотни подводных лодок противника, а количество наших конвойных кораблей, вынужденных встать на ремонт из-за повреждений, было столь велико, что групповая тактика, которую мы долго и кропотливо совершенствовали, оказалась

[1] ГК — сокращение от «Галифакс».

под угрозой полного краха. Попытки уклониться от встречи с врагом становились все менее удачными, учитывая резко возросшее количество вражеских субмарин... План по импорту снижен до минимума и даже в этом случае вряд ли будет выполнен».

19 марта 1943 года сотрудники секции военно-морской разведки дешифровального центра в Блетчли-Парке сумели взломать «Тритон». В секции работали 10 ведущих криптоаналитиков и 115 человек вспомогательного персонала. Они воспользовались экземпляром «погодного» кода, который был захвачен на борту немецкой подводной лодки «У-559». Обладание «погодным» кодом позволило с успехом применить на практике новый метод получения «подстрочников», которые затем использовались для нахождения ключевых установок при помощи «Бомб». Этот метод заключался в следующем.

Немецкие подводные лодки время от времени сообщали своему командованию на суше об обнаруженных англо-американских морских караванах, а также о направлении и скорости их движения. В конце каждого такого сообщения, как правило, указывался идентификационный номер подводной лодки. Для того чтобы укоротить текст сообщения и чтобы англичанам было труднее применить пеленгацию для определения местонахождения подводной лодки, немцы применяли «погодный» код. Тогда сообщение типа

«В квадрате CF4232
замечен караван,
следующий в южном направлении.
У-277»

после кодирования выглядело примерно так:

«LCYP NCHW
DLTB
RRZZ
PK».

Затем это кодированное сообщение шифровалось при помощи «Энигмы» и посылалось в эфир.

Перехватив немецкую шифровку, сотрудники секции военно-морской разведки в Блетчли-Парке пытались хотя бы очень приблизительно определить, о чем в ней говорилось. Для этого они использовали всю доступную информацию — данные службы пеленгации, полученные от морского каравана сообщения о его скорости и направлении движения, а также содержание прочитанных шифровок противника. Если, например, был перехвачен и прочитан немецкий запрос на получение определенной информации, то можно было догадаться, чему посвящено ответное сообщение, посланное на следующий день. Поскольку в распоряжении английских дешифровальщиков был захваченный на «У-559» «погодный» код, то они могли закодировать данные о местонахождении каравана и о направлении его движения. Полученный результат использовался в качестве «подстрочника» для проверки ключевых установок на «Бомбах». В первой половине 1943 года, для того чтобы вскрыть одну ключевую установку для «Тритона», требовалось от 24 до 72 часов.

19 марта глава английской Секретной разведывательной службы Стюарт Мензис послал премьер-министру Англии Уинстону Черчиллю докладную записку, в которой, в частности, говорилось:

> «Мы достигли успеха при вскрытии ключевых установок немецких подводных лодок за 16, 17 и 18 число текущего месяца. Этим установкам присвоено кодовое имя "Акула"».

Внизу докладной записки Мензиса Черчилль начертал свою резолюцию:

> «Поздравьте Ваших замечательных куриц, которые несут золотые яйца. УСЧ».

В самом начале марта 1943 года англичане чуть не лишились другого важного источника разведывательной информации, которую получали благодаря чтению немецких шифровок, циркулировавших в сети связи «Гидра». 1 марта немцы ввели в действие новую таблицу биграмм. В результате перестал срабатывать бенберийский метод Тьюринга. Однако к этому времени в Блетчли-Парке уже имелось 17 «Бомб», которых оказалось достаточно, чтобы оперативно вскрывать ключевые установки «Гидры» с использованием «подстрочников». А через три недели английским криптоаналитикам удалось реконструировать таблицы биграмм и опасность миновала.

Следует отметить и такую своеобразную деталь. Взломав «Тритон», англичане неожиданно для себя обнаружили, что теперь дешифровки содержат гораздо меньше полезных данных, чем это было всего два месяца назад. Тогда информация, почерпнутая из дешифровок, использовалась исключительно в оборонительных целях: она помогала англо-американским морским караванам избегать встречи с немецкими подводными лодками. Однако к концу марта в Северной Атлантике скопилось такое большое количество вражеских субмарин, что они перекрывали все возможные пути, по которым могли следовать караваны. Поэтому английским караванам приходилось с боем прорываться мимо немецких подводных лодок, которые вставали у них на пути.

Учитывая это, главнокомандующий военно-морскими силами Соединенных Штатов адмирал Эрнст Кинг предложил сменить оборонительную тактику на наступательную и применить ее, например, против немецких танкеров, которые использовались для увеличения радиуса действия подводных лодок за счет их дозаправки в открытом море. Предложение Кинга было встречено в штыки Паундом, опасавшимся, что смена тактики приведет к потере важного источника разведывательной информации. Паунд послал Кингу телеграмму, в которой говорилось:

> «Если сейчас мы лишимся информации, которую черпаем из дешифровок "Энигмы", то в результате наши потери на море возрастут от 50 до 100%».

Ответ Кинга был не менее убедительным:

> «Я так же, как и Вы, озабочен сохранением в тайне всего, что касается "Энигмы". Но я полагаю, что мы недостаточно эффективно используем полученную информацию. Дозаправка немецких субмарин является ключевым элементом при проведении крупномасштабных военно-морских операций. Если мы лишим противника этой возможности, то эффективность и радиус действия его подводного флота резко снизится. Даже при самой тщательной подготовке не

удастся уничтожить танкеры, не вызвав у немцев подозрений. Несмотря на существующий риск скомпрометировать наш источник информации, будет еще более обидно лишиться его из-за какого-то пустяка».

Основная причина, по которой Паунд так боялся потерять возможность читать немецкие шифровки, состояла в том, что они позволяли получать достоверные данные об усовершенствованиях, которые вносились в устройство немецких подводных лодок и торпед, а также об изменениях в тактике их использования. Эти данные предполагалось использовать при высадке англо-американских войск во Франции, чтобы избежать значительных потерь в случае массированных атак со стороны подводного флота Германии.

Кроме того, если бы немцы узнали о том, что англичане взломали военно-морскую модификацию «Энигмы», это лишило бы англичан возможности читать немецкие сообщения, зашифрованные при помощи «Энигмы» сухопутных войск и люфтваффе. Подобного хода событий Паунд стремился избежать любыми способами. И если ценность дешифровок военно-морской «Энигмы» за последнее время несколько снизилась, то дешифровки «Энигмы», использовавшейся в сухопутных войсках и люфтваффе, ценились англичанами и американцами все больше.

Благодаря взлому военно-морской «Энигмы» и привлечению дополнительных сил для борьбы с немецкими субмаринами, англичанам удалось нанести сокрушительный удар по подводному флоту Германии в Северной Атлантике. После марта 1943 года туда были дополнительно переброшены английские военные корабли, которые до этого прикрывали высадку союзных войск в Тунисе. На их вооружение поступили новые и более совершенные пеленгаторы и радары, которые не поддавались обнаружению с помощью оборудования, установленного на немецких подводных лодках. Вскоре радарами стали оснащаться и английские самолеты. Часть из них получила возможность действовать с борта авианосцев, которые постепенно включались в состав конвоев, сопровождавших морские караваны в Атлантике.

В результате в мае 1943 года общее водоизмещение англо-американских судов, пущенных ко дну немецкими подводными лодками, снизилось до 264 тысяч тонн против 600 тысяч тонн в марте. Оценив потери, понесенные за этот период подводным флотом Германии, адмирал Карл Дениц приказал немецким субмаринам покинуть воды Северной Атлантики. Уже после окончания войны он так прокомментировал свое решение:

> «Радары (особенно установка противником радарной техники на своих самолетах) полностью лишили наши подводные лодки возможности вести бой на поверхности. Тактика «волчьих стай», которая применялась нами против морских караванов в Северной Атлантике, основном театре боевых действий, где прикрытие с воздуха было самым интенсивным, устарела. Возобновить ее можно было, только существенно повысив боеспособность подводных лодок... Соответственно я распорядился, чтобы подводные лодки покинули Северную Атлантику. 24 мая я приказал им передислоцироваться, соблюдая предельную осторожность, к северо-западу от Азорских островов».

21 сентября 1943 года премьер-министр Англии Уинстон Черчилль на заседании палаты общин английского парламента под бурные аплодисменты торжественно заявил, что «за прошедшие четыре месяца в Северной Атлантике противником не было потоплено ни одного нашего торгового судна».

## Провал

В октябре 1940 года, незадолго до того как в Париж вошли немецкие войска, сотрудники французского дешифровального центра перебрались из столицы в поместье Фузес на юге Франции. Вместе с французскими дешифровальщиками в Фузесе нашли убежище их польские коллеги, бежавшие из Варшавы в начале сентября 1939 года. В ноябре 1942 года все сотрудники центра были вынуждены покинуть Фузес, спасаясь от немецких войск, вторгшихся на юг Франции. Четыре месяца спустя начальник дешифровального центра Густав Бертран вместе с бывшим руководителем польского шифрбюро майором Гвидо Лангером и его заместителем Максимилианом Ченжским, которые были в курсе взлома «Энигмы» англичанами, все еще оставались на территории Франции. Одной из основных причин этого стал разлад между Бертраном и Лангером.

Во-первых, Бертран страшно оскорбился, узнав, что Лангер в течение целых шести лет тщательно скрывал от него тот факт, что польские криптоаналитики сумели взломать «Энигму» еще в 1933 году. Во-вторых, по мнению Бертрана, Лангер и Ченжский запятнали свою репутацию еще больше, когда стало известно, что они тайно поддерживают радиосвязь с польским правительством, нашедшим пристанище в Англии, и без ведома Бертрана доводят до его сведения содержание швейцарских шифровок, которые французы перехватывали и читали в Фузесе. В-третьих, Бертрана выводило из себя безудержное пьянство Лангера, который после бегства из Фузеса запил так сильно, что им заинтересовалась полиция, и Бертран был вынужден использовать все свое влияние, чтобы замять скандал.

Со своей стороны Лангер перестал доверять Бертрану, когда тот, получив от англичан отказ на свою просьбу поделиться вскрытыми ключевыми установками для «Энигмы», завел разговор о том, чтобы поведать об «Энигме» какой-нибудь другой стране, которая сумеет должным образом отблагодарить за оказанную ей помощь. По мнению Лангера, Бертран не имел никакого права распоряжаться секретами, которые лично ему не принадлежали, ведь именно поляки первыми взломали «Энигму».

Разногласия между Бертраном и Лангером достигли апогея, когда встал вопрос об эвакуации польских дешифровальщиков из Франции. Еще в октябре 1942 года Лангер изъявил желание перебраться из Фузеса в Северную Африку, но Бертран отказался отпустить польских коллег, мотивируя свое решение нестабильностью обстановки в Северной Африке. Когда выяснилось, что Бертран ошибся в своих прогнозах и операция по высадке англичан и американцев в Северной Африке оказалась весьма успешной, Лангер не преминул в резкой форме указать на его ошибку. А вскоре Лангер обвинил Бертрана еще и в том, что именно из-за его упрямства была упущена счастливая возможность беспрепятственно покинуть Францию. В ноябре 1942 года полякам было предложено прибыть на один из небольших островков на южном побережье, где их ждал корабль, чтобы перевезти в Северную Африку. Бертран отказался санкционировать эту операцию, пока не получит согласия своего руководства. Согласие было получено, но слишком поздно: к тому времени немцы успели запретить всякое передвижение между материком и островами.

Это событие стало первым звеном в цепи упущенных возможностей и отмененных планов по эвакуации польских дешифровальщиков из Франции. Лангер впрямую начал обвинять Бертрана в халатности и безответственности. Масла в огонь подлило решение Бертрана не покидать Францию вместе с поляками. Лангер заподозрил, что Бертран намеренно саботирует все попытки эвакуироваться, поскольку сам нисколько в этом не заинтересован. В свою очередь, Бертран жаловался, что все его предложения игнорируются Лангером, и поэтому неудивительно, что с эвакуацией ничего путного не получается.

Очередная операция по эвакуации польских дешифровальщиков под кодовым названием «Сверчок» сорвалась в ночь с 3 на 4 декабря 1942 года. Поляки должны были прибыть в условленное место на побережье недалеко от Канна, где их ждала лодка. Однако разведка, проведенная французами накануне операции, показала, что это место взято под усиленную охрану итальянскими солдатами. Операция была отменена.

Для эвакуации было выбрано другое уединенное место на морском побережье Франции. Однако француз, который отвечал за проведение операции, был арестован, а в условленном месте, как выяснилось, немцы устроили засаду. После этой неудачи Бертран предложил полякам бежать через Швейцарию. Побег был назначен на конец декабря, но и от него пришлось отказаться, так как швейцарские чиновники не были вовремя предупреждены и не успели подготовиться к приему беглецов.

Тогда Бертран решил эвакуировать поляков через Испанию, несмотря на то что его связной в Англии Уилфред Дандердейл настоятельно не советовал делать это. 29 декабря Бертран послал сообщение Дандердейлу:

> «Мы не можем воспользоваться “швейцарским” вариантом, поскольку после этого покинуть Швейцарию будет практически невозможно... Нам остается прибегнуть к “испанскому” варианту, что мы и попытаемся сделать. Не могли бы Вы попросить своего представителя в Барселоне помочь Лангеру и его команде, как только они туда прибудут... Здесь опасность становится все более ощутимой, и мы должны действовать без промедления...»

План действий, предложенный Бертраном, был весьма прост, по крайней мере теоретически. Польские дешифровальщики должны были сначала перебраться в Тулузу, а затем в Перпиньян на границе с Испанией и там разделиться на две группы. Первой группе, в которую вошли Лангер, Ченжский, Эдуард Фокчиньский и Генрих Пашковский с беременной женой, следовало сразу же перебраться через горы в Испанию. А вторая группа в составе Режевского, Зыгальского и Казимежа Гаца должна была последовать за ними два дня спустя.

12 января 1943 года польские беженцы прибыли в Тулузу. Там их поселили в каком-то полуразвалившемся доме на самой окраине города и забыли даже покормить. На следующий день, когда члены группы Лангера оказались в Перпиньяне, им сообщили, чтобы они немедленно готовились к отправке в Испанию, однако через час это решение было отменено: Лангеру и всем остальным было предложено подождать вторую группу. 14 января в Перпиньян приехали Пашковский и его беременная жена, а Режевский и Зыгальский остались в Тулузе.

15 января в 8 часов утра обе группы выехали на рейсовом автобусе из Перпиньяна в направлении франко-испанской границы. Однако на выезде из Перпиньяна

автобус был остановлен полицией. Всех поляков, за исключением Пашковского и его беременной жены, отвели в полицейский участок и после короткого разбирательства препроводили в суд, который приговорил их к месячному тюремному заключению за использование поддельных документов. Впоследствии выяснилось, что организаторы эвакуации поляков в Испанию забыли заблаговременно предупредить полицию, которая в таком случае не стала бы чинить препятствия беглецам.

Пока Лангер и его коллеги томились в тюрьме, Режевский и Зыгальский попытались самостоятельно покинуть Францию. Первая попытка закончилась неудачей: человек, который взялся перевести их через границу, так и не появился в условленном месте. Вторая попытка поначалу складывалась удачно. Из Тулузы Режевский и Зыгальский поездом добрались до Перпиньяна и в ночь на 29 января в сопровождении местного контрабандиста вышли в направлении границы. Через несколько часов их проводник начал жаловаться, что ему заплатили слишком мало за такую трудную работу, и, размахивая пистолетом, стал требовать денег. Режевский и Зыгальский понятия не имели, где находятся, и даже если бы оказали вымогателю сопротивление, то вряд ли смогли бы самостоятельно перейти границу или найти обратную дорогу. Поэтому поляки отдали всю имевшуюся у них наличность и вскоре оказались в Испании. Там они тоже угодили в тюрьму, откуда вышли только в мае, и лишь через два месяца им удалось через Португалию добраться до Англии.

Польскому криптоаналитику Антонию Палльтху повезло значительно меньше, чем Режевскому и Зыгальскому. 12 февраля Бертран получил записку, под которой стояла подпись «Ленор» — это было кодовое имя Палльтха. В ней говорилось: «Я заболел, поев консервированных зеленых бобов». Это означало, что Палльтха арестовали немцы.

Что касается Лангера, то, не имея связи с Бертраном, он ничего не знал ни об успешном побеге Режевского и Зыгальского в Испанию, ни об аресте Палльтха. Лангер и его коллеги отказались от услуг некоего господина Переса, организатора двух неудачных попыток переправить их в Испанию, поскольку в полиции им недвусмысленно намекнули, что его основного подручного по имени Гомес не без оснований подозревают в сотрудничестве с немцами.

12 марта Лангер вместе с остальными членами своей группы предпринял очередную попытку попасть в Испанию. На этот раз было решено воспользоваться услугами проводника, которого им порекомендовали в полиции Тулузы. Только поляки сели на поезд, чтобы добраться до небольшого приграничного селения, откуда должен был начаться их пеший переход через границу с Испанией, как немцы начали проверку документов у пассажиров. Лангер, Ченжский и остальные спешно покинули поезд.

Несмотря на неудачу, на следующий день поляки решили воспользоваться тем же самым маршрутом. Однако на этот раз планировали ехать не на поезде, а на такси. Перед отъездом к ним зашел связной Переса и предложил ехать не на такси, а на полицейском грузовике, который немцы никогда не проверяли. Связной велел Лангеру расписаться на 20-франковой купюре, разорвал ее пополам и сказал, чтобы Лангер отдал вторую половину проводнику после перехода границы: проводник получит от Бертрана деньги за эвакуацию поляков, только если предъявит половину купюры, полученную от Лангера.

В 14.30 связной вернулся и объявил полякам, что их проводником будет Гомес и что маршрут придется изменить. Лангер сказал, что не доверяет Гомесу, но связному каким-то образом удалось убедить его, что Гомес заслуживает доверия.

В 16.00 пришел Гомес и заявил, что грузовика не будет. Но тут Лангер занял твердую позицию и сказал, что если к 18.00 грузовик не приедет, он откажется иметь дело с Гомесом.

В 19.00 грузовик с поляками выехал в направлении франко-испанской границы. Однако они успели проехать всего три километра, как грузовик окружили немцы на мотоциклах и стали палить в воздух из автоматов. Лангер и его товарищи были арестованы.

Об аресте польских дешифровальщиков Бертран и начальник французской контрразведки Поль Пейоль узнали не сразу. Бертран считал, что полякам удалось бежать за границу. Когда ему принесли половину 20-франковой купюры, подписанную Лангером, он немедленно заплатил требуемую сумму. Сведения о задержании Палльтха и группы Лангера просочились к Пейолю и руководителю Секретной разведывательной службы Англии Стюарту Мензису лишь месяц спустя. Тогда же Бертран сообщил им об аресте Рудольфа Лемуана.

17 марта Лемуан, находившийся под домашним арестом в парижской гостинице «Континенталь», начал давать показания. В течение нескольких дней он рассказывал, при каких обстоятельствах познакомился с Гансом Шмидтом, как тот передавал сотрудникам Второго бюро (французская разведывательная служба) руководства по «Энигме», информацию о планах перевооружения Германии и другие секретные данные, источником которых в основном служил его брат Рудольф, занимавший довольно высокий пост в немецкой армии. Лемуан не утаил ничего.

20 марта Лемуан подписал данные им показания. О Гансе Шмидте в них говорилось следующее:

> «Его работа на Второе бюро длилась около десяти лет. Он ушел из шифрбюро министерства обороны Германии за два года до начала войны... Я пытался заставить его завербовать своего брата. Он сказал, что это невозможно. Если бы у его брата возникло хоть малейшее подозрение о том, чем он занимается, тот немедленно пристрелил бы его... Его жена тоже не знала, что он работает на Второе бюро. Шмидту всегда не хватало денег. У меня создалось впечатление, что в последние два года наших выплат ему было недостаточно. Должно быть, он вступил в контакт с другой иностранной разведкой».

Ознакомившись с показаниями Лемуана, начальник немецкой военной разведки Вильгельм Канарис распорядился немедленно арестовать Ганса Шмидта.

Незадолго до того как Лемуан сделал свои признания, Ганс Шмидт снял квартиру в Берлине, которую нашла его дочь Гизела. У Шмидта был собственный дом в одном из пригородов, где он служил в местном отделении Исследовательского отдела люфтваффе, — специального ведомства, занимавшегося тайным прослушиванием телефонных разговоров. Однако, приезжая в Берлин, Шмидт хотел иметь собственную крышу над головой.

1 апреля 1943 года Гизела договорилась встретиться с отцом в этой самой квартире. Но когда она приехала туда, ее встретила заплаканная домовладелица и сообщила, что Шмидт арестован гестапо, а в квартире был обыск. Гизела поспешила в гестапо, чтобы узнать, чем может помочь своему отцу. Но Гизеле мало что удалось узнать — в гестапо ей сказали, что во Франции найдены какие-то документы, компрометирующие ее отца.

Гизела позвонила своему брату Гансу. Они договорились встретиться в доме Рудольфа в пригороде, чтобы обсудить создавшееся положение. Увидев брата, Гизела поняла, что он напуган до смерти. Именно по совету отца Ганс-младший вступил в национал-социалистическую партию, и теперь оказалось, что Ганс-старший предал дело, служение которому так рьяно проповедовал.

Членам семьи так и не сообщили, какое преступление совершил Ганс Шмидт. Через влиятельных знакомых они просили содействия у главнокомандующего люфтваффе Германа Геринга, и тот даже пообещал помочь. Но позднее Шарлотте передали, что руководивший гестапо Генрих Гиммлер запретил Герингу вмешиваться в это дело.

Гизеле было разрешено навестить отца в тюрьме. Шмидт слегка похудел, но в остальном выглядел вполне здоровым человеком. Разговаривали они мало, поскольку не хотели проговориться о чем-либо, что впоследствии могло быть использовано против них. Шмидт попросил Гизелу забрать домой его теплое зимнее пальто, а взамен принести куртку. А прощаясь, улучил момент, когда охранники отвернулись, и шепнул Гизеле, чтобы она разрезала подкладку у левого рукава пальто — там, по его словам, находится нечто очень важное.

Вернувшись домой, Гизела распорола подкладку и нашла записку отца с просьбой принести ему цианистый калий. В записке ничего не говорилось о том, зачем ему понадобился сильнодействующий яд, но и так все было ясно. Гизела решила обратиться за помощью к своему учителю химии, надеясь, что он проявит сочувствие к человеку, бросившему вызов нацистам, или, наоборот, захочет отомстить тому, кто столько лет им служил. Ее надежды оправдались: учитель химии передал Гизеле несколько пилюль и заверил, что их вполне хватит, чтобы свести счеты с жизнью.

Однако Гизела так и не получила разрешения увидеть отца. Она зашила коробочку с пилюлями в рукав отцовской куртки и передала ее в тюрьму. Позднее Гизела узнала, что яд был обнаружен тюремным надзирателем. Пытался передать яд отцу и Ганс. Неизвестно, была ли его попытка более удачной, чем попытка сестры. Возможно, власти специально позволили Шмидту свести счеты с жизнью, чтобы не проводить тщательного расследования и не доводить дело до суда. Так или иначе, но в сентябре Гизелу попросили прийти в тюрьму на опознание. Ее отец лежал на деревянном топчане, накрытый одеялом. Гизела приподняла одеяло, чтобы посмотреть, нет ли на теле следов пыток, но ничего не заметила. Худоба была единственной переменой в отце, которая сразу бросилась ей в глаза.

Расходы на похороны Ганса Шмидта взял на себя его брат Рудольф. 21 сентября 1943 года Ганс Шмидт был похоронен в безымянной могиле на кладбище в пригороде Берлина, и только ближайшее окружение Гитлера да следователи из гестапо знали, что именно он натворил. Но если они полагали, что его смерть положила конец этому делу, то сильно ошибались. Клетка захлопнулась, но птичка успела упорхнуть.

## Вторжение в Италию

В начале мая 1943 года в соответствии со стратегией, выработанной в Касабланке[1], англо-американский комитет начальников штабов принял решение о высадке в июле союзных войск на Сицилию. Этот остров рассматривался как плацдарм для последующего вторжения союзных армий в Италию. К участию в ней привлекались 8-я английская армия под командованием генерал-лейтенанта Монтгомери и 7-я американская армия под командованием генерал-майора Паттона.

Первоочередной задачей операции являлся захват одного или нескольких портов Сицилии, расположенных на восточном и южном побережьях острова. 13 мая, в день капитуляции немецких войск в Тунисе, англо-американский комитет начальников штабов одобрил окончательный план этой операции. Она была разделена на три этапа. На первом этапе авиация и флот должны были проводить боевые действия, направленные на нейтрализацию военно-морского флота противника и завоевание господства в воздухе. На втором — на Сицилии должны были высадиться морские и воздушные десанты с задачей захватить аэродромы и порты. На третьем этапе намечалось завершить захват всего острова.

Незадолго до начала операции Кессельринг послал в Берлин радиограмму, в которой информировал верховное командование о плане размещения немецких и итальянских войск на Сицилии. Для англичан это был настоящий подарок. Из последующих немецких радиограмм англичане узнали, что кроме моторизованной дивизии «Герман Геринг» никаких крупных подкреплений на Сицилию за последнее время не поступало. Было похоже, что Гитлер все еще не решил, какие шаги следовало предпринять. Такие же сомнения испытывал и Кессельринг. Он отчаянно стремился избежать возможных ошибок. Из

[1] С 14 по 24 января 1943 г. в марокканском городе Касабланка проходила конференция глав правительств и начальников штабов сухопутных, военно-морских и военно-воздушных сил Англии и Соединенных Штатов.

радиограммы, в которой Кессельринг сообщал о размещении своих сил, следовало, что он принял некоторые меры предосторожности. Из дешифровок «Энигмы» стало известно, что больше всего Кессельринг опасался высадки англо-американцев на северном побережье Сицилии. Именно в этом районе он разместил часть сил немецкой 15-й танковой дивизии и две итальянские полевые дивизии. Оставшиеся силы 15-й танковой дивизии и части танковой дивизии «Герман Геринг» Кессельринг рассредоточил в центре острова, чтобы иметь возможность в любой момент двинуть их в нужном направлении.

Ответственность за оборону Сицилии формально была возложена на итальянского генерала Гудзони, командовавшего итальянской 6-й армией. В ее состав входили четыре полевые дивизии и две бригады береговой обороны. В своей радиограмме Кессельринг точно указал дислокацию итальянских дивизий. Из нее явствовало, что, хотя немецкие части официально подчинялись Гудзони, на деле им было приказано действовать самостоятельно, и Кессельринг поддерживал с ними прямую связь через немецкого офицера, прикомандированного к штабу Гудзони.

Получалось, что районы предполагаемой высадки англо-американских войск довольно слабо охранялись итальянскими бригадами береговой обороны. Учитывая гористый характер местности, можно было утверждать, что десантная операция союзников встретит лишь незначительное сопротивление, если перерезать немецким танкам те немногие дороги, которые ведут к берегу. Также было ясно, что ни Кессельринг, ни Гудзони точно не знали, где и когда должна состояться высадка десанта. Таким образом, дешифровки «Энигмы» не только дали подробные сведения о численности и дислокации войск противника на Сицилии, но и показали, что англичане и американцы имеют возможность добиться тактической внезапности и что их парашютные части вполне могут блокировать немецкие танки в центре острова.

Последние несколько дней перед высадкой десанта с моря выдались самыми напряженными. В английском дешифровальном центре в Блетчли-Парке продолжали тщательно изучать все имеющиеся дешифровки «Энигмы», стараясь узнать, известно ли Кессельрингу, где будет нанесен удар. Но только 9 июля из дешифровок «Энигмы» стало известно, что немецкие и итальянские войска на Сицилии были приведены в состояние полной боевой готовности, когда немцы обнаружили флотилию кораблей противника, приближавшуюся к острову. Однако они продолжали пребывать в полном неведении относительно точных пунктов высадки. Поэтому англичане и американцы, высадившись на острове, имели стратегическое преимущество.

Как только началась высадка англо-американских союзников на Сицилии, Кессельринг немедленно доложил о ней верховному командованию. Однако он не пользовался радио для прямой связи со своими танковыми частями на Сицилии, и поэтому дешифровки «Энигмы» не могли сообщить какие-либо подробности о ходе операции.

Немецкая авиация действовала на Сицилии неэффективно, и вскоре Геринг, получив выговор от Гитлера, отправил в летные части радиограмму, в которой устроил разнос своим летчикам. 12 июля Кессельринг получил шифровку верховного командования, в которой говорилось, что через сутки на Сицилию должна начаться переброска подкреплений в виде парашютные войск и танковой гренадерской дивизии 14-го танкового корпуса. После того как определились места высадки англо-американских войск на Сицилии, Кессельринг предпринял решительные действия, пытаясь отразить вторжение. Паттон, воспользовавшись тем, что Кессельринг бросил свои танки против Монтгомери, и точно зная из дешифровок «Энигмы», что других сил у него в резерве нет, нанес стремительный удар в направлении Палермо. 8 августа Кессельринг сообщил верховному командованию о своем решении вывести все войска с Сицилии на материк. 18 августа операция была успешно завершена.

Захват Сицилии привел к краху режима Муссолини. Муссолини публично признал, что Италии необходимо выйти из войны. Он полагал, что единственный выход —

заключение сепаратного мира между Германией и Советской Россией, с тем чтобы Гитлер мог двинуть все свои армии против англо-американских войск. 19 июля состоялась последняя официальная встреча Гитлера и Муссолини, но итальянский диктатор так и не осмелился высказать то, что думал.

А в Риме итальянские генералы и политики искали способ свергнуть Муссолини. 25 июля король Виктор Эммануил III отстранил Муссолини от власти и назначил его преемником генерала Бадольо. Тот первым делом заверил Кессельринга, что Италия ни при каких обстоятельствах не выйдет из войны. Кессельринг передал это заверение в своей радиограмме Гитлеру, который, естественно, не поверил ни единому слову Бадольо. Предвидя, что итальянцы в любой момент могут начать переговоры с англичанами и американцами о заключении перемирия, Гитлер приказал срочно готовить немецкие войска к переброске в Северную Италию. Об этом англичане узнали из шифровки Гитлера Кессельрингу в Рим, в которой он сообщил о скором прибытии немецких дивизий. Чтобы не очень волновать легковозбудимых итальянцев, Гитлер предложил объяснить им, что перебрасываемые войска войдут в состав стратегического резерва для всего Балканского региона. Неприятным для Кессельринга стало известие о том, что эти войска будут находиться под командованием Роммеля, назначенного командующим группой армий «Б».

Тем временем обстановка в Италии ухудшалась с каждым днем. В случае капитуляции Италии Гитлер приказал Кессельрингу передислоцировать все немецкие войска на север и вместе с группой армий «Б» занять оборону вдоль Северных Апеннин и реки По. В августе англичане перехватили и прочитали немецкую шифровку о вступлении войск под командованием Роммеля в Северную Италию. В это же время в руки англичан попала радиограмма Кессельринга о расположении его войск в Южной Италии. Из нее англичане узнали, что на «носке» Италии размещены 26-я танковая и 24-я моторизованная дивизии, а вдоль «каблука» рассредоточены отдельные части парашютной дивизии. Район города Салерно прикрывала 16-я танковая дивизия, в окрестностях Неаполя находилась моторизованная дивизия «Герман Геринг», а вокруг Рима — еще одна моторизованная дивизия и часть сил парашютной дивизии. Благодаря дешифровке «Энигмы» англичане узнали о директиве Гитлера, в которой он приказал Кессельрингу сформировать из всех войск, кроме сконцентрированных вокруг Рима, армию и передать ее под командование генерала Генриха Фитингофа. В конце августа Кессельринг доложил верховному командованию, что приказал своей 10-й армии приступить к отводу на север войск, которые занимали позиции на крайнем юге Италии. Теперь англо-американские союзники точно знали, где им следует ожидать сопротивления.

Приближалось время вторжения в Италию. Операцию под кодовым наименованием «Лавина» планировалось осуществить в начале сентября 1943 года. Из радиограмм, отправляемых в Берлин, можно было заключить, что Кессельринг все еще не имел понятия, где произойдет высадка главных сил противника. В одной из радиограмм Гитлеру Кессельринг указал, что, скорее всего, англичане и американцы высадятся севернее Неаполя, как можно ближе к Риму. В этой же радиограмме Кессельринг сообщил, что уже перебрасывает танковые дивизии с крайнего юга Италии на север. В результате 8-я армия Монтгомери смогла переправиться из Мессины[1], так и не встретив серьезного сопротивления. Кессельринг радировал в Берлин, что не считает высадку войск Монтгомери главным ударом, по-прежнему полагает, что англо-американские союзники нанесут его ближе к Риму и поэтому продолжает отвод своих войск на север.

Если бы планы проведения операции «Лавина» были более гибкими и англо-американские союзники сумели дольше держать немцев и итальянцев в неведении, войска Кессельринга успели бы отойти дальше к северу и операция прошла бы гораздо успешнее. Однако в тот са-

---

[1] Мессина — порт на северо-восточной оконечности острова Сицилия.

мый день, когда немцы обнаружили в Салернском заливе союзный флот вторжения, Фитингоф еще не приступил к выводу своих войск из этого района.

Как только Фитингоф получил известие о высадке противника, он запросил от Кессельринга указаний о том, оказывать ли сопротивление или отходить к северу. Это решение немцев было жизненно важным для англичан, однако ответа от Кессельринга так и не последовало. Тем временем, не дождавшись распоряжений от Кессельринга, Фитингоф решил дать противнику достойный отпор и быстрыми темпами выдвинул свой танковый корпус в район высадки союзных войск. В середине дня англичане перехватили радиограмму Кессельринга, в которой он одобрил действия Фитингофа. И хотя при высадке в Салернском заливе немцы поначалу почти не оказывали сопротивления, контрудар Фитингофа был сокрушительным. Четыре дня спустя Фитингоф доложил Кессельрингу, что сопротивление англичан и американцев сломлено и его армия теснит их по всему фронту.

Но 16 сентября, не выдержав интенсивной бомбардировки с моря и с воздуха, Фитингоф был вынужден начать отступление. Благодаря перехваченной шифровке Кессельринга Фитингофу Монтгомери сумел составить для себя общую картину происходящего и понял, что имеет возможность захватить порт в Неаполе. И хотя этот порт подвергся значительным разрушениям, в скором времени его можно было привести в рабочее состояние. Учитывая информацию, полученную из дешифровок «Энигмы», было маловероятно, чтобы Кессельринг предпринял сколько-нибудь серьезный контрудар в южном направлении.

К началу 1944 года результаты англо-американского вторжения в Италию были весьма плачевными. За четыре месяца союзные войска продвинулись всего на 150 километров от Салерно. Обе высадившиеся армии (американская 5-я и английская 8-я) понесли большие потери и были сильно измотаны.

В ночь на 12 мая 1944 года в Италии началось очередное наступление англо-американских союзников. 2 июня

Кессельринг попросил у Гитлера разрешения оставить Рим без боя. Гитлер дал свое согласие, и войска Кессельринга начали отходить на север.

Кессельринг доложил Гитлеру, что собирается организованно отойти на Готическую линию обороны, где в этот момент полным ходом шло строительство укреплений. Готическая линия обороны была серьезным препятствием. Благодаря дешифровкам «Энигмы» англичане знали о мощных инженерных укреплениях, которые немецкое верховное командование распорядилось там построить. Однако англичанам также было известно, что выполняли эту работу итальянцы, которые не отличались усердием, а значит, Готическая линия была не столь неприступна, как это могло показаться на первый взгляд.

8 сентября была перехвачена радиограмма Гитлера с приказом удерживать проход Фута (один из немногих проходов через Апеннины) «до последнего солдата и до последнего патрона».

10 сентября англичане атаковали немцев через другой проход, расположенный восточнее, и после ожесточенного боя вышли на северные склоны Апеннинских гор. Итальянская кампания на этом практически закончилась. Дешифровки «Энигмы» указали англичанам на слабые места в обороне противника, и они с успехом воспользовались этой информацией.

## Последний бой «Шарнхорста»

Во второй половине 1943 года некоторое снижение интереса к дешифровкам «Энигмы», связанное с передислокацией подводного флота Германии, было с лихвой компенсировано огромной ролью, которую чтение немецкой шифрпереписки стало играть при проведении военно-морских операций в Арктике. Трагическая судьба морского каравана «ПК-17» заставила английское адмиралтейство временно запретить передвижение всех караванов, направлявшихся в Мурманск и Архангельск вдоль северного побережья Норвегии. Однако в ноябре

1943 года с наступлением полярной ночи этот запрет был снят.

Помня свой печальный опыт 1942 года, англичане отказались от больших караванов в 40 и более судов и стали делить их на части. Новый цикл начался 1 ноября отправкой 13 порожних судов из Архангельска. За полтора месяца удалось без потерь провести три восточных каравана и два западных. Караваны сопровождались походным эскортом из эсминцев, фрегатов и корветов. На конечных участках пути к ним присоединялся местный эскорт, а на самом опасном отрезке (к югу от острова Медвежий) сопровождало ближнее прикрытие из крейсеров и дальнее прикрытие, включавшее линкор.

Наиболее серьезная угроза морским караванам исходила от немецкого линейного крейсера «Шарнхорст». Ему было суждено стать одним из самых известных военных кораблей Второй мировой войны. Строительство «Шарнхорста» началось 14 февраля 1934 года на военной верфи Вильгельмсхейвена, а спуск на воду состоялся 3 октября 1936 года. Церемония спуска была очень торжественной, на ней присутствовал сам Адольф Гитлер. Однако полностью укомплектован «Шарнхорст» был лишь 7 января 1939 года.

11-дюймовые орудия «Шарнхорста» уступали по своей огневой мощи 14-дюймовым орудиям самого крупного английского линкора «Граф Йоркский», но максимальная скорость у «Шарнхорста» была на четыре узла больше, чем у «Графа Йоркского».

Главным источником достоверной и оперативной разведывательной информации о планах командования военно-морским флотом Германии в Арктике стали дешифровки «Энигмы». 20 декабря 1943 года главнокомандующий военно-морским флотом Англии адмирал Брюс Фрезер получил из дешифровального центра в Блетчли-Парке информацию о том, что два дня назад соединению немецких военных кораблей, включавшему «Шарнхорст», было приказано перейти в состояние трехчасовой готовности. Несмотря на то что с момента гибели «ПК-17» в Блетчли-Парке увеличилось количество «Бомб», которые использовались для вскрытия ключевых установок военно-морской «Энигмы», задержка в чтении немецких шифровок была все еще значительной: каждый раз, когда ключевые установки менялись, требовались десятки часов, чтобы вскрыть их заново.

К дополнительным задержкам приводило и применение немцами так называемых «офицерских» ключевых установок для дополнительного шифрования наиболее важных сообщений с помощью «Энигмы». Такие сообщения шифровались дважды: сначала с использованием «офицерских» ключевых установок, а затем — с помощью стандартных. Порядок следования дисков и угловое положение колец в «офицерских» ключевых установках были такими же, как и в стандартных. Другими были соединения штекерных гнезд на коммутационной панели «Энигмы». «Офицерские» ключевые установки брались из списка, который состоял из 26 различных установок, помеченных буквами латинского алфавита. Список менялся каждый месяц. Для того чтобы указать получателю сообщения, какая конкретно «офицерская» ключевая установка были использована для зашифрования, отправитель по собственному выбору указывал в заголовке имя собственное, начинавшееся с буквы, которая стояла в списке напротив этой «офицерской» ключевой установки. Например, если сообщение было зашифровано при помощи «офицерской» ключевой установки, помеченной латинской буквой P, то после шифрования сообщения с помощью «офицерских» ключевых установок заголовок мог, например, состоять из слов Offizier Paula. Затем текст сообщения, включая заголовок, шифровался еще раз с использованием стандартных ключевых установок.

Захват «офицерских» ключевых установок в мае 1941 года на немецкой подводной лодке «У-110» позволил английским дешифровальщикам разобраться, как осуществлялось шифрование сообщений с помощью этих установок. Однако после того как в июле 1941 года немцы ввели в действие новые «офицерские» ключевые установки, необходимо было разработать метод для их оперативного вскрытия. Сотрудник секции военно-морской разведки Рольф Носквит придумал, как это сделать при помощи «подстрочников» и «Бомб». В сентябре 1941 года, благодаря чтению шифровок противника, удалось отыскать дополнительные «подстрочники» для многочастевых «офицерских» сообщений. В большинство найденных «подстрочников» входило слово Fort, которое являлось сокращенной формой от Fortsetzung, что в переводе с немецкого означает «продолжение». Оно, как правило, содержалось во второй части сообщения вместе с указанием времени отправки первой части. Местоположение слова Fort в тексте постоянно менялось, и англичанам приходилось тратить дополнительные усилия на то, чтобы отыскивать его в перехваченных немецких шифровках. И хотя обычно порядок следования дисков в «офицерских» ключевых установках был известен заранее, в условиях, когда английские дешифровальщики располагали весьма ограниченным количеством «Бомб», это был существенный недостаток.

26-летний математик Лесли Йоксалл был еще одним выпускником Кембриджа, приглашенным на работу в Блетчли-Парк. Йоксалл обучался в колледже, где преподавал Уэлчмен, однако не попал в число студентов, которых тот набрал в дешифровальный центр в самом начале войны. Йоксалл работал преподавателем математики в Манчестере, когда получил письмо от Уэлчмена, в котором содержалось предупреждение о том, что в самом ближайшем будущем он получит предложение оказать помощь военным. Вскоре Йоксаллу пришло еще одно письмо с просьбой прибыть в Блетчли-Парк для собеседования. Туда Йоксалл приехал в компании с еще одним кандидатом на открывшуюся вакансию — Уильямом Таттом.

Йоксалл и Татт переговорили с Хью Александером, после чего тот дал им запечатанный конверт и попросил разыскать Алана Тьюринга. Позднее Йоксалл узнал, что в конверт Александер вложил записку, в которой рекомендовал Тьюрингу выбрать Йоксалла, а не Татта. Тьюринг прочитал записку Александера и объявил, что Йоксалл принят на работу.

В Блетчли-Парке Йоксалл сумел сразу отличиться, как только его привлекли к работе над вскрытием «офицерских» ключевых установок для «Энигмы». Он воспользовался очередной оплошностью немцев. Дело в том, что, определив хотя бы одну из этих установок с использованием «подстрочников» и «Бомб», можно было относительно легко вычислить некоторые из других установок за данный месяц (они различались лишь порядком соединений штекерных гнезд на коммутационной панели). Тьюринг полагал, что для этого нужно, чтобы перехваченная шифровка содержала не менее двухсот знаков. Йоксалл продемонстрировал, что это можно сделать, имея в своем распоряжении всего лишь восемьдесят знаков. Однако была одна трудность, которую так и не удалось преодолеть ни Тьюрингу, ни Йоксаллу. Для прочтения немецких сообщений, зашифрованных при помощи «офицерских» ключевых установок, требовалось довольно много времени, поскольку необходимо было сначала вскрыть стандартные ключевые установки, а потом — «офицерские». Эта задержка во времени имела весьма трагические последствия при проведении военно-морских операций в Арктике.

20 декабря 1943 года от северо-западного побережья Уэллса в Мурманск отправился караван «JW-55B», состоявший из 19 сухогрузов и танкеров. 23 декабря адмирал Фрезер вывел свои корабли в море, чтобы защитить караван от «Шарнхорста». Фрезер не имел никаких данных, что немецкий линейный крейсер готовится к атаке на «JW-55B». Только перед самым выходом в море Фрезер получил информацию из Блетчли-Парка, что 22 декабря караван «JW-55B» предположительно был обнаружен немецкой авиацией. Лишь 24 декабря Фрезеру дополнительно сообщили, что двумя днями раньше главнокомандующий северным флотом Германии приказал командующему полярной флотилией «подготовить ударное соединение к выходу в море».

Впоследствии Фрезер написал в своем официальном рапорте: «Караван... остался без поддержки, и я опасался, что на него будет совершено нападение...»

Поэтому 24 декабря во второй половине дня Фрезер распорядился, чтобы караван развернулся и в течение трех часов следовал обратным курсом. Позднее он сам признал, что предпринятый им маневр был малоэффективен.

До полудня 25 декабря в Блетчли-Парк поступило несколько перехваченных немецких шифровок, но все они были прочитаны слишком поздно, чтобы как-то повлиять на ситуацию в Баренцевом море, где в это время находился караван «JW-55B». А после полудня в действие вступили новые ключевые установки для «Энигмы», которые английские дешифровальщики сумели вскрыть лишь через 12 часов.

26 декабря в 0.30 капитан 1-го ранга Норман Деннинг из Центра оперативной разведки английского адмиралтейства получил из Блетчли-Парка прочитанную немецкую шифровку, которую главнокомандующий северным флотом Германии отправил командующему полярной флотилией 25 декабря в 15.30:

> «Срочно. Остфронт 17.00/25/12».

Затем Деннингу позвонил сотрудник дешифровального центра Гарри Хинсли и сообщил, что в дальнейшем вместо немецкого кодового слова «Остфронт» будет использовать английское — «Эпилепсия». 26 декабря в 1.30 Фрезер, находившийся на линкоре «Граф Йоркский», получил из ЦОР следующее сообщение:

> «В 15.30/25/12 главнокомандующий северным флотом послал командующему полярной флотилией и командующему ударным соединением “Кодовое слово ЭПИЛЕПСИЯ 17.00/25/12”.
>
> Комментарий. Значение этого кодового слова пока неизвестно. Информация о прочитанных шифровках, перехваченных до 12.00/26/12, будет поступать с задержкой на несколько часов, однако в том, что касается района к северу от Норвегии, эта информация необязательно будет полной».

Через несколько минут Деннинг получил из Блетчли-Парка дешифровку еще одного немецкого сообщения. Оно было отправлено с борта «Шарнхорста» и предназначалось другому немецкому военному кораблю:

> «В 18.00 “Шарнхорст” выходит в море. Действуйте в соответствии с письменными инструкциями».

26 декабря в 2.17 Фрезер получил из ЦОР следующее сообщение:

> «Срочно. Вполне вероятно, что “Шарнхорст” вышел в море в 18.00/25/12».

Вслед за этим сообщением Фрезер получил из ЦОР еще одно:

> «В 17.15 немецкое патрульное судно было информировано о том, что “Шарнхорст” выходит в море в 18.00/25/12».

В ночь с 25 на 26 декабря в секции военно-морской разведки в Блетчли-Парке дежурил Ричард Пендеред. Примерно в 3.00 при помощи метода, придуманного Йоксаллом, он получил открытый текст немецкой шифровки, которую командующий ударным соединением отправил главнокомандующему северным флотом Германии. Этот текст гласил:

> «“Шарнхорст” вместе с пятью эсминцами в 23.00 снова вышел в море».

26 декабря в 3.39 Фрезер получил из ЦОР сообщение, в котором говорилось, что, согласно имеющимся сведениям, «Шарнхорст» опять снялся с якоря. Получив это известие, Фрезер оказался в весьма затруднительном положении: если «Шарнхорст» атакует караван «JW-55B» на рассвете и немедленно ретируется, то Фрезер не сможет ему помешать. Фрезер приказал каравану изменить курс, надеясь, что такой маневр затруднит его обнаружение противником.

В 7.03 немецкое ударное соединение, в которое помимо «Шарнхорста» входили еще пять эсминцев, находясь примерно в 80 километрах к юго-западу от острова Медвежий, повернуло к квадрату, где рассчитывало встретить караван «JW-55B». В 8.45 английский флагманский крейсер «Белфаст» из состава эскадры прикрытия засек «Шарнхорст», который пока не подозревал о присутствии английских кораблей, поскольку для большей скрытности не включал свой радар. В 9.21 сигнальщики с «Белфаста» заметили немецкий линейный крейсер, а спустя три минуты «Белфаст» открыл по нему огонь.

Пытаясь выйти из боя, «Шарнхорст» несколько раз менял курс. В 9.55, имея преимущество в скорости, он смог оторваться от противника. Быстро увеличивая отрыв от преследователей, «Шарнхорст» возобновил поиски каравана. В 13.43 командующий немецким ударным соединением адмирал Эрих Бей, находившийся на «Шарнхорсте», приказал эсминцам прекратить поиск и возвращаться на базу. Этот приказ оказался фатальным для «Шарнхорста».

Около 14.00 адмирал Бей решил возвращаться в базу. В 15.25 он радировал главнокомандующему северным флотом Германии предполагаемое время своего возвращения. Немецкий адмирал не знал, что ему наперерез идут линкор «Граф Йоркский», крейсер «Ямайка» и несколько эсминцев, которых наводили с помощью радиопередатчиков преследовавшие его английские крейсеры из эскадры прикрытия. Носовой радар «Шарнхорста» был выведен из строя попаданием снаряда с «Белфаста», а кормовой радар, который все равно был неспособен производить поиск прямо по курсу, выключен. В результате «Шарнхорст» на всех парах шел прямо навстречу своей гибели.

В 16.32 радар на «Графе Йоркском» обнаружил цель. «Шарнхорст» оказался зажат между двумя английскими эскадрами. Артиллерийская дуэль между «Шарнхорстом» и «Графом Йоркским» была неравной. Немецкие снаряды не могли пробить толстую броню английского линкора, а англичане сумели всего за полтора часа нанести «Шарнхорсту» значительные повреждения. Лишенный преимущества в скорости, немецкий линейный крейсер был добит торпедами с крейсера «Ямайка» и английских эсминцев. В 19.48 «Шарнхорст» затонул. Из 1968 человек его экипажа спастись удалось только 36. «Шарнхорсту» было суждено стать последним немецким кораблем, который предпринял наступательные действия. С его потерей существенно снизилась боевая мощь военно-морского флота Германии.

Иногда гибель «Шарнхорста» объясняют исключительно отсутствием эсминцев сопровождения и неисправностью носового радара. После окончания Второй мировой войны немецкий адмирал Карл Дениц писал:

> «Операция, предпринятая линейным крейсером "Шарнхорст" и группой эсминцев в декабре 1943 года, после удачного скрытного начала, казалось, имела все шансы на успех, учитывая дислокацию противника и погодные условия. Но она провалилась, очевидно из-за недооценки локальной ситуации, и "Шарнхорст" был нами потерян».

Впоследствии стало известно, что эта операция не имела «скрытного начала», поскольку, благодаря чтению немецких шифровок, английское командование было неплохо осведомлено о планах «Шарнхорста» и могло должным образом подготовить свои ответные действия.

## Долгожданный триумф

Если бы не помощь французских дешифровальщиков, англичане вряд ли сумели в первые два года войны наладить чтение немецких шифровок. Однако в 1943—1944 годах ошибки, совершенные французами, едва не позволили немцам узнать о недостаточной надежности их основного шифратора. Немцы арестовали и допросили Рудольфа Лемуана, и он выдал французского агента Ганса Шмидта. Французы вовремя не эвакуировали польских криптоаналитиков, и в феврале — марте 1943 года некоторые из них были арестованы при попытке покинуть Францию. От арестованных поляков немцы вполне могли получить информацию о том, что «Энигма» взломана.

Крупными неприятностями было чревато и решение Бертрана остаться на территории оккупированной Франции. Как и арестованные поляки, он был полностью в курсе взлома «Энигмы» англичанами. К счастью для последних, у Бертрана было множество псевдонимов, которые служили ему надежной защитой. Один из своих псевдонимов Бертран собственными глазами видел однажды в списке лиц, разыскиваемых немецкой жандармерией. Однако было совершенно ясно, что достаточно кому-нибудь из его соратников по подполью проговориться, и Бертрана не спасли бы никакие псевдонимы.

3 января 1944 года Бертран получил очередное задание. Ему предстояло забрать у английского агента в Париже радиостанцию, чтобы поддерживать связь с Алжиром и Лондоном в ходе планировавшейся высадки англо-американских войск в Западной Европе. Встреча должна была состояться в одной из церквей в районе Монмартра между 9.00 и 9.30. Агент должен был держать в руках журнал под названием «Сигнал», в качестве пароля было выбрано слово «Бальзам», а отзывом служило слово «Аминь».

Бертран прибыл на встречу заранее. Войдя в церковь и увидев мужчину у входа, Бертран подошел к нему, несмотря на то, что у того не было в руках никакого журнала, и назал пароль. Но вместо отзыва мужчина предложил выйти на улицу и там поговорить. Он представился Полем и рассказал, что получил из Лондона сообщение, в котором содержался приказ встретиться с Бертраном, но из-за помех сумел расшифровать только первую часть сообщения. Информация о пароле, вероятно, содержалась во второй части сообщения. Бертран и Поль договорились встретиться снова в этой же церкви через два дня. Бертран насторожился, когда Поль достал карандаш и записал в маленький блокнот, где и когда они должны будут встретиться. По своему опыту Бертран знал, что никто из французских подпольщиков не позволял себе рисковать, фиксируя на бумаге сведения, ведь при аресте они легко могли попасть в руки немцев.

5 января, когда Бертран вошел в ту же самую церковь, что и два дня назад, у него возникло нехорошее предчувствие. Это предчувствие усилилось, когда Поль не появился в назначенное время. Вместо Поля в церковь вошли четверо мужчин и объявили Бертрану, что он арестован.

Немцы могли узнать об уязвимости своей «Энигмы» не только от Бертрана. 10 августа 1943 года немецкая разведка прислала из Швейцарии тревожное донесение относительно надежности военно-морской модификации «Энигмы». Донесение было адресовано командующему подводным флотом Германии адмиралу Карлу Деницу. В нем, в частности, говорилось:

> «За последние несколько месяцев были успешно взломаны немецкие военно-морские шифры, которые использовались, чтобы передавать приказы подводным лодкам. В настоящее время противнику становятся известны все наши приказы. Источником этой информации является американец швейцарского происхождения, занимающий должность ответственного секретаря в военном министерстве США».

Однако Служба связи военно-морских сил Германии по-прежнему продолжала настаивать на том, что сведения, изложенные в разведывательном донесении из Швейцарии, не соответствуют действительности. Деницу доложили, что ни о каком продолжительном чтении немецкой шифрпереписки не может быть и речи. Однако Дениц придерживался иного мнения. В своем военном дневнике он отметил, что «Энигма» была взломана англичанами где-то между 23 июля, когда были введены в действие новые соединения штекеров на коммутационной панели «Энигмы» и порядок следования дисков, и 11 августа 1943 года, когда была осуществлена очередная смена порядка следования дисков в «Энигме». На эту мысль Деница навела статистика встреч, состоявшихся между немецкими подводными лодками в открытом море. С 12 июня по 1 августа 1943 года из 21 встречи 13 прошли в спокойной обстановке, а с 3 по 11 августа все такие встречи были прерваны противником. Дениц писал:

> «Учитывая это, вполне разумно предположить, что в конце июля 1943 г. после смены ключевых установок враг завладел ими и в оперативном режиме читал приказы, касавшиеся организации встреч между нашими подводными лодками в открытом море».

Вскоре стали известны новые подробности относительно агента немецкой разведки в военном министерстве США. В одном из донесений указывалось:

> «...Он связан с нашим военным атташе, часто совершает поездки в Лондон вместе с военно-морской делегацией США и поэтому очень хорошо инфор-

> мирован обо всем, что происходит... Английская военно-морская разведка оказывает существенную помощь флоту в борьбе с немецкими подводными лодками. В самом начале войны было создано специальное подразделение, которое отслеживает всю разведывательную информацию, добываемую при помощью дешифрования. В течение нескольких месяцев деятельность этого подразделения была весьма успешной. В настоящее время ему становятся известны все приказы адмиралтейства Германии, адресуемые подводным лодкам. Это значительно облегчает англичанам охоту за ними».

Выводы Деница были оспорены в Службе связи военно-морских сил Германии. Там заявили, что, учитывая огромное количество возможных соединений штекерных гнезд на коммутационной панели «Энигмы», английские дешифровальщики вряд ли были в состоянии отыскать действующие ключевые установки для «Энигмы» методом проб и ошибок. Если бы эти умозаключения стали известны в Блетчли-Парке, там бы только улыбнулись. Ибо труднее всего англичанам давалось определение порядка следования дисков в «Энигме» и углового положения колец на дисках. После этого определить соединения на коммутационной панели было довольно легко.

Неизвестно, знал ли об умозаключениях, к которым пришли специалисты из Службы связи, главный криптограф вермахта Карл Штейн. В 1942 году он был специально вызван из-под Сталинграда в Берлин, где ему поручили проверить, насколько надежны немецкие шифраторы. Мнение, высказанное Штейном, было неоднозначным. Он полагал, что взломать «Энигму» сухопутных войск можно только при том условии, что противник сумеет сконструировать специальное электромеханическое устройство. Что касается военно-морской «Энигмы», то, считал Штейн, она достаточно надежна. Штейн полагал, что *теоретически* ее взломать можно, однако на практике это заняло бы слишком много времени.

Интересно, что Дениц выразил свою обеспокоенность относительно надежности «Энигмы» именно тогда, когда англичане стали испытывать серьезные трудности с чтением немецких шифровок. Англо-американские союзники пали жертвой собственных успехов. После вывода немецких подводных лодок из Северной Атлантики в мае 1943 года количество перехваченных сообщений, зашифрованных при помощи «погодного» кода, резко упало. А ведь именно эти сообщения служили источником большей части «подстрочников», которые использовались при вскрытии ключевых установок для «Энигмы». 3 июня один из руководителей английского дешифровального центра в Блетчли-Парке Найджел Грей написал начальнику «ОП-20Г» Иосифу Венгеру письмо, в котором, в частности, говорилось:

> «Шансы взломать “Тритон”, используя “погодный” код, как никогда высоки. С учетом этого изготовление четырехдисковых “Бомб” приобретает еще большую важность... Кстати, как продвигается Ваша программа по производству “Бомб”?»

Однако прежде чем Венгер успел ответить на письмо Грея, англичане сделали одно очень важное открытие. Во второй половине июня они нашли новый источник «подстрочников» для взлома четырехдисковой «Энигмы». Выяснилось, что шифровки, циркулировавшие в немецкой сети связи «Гидра», с помощью которой обменивались сообщениями подводные лодки немцев в Арктике, повторялись в сети «Тритон», принадлежавшей подводному флоту Германии в Атлантике. Содержание прочитанных шифровок «Гидры» можно было использовать в качестве «подстрочников» при вскрытии ключевых установок «Тритона». Английские криптоаналитики называли такие «подстрочники» «перекодировками». Правда, шифровки «Тритона» читались с некоторой задержкой, поскольку сначала надо было прочесть шифровки «Гидры». Но эта задержка была не такой уж значительной. Поскольку теперь чтение шифровок «Тритона» зависело от взлома «Гидры», были предприняты дополнительные усилия для ускорения этого процесса. В результате в конце июня английские дешифровальщики решили отказаться от довольно трудоемкого бенберийского метода в тех случаях, когда в их распоряжении имелись «подстрочники».

Однако достигнутый успех оказался краткосрочным. Вскоре англичане и американцы натолкнулись на очередное серьезное препятствие. 1 июля немцы ввели в действие еще один диск и дополнительный рефлектор, которые соответственно назвали «Гамма» и «Цезарь». «Гамма» могла быть установлена в «Тритон» вместо четвертого диска («Бета»), а «Цезарь» — вместо имевшегося рефлектора («Бруно»). В результате поток дешифровок «Тритона» быстро иссяк.

На счастье англичан в этот период немецкие подводные лодки в Северной Атлантике отказались от активных действий. Английское адмиралтейство сумело частично восполнить недостаток разведывательной информации данными, полученными с помощью радиопеленгаторного оборудования. И хотя общее водоизмещение потопленных грузовых судов в июле 1943 года возросло с 95 тысяч тонн до 252 тысяч тонн, понесенные потери были вполовину меньше, чем в марте того же года.

Английский криптоаналитик Ричард Пендеред первым нашел способ, как взломать «Тритон» с дополнительными диском и рефлектором. В июне 1943 года он сумел вскрыть ключевые установки «Тритона» за 27 мая, пользуясь очень длинным «подстрочником» и усовершенствованной разновидностью «армирования» — криптоаналитического метода, впервые примененного английскими дешифровальщиками для взлома итальянской военно-морской «Энигмы». С помощью аналогичного метода Пендеред продемонстрировал, как можно вычислить внутренние соединения дополнительного четвертого диска и рефлектора. Эту работу поделили между собой английские и американские дешифровальщики.

Надо сказать, что задачу, стоявшую перед англичанами и американцами, в известной степени упростили сами немцы. Они могли использовать весь потенциал, которым обладали «Гамма» и «Цезарь», и увеличить количество вариантов порядка следования дисков в «Энигме» в четыре раза. Для этого им было достаточно разрешить использовать «Гамму», «Бету», «Цезаря» и «Бруно» в произвольных комбинациях. Например, в первый день в «Энигму» устанавливались «Бета» и «Цезарь», во второй — «Бета» и «Бруно», и так далее. Однако уже в конце июля 1943 года англичане отметили, что немцы неизменно применяли одно и то же сочетание четвертого диска и рефлектора. Впоследствии выяснилось, что это сочетание менялось лишь раз в месяц. В результате задержка со взломом «Тритона» происходила в Блетчли-Парке лишь один раз в месяц, а затем все возвращалось в прежнее русло.

Однако не все было так гладко, как хотелось бы. Американские дешифровальщики надеялись получить в свое распоряжение первые образцы быстродействующих «Бомб» уже в феврале 1943 года. 17 марта 1943 года в городе Дейтоне, где велись работы по изготовлению американской «Бомбы», прошло совещание, на котором было заявлено, что первые опытные образцы будут готовы только в середине апреля. Это означало, что ни одна из 96 «Бомб», заказанных министерством обороны США, не поступит в «ОП-20Г» раньше июня.

Причины были чисто техническими. В сделанных в Дейтоне прототипах «Бомб», которые нарекли «Адамом» и «Евой», было слишком много дефектов. Чтобы уложиться в 22 минуты, отведенные криптоаналитиками на тестирование одной ключевой установки для военно-морской «Энигмы», диски внутри «Бомбы» должны были вращаться со скоростью более 1750 оборотов в минуту. В результате они сильно перегревались, теряли свою форму, и всего через несколько часов электрические контакты, расположенные на дисках, выходили из строя. Другая проблема была связана с замыканием, которое периодически возникало из-за металлической пыли. Эта пыль попадала на контакты вместе со смазочным маслом, которое летело во все стороны из работающей машины.

Наибольшие разногласия на совещании в Дейтоне вызвал вопрос о том, как устранить эти недостатки. Главный инженер проекта Иосиф Деш предложил уменьшить скорость вращения дисков, заменив каждый большой диск двумя маленькими. Однако математик из «ОП-20Г» Говард Энгстром высказался против такого решения. Он считал, что маленькие диски будет труднее чинить в случае поломки, а если немцы задумают изменить схему соединений внутри дисков «Энигмы», то для внесения соответствующих изменений в уже изготовленные «Бомбы» потребуется вдвое больше времени. Однако американским дешифровальщикам не терпелось получить первые экземпляры «Бомб» как можно скорее. Поэтому на совещании было решено приступить к их производству немедленно, не дожидаясь, пока Деш внесет необходимые поправки с учетом соображений, высказанных Энгстромом.

18 июня, когда Деш уже заканчивал дописывать спецификации на машину для передачи на завод, где ее планировалось производить, Энгстрому пришла в голову очередная идея. По его мнению, «Бомбу» следовало спроектировать таким образом, чтобы можно было менять соединения внутри ее дисков, не вынимая их из машины. Причем эти изменения требовалось внести, не удлиняя сроки изготовления «Бомбы». Однако Энгстром быстро пошел на попятный, когда Деш решительно заявил, что ни при каких условиях не сможет выполнить новое требование в установленные сроки.

23 июня на прототипе американской «Бомбы» были вычислены ключевые установки для четырехдисковой «Энигмы» за 31 мая. Тогда же было решено изготовить еще одну модификацию «Бомбы» — так называемую «Модель 530». Помимо применения дисков большего размера, в нее планировалось встроить специальную электронную систему, разработанную Дешем для распознавания вычисленных с помощью «Бомбы» ключевых установок (при этом ее диски продолжали вращаться даже после того, как правильная ключевая установка была определена).

Первый блин, как всегда, вышел комом. В июле 1943 года, когда первые экземпляры «Бомбы» поступили в «ОП-20Г», выяснилось, что ни один из них не работает — слишком большим оказался процент дисков, потерявших правильную форму из-за перегрева. Было сделано множество звонков и отправлено несколько телеграмм на фабрику в Дейтоне с требованиями заменить дефектные диски, прежде чем Деш сумел выработать рекомендации, как следовало обращаться с машинами, чтобы они не ломались.

В третьей декаде августа англо-американские дешифровальщики совместными усилиями добили «Тритон». Об этом свидетельствует еженедельный отчет от 20 августа 1943 года, который был составлен в Блетчли-Парке по итогам прошедшей недели. В нем говорилось:

> «Что касается "Тритона", то эта неделя была рекордной. Нам удалось прочесть всю переписку за месяц. Мы расшифровали все сообщения, перехваченные с 1 по 18 августа... Мы передали сообщения за первую половину июля американцам, чтобы те попытались справиться с ними самостоятельно. Американцы смогут быстрее научиться обращаться с "подстрочниками" и "Бомбами", если будут сами решать, что именно следует делать и кто этим будет заниматься».

С «Тритоном» было покончено. Отныне английские и американские дешифровальщики не испытывали недостатка ни в «подстрочниках», ни в «Бомбах». Большая часть четырехдисковых «Бомб» была изготовлена американцами. Только во второй половине 1943 года в США было произведено 75 таких «Бомб» — больше, чем англичане сумели сделать за всю войну.

Легкость, с которой удавалось взламывать «Тритон», заставила американцев задуматься над вопросом о сокращении производства «Бомб». 7 сентября 1943 года начальник «ОП-20Г» Иосиф Венгер писал руководителю английского дешифровального центра Эдуарду Тревису:

> «Нынешние планы по производству "Бомб" предусматривают доведение их общего количества до 100 при еженедельной норме 6 машин. В настоящее время закончена сборка 12 машин, из которых 6 уже находятся в эксплуатации. В свете произошедших и планируемых изменений я был бы весьма признате-

лен, если бы Вы высказались по поводу целесообразности уменьшения количества производимых машин, принимая во внимание возможность их использования при проведении других операций — например, против люфтваффе. Мы будем рады оказать Вам посильную помощь».

Три дня спустя Венгер получил ответ от Тревиса:

«По нашему мнению, нынешняя благоприятная ситуация в отношении "Тритона" может продлиться недолго. К тому же Ваша помощь при проведении других операций, не связанных с "Тритоном", была бы очень кстати. Поэтому мы будем очень огорчены, если количество производимых Вами машин уменьшится».

Однако отношения между английскими и американскими дешифровальщиками не были такими безоблачными, как это может показаться на первый взгляд. В декабре 1942 года Тьюринг от души поиздевался над американскими инженерами, которые намеревались построить свою «Бомбу» для тестирования каждого из 336 возможных вариантов порядка следования дисков в военно-морской «Энигме». Английские криптоаналитики прекрасно знали, что большую часть этих вариантов можно исключить сразу. Пунктуальные немцы при выборе порядка следования дисков руководствовались весьма жесткими правилами, которые запрещали им делать это произвольным образом. Поэтому американская старательность не могла вызвать у англичан ничего, кроме смеха. В конце концов американцы согласились ограничиться 96 «Бомбами».

Надо сказать, что англичане отчасти сами были виноваты в том, что американцы столь наивны в некоторых вопросах, связанных с «Энигмой». В Блетчли-Парке предпочитали скрывать имевшуюся информацию об «Энигме» от своих заокеанских союзников до тех пор, пока те сами не догадывались задать вопрос, касавшийся того или иного аспекта функционирования «Энигмы». Например, в мае 1943 года, когда американские дешифровальщики уже налаживали собственное производство «Бомб», они продолжали выяснять у английских коллег, чем отличались диски, используемые в военно-морской «Энигме», от дисков, которые применялись в «Энигме» люфтваффе и сухопутных войск.

После ввода в эксплуатацию изготовленных американцами «Бомб» возникли новые трения. Вместо того чтобы использовать новые «Бомбы» для взлома «Энигмы» люфтваффе и сухопутных войск, американские дешифровальщики занялись военно-морской «Энигмой», используя «подстрочники», которые англичане считали непригодными для вскрытия ключей.

Англичане осудили тактику, которой придерживались американцы, заявив, что необходимо набираться опыта, а не бросаться в атаку на шифр с места в карьер. По мнению английских криптоаналитиков, искусство состояло не в том, чтобы найти правильные «подстрочники», а в том, чтобы отбраковать ложные. Англичане считали, что их заокеанским союзникам еще предстояло овладеть этим искусством. А пока из-за недостатка здравого смысла и полного отсутствия чувства меры американцы теряли драгоценное время, напрасно теша себя иллюзиями, что им удалось отыскать надежный метод вскрытия ключевых установок для «Энигмы». Особое возмущение у англичан вызывал тот факт, что американцы нарушили договоренность, согласно которой окончательное решение по поводу использования «Бомб» принималось в Блетчли-Парке и все «Бомбы» рассматривались как общий материальный ресурс вне зависимости от того, кто их изготовил и для каких целей.

Трансатлантический конфликт между союзниками разрешился сам собой только в конце 1943 года. Сначала путем взлома «погодного» кода был найден надежный «подстрочник», который затем с успехом использовался для вскрытия ключевых установок для «Тритона». А через месяц после этого Блетчли-Парк посетил Говард Энгстром. Он согласился посылать англичанам все «подстрочники», которые в «ОП-20Г» планировалось использовать для взлома «Тритона» с помощью «Бомб». Американцы пообещали следовать рекомендациям английских дешифровальщиков относительно того, какие из «подстрочников» пригодны для проверки на «Бомбах».

Англичане использовали самый благоприятный момент, чтобы обуздать порывы американцев. Если во второй половине 1943 года американские дешифровальщики чаще всего выступали в роли подмастерьев у своих более опытных собратьев по ремеслу, то к середине 1944 года они настолько преуспели во взломе «Тритона», что продолжали оперативно вскрывать ключевые установки даже после того, как метод получения «подстрочников» с помощью «погодного» кода в силу разных причин приказал долго жить.

Со своей стороны, американцы были не очень довольны давлением, которое на них оказывали англичане. Достижения дешифровальщиков из Блетчли-Парка были неоспоримыми, однако в «ОП-20Г» считали, что английская сторона не выполняет взятых на себя обязательств по производству четырехдисковых «Бомб». В 1944 году Венгер и Энгстром написали докладную записку, в которой выразили свое неудовольствие позицией англичан:

> «При первоначальном обсуждении проекта с англичанами предполагалось, что американские военно-морские силы окажут им помощь в решении проблемы взлома немецкого военно-морского шифра. В настоящее время практически вся нагрузка при решении этой проблемы приходится на американские "Бомбы"... Из-за допущенных ошибок англичане лишились своей лидирующей позиции...»

Жалобы Венгера и Энгстрома были вполне обоснованны. К моменту написания их докладной записки англичане сумели изготовить лишь 18 четырехдисковых «Бомб», которые оказались настолько ненадежными, что одновременно в рабочем состоянии находилось не более трех. И судя по всему, это бедственное положение вряд ли могло в ближайшее время коренным образом измениться. 24 марта 1944 года Венгер получил из Блетчли-Парка письмо, в котором говорилось:

> «Наши машины работают плохо, и исправить их вряд ли удастся. Учитывая, что вы хорошо оснаще-

ны четырехдисковыми машинами, мы собираемся сосредоточиться на производстве трехдисковых машин».

Американцы разозлились еще больше после того, как «ОП-20Г» посетил английский дешифровальщик Хью Александер и попросил изготовить еще 50 четырехдисковых «Бомб». Для обоснования своей просьбы Александер сослался на ожидаемое резкое ухудшение военной обстановки в Атлантике. Однако американцы считали, что это был лишь предлог, а основная причина крылась в желании использовать новые «Бомбы» для взлома «Энигмы» люфтваффе и сухопутных войск.

Возникшие разногласия не помешали англичанам и американцам добиться значительных успехов. Английские дешифровальщики сумели весьма продуктивно использовать новые четырехдисковые «Бомбы», и полученная в результате разведывательная информация пришлась очень кстати.

К тому времени, когда криптоаналитики в Англии и Соединенных Штатах урегулировали между собой все спорные вопросы, военная обстановка в Атлантике стала спокойнее. В результате потребность в дешифровках «Энигмы» стала менее острой. В июле — августе 1943 года большая часть операций англичан по уничтожению танкеров, осуществлявших дозаправку немецких подводных лодок, была спланирована и проведена без участия дешифровальщиков. Правда, в некоторых случаях они помогли более точно определить местонахождение танкеров противника. Положительную роль сыграла и смена англичанами военно-морского Кода № 3, который использовался ими для засекречивания сообщений, связанных с движением морских караванов в Атлантике. Этот код был взломан немецкими криптоаналитиками из Службы наблюдения. Новый военно-морской код, введенный в действие 10 июня 1943 года, оказался более стойким.

В начале 1944 года дешифровки «Энигмы» стали играть важную роль в отражении атак подводного флота Германии в Индийском океане, куда передислоцировались немецкие субмарины после поражения в Атлантике. Для дозаправки своих подводных лодок немцы отправили в Индийский океан танкер «Шарлотта Шлиманн», который был потоплен англичанами 12 февраля 1944 года, благодаря разведывательным данным, полученным с помощью взлома «Энигмы». А месяц спустя англичане устроили засаду на немецкий танкер «Браке», присланный в Индийский океан взамен «Шарлотты Шлиманн», и потопили его.

Потеря двух танкеров в Индийском океане насторожила командование военно-морскими силами Германии. Было проведено служебное расследование обстоятельств гибели «Шарлотты Шлиманн» и «Браке». Доклад, составленный по итогам этого расследования, содержал следующий вывод:

> «Можно предположить, что противник знал о местонахождении танкеров либо из наших сообщений, либо благодаря информации, полученной от предателя. Проведенные проверки надежности наших шифров подтвердили вывод о том, что противник сможет читать наши сообщения только в том случае, если захватит все кодовые книги, включая описание специальной процедуры для модификации ключевых установок. Полностью исключить возможность того, что это произошло, нельзя».

Командующий подводным флотом Германии адмирал Карл Дениц разослал всем капитанам субмарин приказ, в котором им предписывалось использовать ключевые установки, составленные из первых букв фамилий своих радиоинженеров и вахтенных офицеров, пока не будут получены новые ключевые установки. И хотя английские криптоаналитики давно не получали в свое распоряжение документов по «Энигме», захваченных на немецких подводных лодках или военных кораблях, эта мера предосторожности не слишком затруднила им работу.

16 марта 1944 года в Блетчли-Парке была прочитана немецкая шифровка с информацией о двух встречах немецких подводных лодок в районе мыса Зеленый на западном побережье Африки. Эта информация была дове-

дена до сведения всех капитанов английских военных кораблей, которые имели допуск к дешифровкам «Энигмы». Но потом, видимо спохватившись, английское адмиралтейство отдало им приказ держаться подальше от мыса Зеленый. Но было поздно — к этому времени ко дну уже была пущена пришедшая на первую встречу немецкая субмарина, а вторую потопили американцы, которые попросту проигнорировали приказ английского адмиралтейства.

20 марта командующий американским флотом Эрнст Кинг и Первый морской лорд Англии Эндрю Каннингхем, сменивший Дадли Паунда, который ушел в отставку в сентябре 1943 года, обменялись посланиями, в которых каждый выразил свое неудовольствие по поводу случившегося. Каннингхем заявил, что проведение военной операции вблизи места встречи немецких подводных лодок, особенно после того, как немцы сменили ключевые установки, было весьма нежелательно, поскольку могло привести к очередным изменениям в процедуре шифрования сообщений с помощью «Энигмы». Кинг парировал выпад Каннингхема, заметив, что место, где немецкие субмарины планировали встречу, было упомянуто в немецкой шифровке, отправленной до смены ключевых установок для «Энигмы». Кроме того, по мнению Кинга, вывод военных кораблей из района, где они находились уже довольно долго, вызвал бы у противника гораздо больше подозрений. В заключение Кинг заметил, что немцы наверняка заподозрили неладное, когда англичане потопили «Шарлотту Шлиманн» и «Браке», а также внесли изменения в маршруты следования своих морских караванов, чтобы те избежали фатальной встречи с немецкими подводными лодками.

Два месяца спустя Кеннет Ноулз из военно-морской разведки США подготовил отчет, который свидетельствовал, что прав был Кинг, а не Каннингхем:

> «После того как 12 марта 1944 г. в Индийском океане был потоплен “Браке”, Первый морской лорд потребовал, чтобы все наши военно-морские операции к западу от мыса Зеленый были приоста-

новлены из-за опасности скомпрометировать шифр. Позиция, занятая командующим 10-м флотом, который распорядился продолжить проведение операций, была полностью оправдана последовавшими событиями, в ходе которых были потоплены шесть немецких подводных лодок... Вместо того чтобы насторожить противника в отношении надежности его шифра, они лишь подтвердили уже имевшиеся у него опасения, что можно ожидать появления нашей авиации в этом районе».

Немцы по-прежнему не догадывались, что их шифратор не обладает достаточной надежностью, даже несмотря на очередную попытку англо-американских союзников завладеть документами по «Энигме», находившимися на борту немецкой подводной лодки. Эта попытка имела место в начале марта 1944 года, когда отряд военных кораблей, сопровождавший трансатлантический морской караван, находясь примерно в 400 километрах от Ирландии, засек субмарину немцев.

23-летний командир «У-744» Хайнц Блишке никак не ожидал, что торпедная атака на одиночный эсминец противника, предпринятая им 5 марта, приведет к таким роковым последствиям. Выпустив торпеду и услышав, что она попала в цель, Блишке приказал команде готовиться к всплытию. Однако вскоре они услышали над головой шум винтов нескольких кораблей, за которым последовали разрывы глубинных бомб. Охота за «У-744» продолжалась всю ночь. 6 марта после полудня на борту субмарины стали подходить к концу запасы кислорода и были почти совсем разряжены аккумуляторные батареи. Блишке распорядился заминировать подлодку, после чего отдал приказ начать всплытие. В 15.30 рубка «У-744» показалась на поверхности.

Двое немецких подводников, которые должны были поджечь бикфордов шнур, испугались, что не успеют покинуть лодку, запаниковали и бросились наверх, не выполнив приказа. Тем временем от борта канадского корвета «Чилливак» на шлюпке отчалила призовая команда и через некоторое время беспрепятственно перебралась на борт немецкой подводной лодки. На «У-744» были найдены несколько кодовых книг и листов целлулоида, разделенных на квадраты, каждый из которых был помечен буквой. По пути назад шлюпка перевернулась, и хотя все члены призовой команды были спасены, документы, найденные на борту немецкой подводной лодки, утонули вместе со шлюпкой. Командир «Чилливака» предложил отправить на «У-744» еще одну призовую команду, но командир отряда сопровождения отклонил это предложение и приказал затопить подлодку, выпустив по ней торпеду. В 18.05 «У-744» скрылась под водой.

К счастью для англо-американских союзников, поблизости не оказалось свидетелей того, как призовая команда обыскивала «У-744». 1 июня 1944 года в английских и американских газетах была опубликована статья, в которой говорилось, что субмарина противника затонула, прежде чем канадские моряки смогли попасть на ее борт. Немцы по-прежнему пребывали в неведении относительно надежности «Энигмы».

## «Иных уж нет, а те далече»

В марте 1943 года на французско-испанской границе немцы задержали нескольких польских криптоаналитиков и инженеров, которые в начале 40-х годов вместе со своими французскими и английскими коллегами принимали участие во взломе «Энигмы». Достаточно было кому-нибудь из арестованных поляков проговориться, и доступ к немецкому шифру навсегда был бы закрыт.

Антония Палльтха немцы желали допросить в первую очередь. Они были в курсе, что в 30-е годы Палльтх являлся одним из совладельцев фирмы «АВА», которая активно сотрудничала с польским шифрбюро. Однако среди арестованных Палльтха не оказалось. Предпринятые попытки разыскать его в Варшаве не дали никакого результата. И немудрено, поскольку в это время Палльтх находился в немецком концентрационном лагере Заксенхаузен недалеко от Потсдама. Немцы так и не узнали, что заключенный под номером 64661 и был тот самый Антоний Палльтх, которого они так активно искали.

Жена Палльтха Ядвига жила в Варшаве. Во время обыска в ее доме было найдено радиооборудование, которое, согласно действовавшим правилам, она должна была давным-давно сдать немецким оккупационным властям. За этот проступок Ядвиге грозила смертная казнь. Ее объяснение, что оборудование было слишком тяжелым, чтобы отнести его в полицейский участок, и что она ждала, пока немцы сами заберут его, выглядело неправдоподобным. Однако немцы не тронули ее. Скорее всего, они рассчитывали использовать ее, чтобы заманить и арестовать Палльтха.

К Ядвиге неоднократно наведывался некий пан Пиларский, который представился бывшим коллегой ее мужа. Он всегда приходил под каким-то благовидным предлогом, желая переговорить с Палльтхом. Во время первого же визита пана Пиларского Ядвига заподозрила неладное, когда тот назвал ее мужа по имени. Она прекрасно знала, что коллеги всегда называли его только по фамилии.

Однажды сотрудники немецкой полиции пришли к Ядвиге домой и потребовали показать содержимое ее сумочки. В ней находились письма из Заксенхаузена, под которыми стояла подпись ее мужа. Однако полицейские не стали читать письма. Скорее всего, их сбил с толку тот факт, что на конвертах стоял почтовый штемпель концентрационного лагеря, а немцы продолжали считать, что Палльтх все еще находится на свободе.

Антонию Палльтху не суждено было снова увидеть свою жену и детей. 18 апреля 1944 года самолетостроительный завод, на котором работали заключенные из Заксенхаузена, подвергся налету англо-американских бомбардировщиков. Палльтх стал жертвой этого налета.

Вскоре после гибели Палльтха в Заксенхаузене от истощения умер Эдуард Фокчиньский. Количество людей, которые могли информировать немцев о том, какого рода работы велись в старинных поместьях Блетчли-Парка в Англии и Фузес во Франции, сократилось. Однако у немцев по-прежнему были все шансы узнать об этом из других источников. Сотрудники немецкой тайной полиции разыскали в одном из концентрационных лагерей на территории Германии Гвидо Лангера, бывшего начальника польского шифрбюро. Как им удалось это сделать, неизвестно. Возможно, о Лангере рассказали на допросах арестованные к тому времени Густав Бертран и Рудольф Лемуан.

Так или иначе, но 7 марта 1944 года Лангеру было приказано явиться к начальнику концентрационного лагеря. После войны Лангер писал:

> «Я приготовился к худшему... Меня посадили напротив группы людей, состоявшей из двух армейских офицеров (как мне сказали позже, капитана и лейтенанта) и офицера гестапо. Все они были в штатском. Первым заговорил гестаповец, который дал мне понять, что от меня ждут ответа на два основных вопроса. Во-первых, буду ли я работать на немцев в Польше? Я ответил, что двум смертям не бывать и что я не хочу становиться еще одним Редлем[1].
>
> Второй вопрос касался моей довоенной работы. Отвечая на него, я постарался никому не навредить и не нанести ущерба нашему общему делу. Когда он спросил меня, удалось ли нам в ходе войны взломать какие-либо шифры, я понял, что ему что-то известно, и ответил, что еще в 30-е годы мы провели ряд проверок и в некоторых случаях добились успеха, но после начала войны не смогли ничего дешифровать, поскольку перед самой войной немцы сменили свои шифры.
>
> Придя к выводу, что передо мной сидят люди, которые прекрасно знают, кто я такой, я решил придерживаться следующей стратегии: смешивать правду и ложь, причем ложь преподносить так, что-

[1] Редль Альфред — полковник Генштаба Австро-Венгрии, незадолго до Первой мировой войны завербованный русской разведкой.

бы она выглядела достаточно правдоподобно. Я сказал, что в своей работе полагался на мнение специалистов, поэтому нам лучше не вдаваться в детали, дабы не возникло лишних противоречий, и попросил вызвать на допрос майора Ченжского. Они согласились, и Ченжский сумел их убедить, что внесенные перед войной изменения сделали невозможным дешифрование немецкой переписки в ходе войны. Я думаю, что они нам поверили, поскольку допросы прекратились».

А в это время англичане и американцы приступили к исполнению плана, направленного на то, чтобы ввести немцев в заблуждение относительно места планируемой высадки своих войск в Западной Европе. План получил кодовое наименование «Сила духа». Однако осуществление этого плана оказалось под угрозой после того, как немцы арестовали Густава Бертрана, а затем освободили его при весьма подозрительных обстоятельствах. Если Бертран проговорился, что «Энигма» взломана англичанами, то немцы могли воспользоваться операцией «Сила духа», чтобы обмануть англо-американских союзников. О том, что случилось с Бертраном, англичане узнали в январе 1944 года, после того как он оказался на свободе. Более точно выяснить, что немцам успел поведать Бертран, можно было, только обстоятельно побеседовав с ним с глазу на глаз. Однако это оказалось не так-то просто сделать.

Три месяца после освобождения Бертран оставался во Франции — ровно столько времени понадобилось сотрудникам Секретной разведывательной службы Англии, чтобы связаться с ним. Обстоятельства очередной встречи Бертрана со связным мало чем отличались от событий, предшествовавших его аресту. В полдень 8 мая 1944 года он и его жена Мари должны были стоять у входа в собор в городе Орлеане. К ним должен был подойти связной Фафа, держа в руках газету. Паролем служила фраза «Поезд из Нима только что прибыл».

В назначенное время Бертран и его жена прогуливались у входа в собор. Мари услышала, как какая-то женщина сказала своему спутнику о поезде, только что прибывшем из Нима. Мужчина повернулся к Бертрану и спросил, не из Нима ли он. Бертран сухо ответил, что нет, и быстро ушел вместе с женой.

На следующий день ровно в полдень Бертран и его жена опять пришли к собору. Вскоре Бертран заметил, что к собору на мотоцикле подъехал мужчина, которого он видел вчера. Бертран подошел к нему и назвал пароль. Долгожданный контакт состоялся, это был связной Фафа. Однако прежде чем Бертран сумел покинуть Францию, он опять едва не попал в лапы к немцам. Возвращаясь в отель, Бертран увидел в проезжавшем мимо автомобиле господина Масуя — следователя из абвера, который допрашивал его после ареста, а потом отпустил с условием, что Бертран будет сотрудничать с немцами. На счастье Бертрана, господин Масуй смотрел в другую сторону и не заметил его.

31 мая 1944 года на волнах английской радиостанции «Би-би-си» прозвучала условная фраза: «Расцвели белые лилии». Она означала, что ближайшей ночью Фафа и его люди должны отвезти Бертрана и его жену в условленное место в окрестностях Орлеана, там их возьмет на борт самолет и доставит в Англию. Однако никакого самолета замечено не было, если не считать немецкого истребителя, который, к счастью, проигнорировал сигналы зажженными факелами, которые ему подавали Бертран и Фафа. 2 июня условная фраза про белые лилии снова прозвучала по радио. На этот раз все прошло благополучно и Бертран вместе с женой очутились в Англии. В тот же день на волнах «Би-би-си» можно было услышать еще одну довольно странную фразу: «Майкл сбрил свои усы». Благодаря ей Фафа узнал, что операция по переправке Бертрана в Англию прошла успешно и что тот избавился, наконец, от усов, которые отрастил, чтобы изменить внешность, пока был вынужден прятаться от немцев.

Теперь можно было тщательно разобраться в вопросе о том, что именно Бертран рассказал немцам на допросе. У Стюарта Мензиса, главы Секретной разведывательной службы Англии, было всего два дня, чтобы выслушать рассказ Бертрана и попытаться проверить, насколько правдивым был этот рассказ. Бертран появился на пороге кабинета Мензиса 3 июня, всего за пару суток до начала высадки англо-американских войск в Западной Европе. В допросе Бертрана Мензис пригласил принять участие начальника французской контрразведки Поля Пейоля — единственного француза, который знал и точную дату высадки союзных войск, и о дешифровании немецкой шифрпереписки в Блетчли-Парке.

По итогам допроса Бертрана был составлен отчет. В этом отчете говорилось, что сразу после ареста 5 января Бертран был допрошен господином Масуем, угрюмым типом в ярко-красной рубашке и черном галстуке. Масуй с леденящими душу подробностями расписал Бертрану пытки, которым подвергаются несговорчивые заключенные. Бертрана охватил панический ужас, поскольку он знал, что не выдержит пыток и все расскажет.

Чтобы как-то выйти из создавшейся ситуации, Бертран решил притвориться, что готов сотрудничать с немцами, и пообещал, что вступит в контакт со своими соратниками по подполью во Франции, прежде чем они успеют узнать, что он был арестован. Бертран также пообещал организовать встречу со связным из Лондона, чтобы люди Масуя могли устроить засаду.

7 января Бертран послал в Лондон шифровку, в которой попросил организовать 15 января очередную встречу со своим связным. Позднее в своем отчете Бертран заявил, что планировал отменить эту встречу и бежать из Франции сразу же после того, как Масуй разрешит ему свободно передвигаться по стране. План Бертрана сработал. 11 января он и его жена были отпущены на свободу при условии, что они снова встретятся с Масуем не позднее 14 января. В последний момент Бертран успел отменить запланированную встречу с английским связным и передать в Лондон информацию, почерпнутую из бесед с Масуем. Чтобы сбить со следа Масуя, 27 и 28 января радиостанция «Би-би-си» сообщила, что «Густав и Мари Бертран благополучно прибыли в Лондон».

Читая отчет Бертрана, Пейоль никак не мог найти компромиссное решение, которое бы устроило всех. С одной стороны, он не хотел предать своего коллегу, с которым долгое время служил во Втором бюро. С другой стороны, Пейоль не желал, чтобы, в случае провала операции «Сила духа», сотни солдат были убиты только потому, что он оказался чрезмерно снисходителен к Бертрану. Слишком многое из того, что поведал Бертран, выглядело неправдоподобно. Действительно ли Масуй был столь наивен, что полагал, будто, оказавшись на свободе, Бертран добровольно вернется, чтобы исполнить роль двойного агента? Почему Масуй, зная о связи между Бертраном и Гансом Шмидтом, ни разу не спросил, какие данные передавал ему Шмидт?

Пейоль в конце концов решил довериться своей интуиции, которая никогда его не подводила. Бертран не был похож на предателя. Он поведал Пейолю свою историю, глядя ему прямо в глаза. Бертран горел таким желанием рассказать абсолютно обо всем, что Пейоль не мог заставить себя поверить, будто Бертран стал двойным агентом. Бертран даже не попытался утаить данные, которые отнюдь не свидетельствовали в его пользу. Это окончательно убедило Пейоля в том, что его коллега ни в чем не виновен.

Впоследствии Пейоль все-таки признался, что нашел в поведении Бертрана нечто настораживающее. Бертран несколько раз настойчиво выведывал у Пейоля точную дату и место высадки союзных войск в Западной Европе. Более того, Бертран настаивал, чтобы информация о высадке была сообщена его связным во Франции, хотя к тому времени они вполне могли быть перевербованы немцами. В результате Пейоль решил, что было бы неверно предоставить Мензису полностью положительное заключение о проведенном расследовании. Конечно, Пейоль не считал, что Бертран рассказал немцам про «Энигму», но и оставлять Бертрана на свободе Пейоль не желал. Поэтому Пейоль выработал половинчатое решение. Он сообщил Мензису, что, по его мнению, немцы ничего не узнали про «Энигму», однако рекомендовал посадить Бертрана под домашний арест, пока не закончится высадка англо-американских войск в Нормандии.

Это было достаточно мудрое решение. Пейоль решил, что Бертрана необходимо защитить от Мензиса. Ознакомившись с фактами, изложенными Бертраном, Пейоль счел своего коллегу, по меньшей мере, наивным. Бертран сообщил немцам имена своих соратников по подполью. Он назначил своему связному из Лондона встречу, о которой рассказал во всех подробностях Масую. Если бы Бертрану не удалось вовремя избавиться от опеки Масуя, связной был бы непременно схвачен. Таким образом, выходило, что Бертран сотрудничал с немцами, добиваясь своего собственного освобождения. Если Бертран всеми силами пытался скрыть от немцев главный секрет, касавшийся надежности их основного шифратора, то он действовал вполне разумно и правильно. Однако англичане могли рассудить по-иному. Узнав, что Бертран рисковал жизнью кадрового сотрудника Секретной разведывательной службы, они немедленно изолировали бы его на весьма долгий срок. Чтобы избежать этого, Пейоль заставил Бертрана порвать отчет и написать новый, опустив детали, касавшиеся сотрудничества с немцами. Таким образом, Пейоль пошел на прямой подлог, чтобы помочь бывшему коллеге выпутаться из неприятной истории. И если Бертран не был до конца честен в беседе с Пейолем, последнему грозили очень крупные неприятности. Однако Пейолю оставалось надеяться только на то, что интуиция не обманула его и что время в конце концов само рассудит, кто был прав.

Тем временем произошел очередной захват субмарины противника с секретными документами, имевшими отношение к «Энигме». 4 июня 1944 года в 11.15 на американском эсминце «Шателен», входившем в отряд боевых кораблей под командованием капитана 1-го ранга Даниеля Галлери, засекли немецкую подводную лодку «У-505». Отряд нес патрульную службу у берегов Западной Африки. С находившегося поблизости американского авианосца «Гуадалканал» был выслан самолет-разведчик, который помог определить точное местонахождение «У-505». Сброшенные с «Шателена» глубинные бомбы заставили ее всплыть.

Документы, найденные на «У-505», были переправлены на борт «Шателена», и Галлери приказал взять субмарину на буксир. Ближайший нейтральный порт на побережье Западной Африки находился в Дакаре. Однако командование американским флотом в Атлантике сочло, что это слишком опасно, и приказало Галлери отбуксировать захваченную немецкую субмарину к Бермудским островам.

Документы, найденные на «У-505», попали в Блетчли-Парк 20 июня. Среди них были «офицерские» и обычные ключевые установки для «Энигмы» за июнь, действующий «погодный» код, а также экземпляры таблиц биграмм и «погодного» кода, которые должны были вступить в действие 15 июля и 1 августа соответственно. Помимо этого в руки английских дешифровальщиков впервые попал так называемый «адресный» код, который использовался немцами для того, чтобы засекречивать координаты подводных лодок.

Несмотря на такие ценные трофеи, командующий американским флотом в Атлантике адмирал Эрнст Кинг был вне себя от ярости и пригрозил Галлери трибуналом за проявленное безрассудство. По мнению Кинга, своим опрометчивым поведением Галлери поставил под угрозу дальнейшее чтение немецких шифровок. В Лондоне с Кингом был солидарен Первый морской лорд Англии Эндрю Каннингхем, который 4 июня телеграфировал Кингу:

> «Сейчас очень важно, чтобы немцы не заподозрили, что их шифры взломаны. Поэтому я уверен, что Вы не будете возражать, если всем причастным к захвату "У-505" будет отдан приказ хранить в строжайшем секрете обстоятельства, сопутствовавшие этому захвату».

Каннингхем был абсолютно прав: это было очень важно. В отличие от других случаев захвата подводных лодок противника, когда пленных так быстро запихивали в трюмы английских военных кораблей, что они не успевали до конца осознать случившееся с ними, немецкие подводники с «У-505» были непосредственными свидетелями захвата, поэтому после того как их отправили в лагерь, находившийся на территории Соединенных Штатов, они были полностью изолированы от других военнопленных. Даже представителям Красного Креста не разрешалось их навещать: на время их визита пленных немцев, служивших на «У-505», тайно вывозили из лагеря. А о том, что они остались живы, близкие узнали только в 1947 году, когда пленным было наконец разрешено вернуться на родину.

## Высадка в Нормандии

Идея проведения операции по высадке англо-американских союзников в Северной Франции принадлежит Иосифу Сталину. 18 июля 1941 года в своем письме Черчиллю он писал:

> «Мне кажется... что военное положение Советской России, равно как и Англии, было бы значительно улучшено, если бы был создан фронт против Гитлера на Западе (в Северной Франции)... Фронт на севере Франции не только помог бы оттянуть силы Гитлера с Востока, но и сделал бы невозможным вторжение Гитлера в Англию. Создание такого фронта было бы популярным как в армии, так и среди всего населения Англии. Я представляю все трудности создания такого фронта, но мне кажется, что, несмотря на эти трудности, его следовало бы создать не только ради нашего общего дела, но и ради интересов самой Англии».

Уже в конце 1941 года английские штабы всерьез занялись планированием возвращения английской армии на континент, хотя в то время такая перспектива больше относилась к разряду оптимистических надежд, чем к военным реалиям. Однако, начиная с середины 1943 года, операция по форсированию пролива Ла-Манш, получившая кодовое наименование «Оверлорд», постепенно стала обретать все более зримые черты.

В августе 1943 года на конференции в Квебеке были

согласованы основные принципы операции «Оверлорд». Ее проведение было назначено на май 1944 года. Изначально на нормандском побережье Франции в первой волне десанта предполагалось высадить три дивизии. За ними должны были последовать еще две дивизии. В районе высадки не было ни одного крупного порта, а потому предполагалось, что этот район будет защищен слабее. Чтобы наладить быструю разгрузку судов прямо на побережье, было решено построить в районе высадки две искусственные гавани. В начале 1944 года было принято решение увеличить численность первого эшелона десанта до пяти дивизий и провести высадку ближе к городу Шербуру. Работа над окончательным вариантом плана операции «Оверлорд» была завершена только 10 апреля 1944 года. Ее проведение было назначено на 6 июля 1944 года, а основной целью провозглашался «захват плацдарма на континенте, откуда будут вестись дальнейшие наступательные операции».

Вторжение в Нормандию было весьма опасным предприятием. Союзным войскам предстояло высадиться на побережье, которое противник занимал в течение четырех лет. У немцев было достаточно времени, чтобы построить солидные оборонительные укрепления. А возможности англо-американских союзников создать необходимое превосходство в силах ограничивались тем, что им предстояло совершить переход морем, а также недостаточным количеством десантных средств. Таким образом, у англо-американских союзников были все основания опасаться за успех своего удара по Атлантическому валу — так Гитлер именовал немецкие оборонительные позиции в Северной Франции.

Начиная с марта 1942 года, когда Рундштедт[1] был назначен главнокомандующим немецкими войсками в За-

---

[1] Рундштедт Герд (1875—1953) — немецкий военачальник. На военной службе с 1892 г. В 1939 г. во время нападения на Польшу командовал группой армий «Юг», а в 1940 г. при наступлении на Францию — группой армий «А». 30 ноября 1941 г. после поражения под Ростовом-на-Дону отстранен от командования группой армий «Юг» на советско-германском фронте и направлен в резерв.

падной Европе, дешифровки «Энигмы» служили стабильным источником информации об этом театре боевых действий. Рундштедт регулярно отправлял в Берлин сводки о численности личного состава 60 дивизий Западного фронта. Из радиограмм Рундштедта англичане узнали, что в его обязанности входили организация отдыха и перевооружение потрепанных воинских частей, прибывавших с Востока. Благодаря этим радиограммам, английские военные получили общее представление об укомплектованности войск Рундштедта людьми и техникой, а также о трудностях, с которыми он сталкивался. В частности, фактическая численность некоторых дивизий, находившихся под командованием Рундштедта, не превышала 50 процентов штатного состава. Поэтому Рундштедт постоянно жаловался в Берлин на неукомплектованность личного состава и на неудовлетворительное состояние своей обороны. Это была очень важная информация для английских штабистов, отвечавших за подготовку операции «Оверлорд».

В конце 1943 года англичан больше всего беспокоило мнение Рундштедта о том, где должно было состояться вторжение во Францию англо-американских союзников. Рундштедт считал, что они изберут кратчайший морской путь и высадятся в районе Па-де-Кале. Перехваченная англичанами шифровка Рундштедта, в которой он излагал свое мнение, положила начало тщательно разработанной операции по дезинформации, которая была призвана подкрепить это мнение.

В апреле 1944 года из радиограмм немецкого верховного командования стало известно, что командующим группой армий «Б» в Западной Европе был назначен Роммель. Перед ним была поставлена задача оборонять морское побережье от Голландии до Нанта, включая Нормандию и Бретань. Как только Роммель принял командование, он стал слать в Берлин радиограммы, требуя строительные материалы и рабочую силу для приведения в надлежащее состояние Атлантического вала. Однако заявки Роммеля практически не находили отклика в Берлине. Роммель предупредил Гитлера, что все строительные работы приходится выполнять самим войскам и это весьма отрицательно сказывается на их боеготовности.

Весной 1944 года наметились существенные разногласия между Роммелем и Гудерианом[1] относительно того, как следовало действовать, чтобы отразить вторжение англо-американских войск во Францию. В отличие от Рундштедта, Роммель был твердо убежден, что высадка союзных войск произойдет на берегах Нормандии. Тщательно изучив методы, которые англичане и американцы применяли при десантировании на Средиземном море, Роммель пришел к выводу, что отразить вторжение можно только непосредственно в береговой зоне. Роммелю возразил Гудериан, который заявил, что выводить танки к берегу слишком опасно.

Однако Роммель наотрез отказался отступать от предложенной им дислокации войск. Он послал Гитлеру радиограмму, в которой подтвердил свое мнение о том, что танковые дивизии следовало расположить у нормандских берегов, и отверг идею Гудериана разместить танковый резерв в окрестностях Парижа.

Это было чрезвычайно важное сообщение. Из перехваченных ранее интендантских отчетов англичане уже знали состав и расположение немецкого танкового резерва. А из радиограммы Роммеля впервые узнали о том, что существовала реальная возможность переброски этого резерва в район высадки в Нормандии в случае, если Роммель сумеет отстоять перед Гитлером свое решение. Для успеха операции «Оверлорд» англо-американским союзникам необходимо было не только суметь перебросить свои войска в Нормандию, но и добиться наибольшей внезапности в том, что касалось точного места и времени высадки. Также им хотелось бы, чтобы немецкие пе-

---

[1] Гудериан Хайнц (1888—1954) — немецкий военачальник и военный теоретик. В своих книгах «Внимание — танки!» (1937) и «Бронетанковые войска и их взаимодействие с другими родами войск» (1937) отводил главную роль в исходе войны массированному применению танков. В 1939—1940 гг. командовал танковым корпусом, с октября 1941 г. — танковой армией. В декабре 1941 г. после поражения под Москвой отчислен в резерв. С марта 1943 г. генерал-инспектор танковых войск.

хотные дивизии как можно дольше оставались в районе Па-де-Кале, а танковый резерв — около Парижа.

В мае 1944 года англичане перехватили радиограмму Гитлера Рундштедту, в которой говорилось, что четыре танковые дивизии из состава резерва должны оставаться на месте в качестве ударной группы и находиться в распоряжении верховного командования. Учитывая, что не было никаких признаков переброски немецких пехотных дивизий из Па-де-Кале, это означало, что немецкое верховное командование по-прежнему не располагало надежными сведениями относительно истинных намерений англичан и американцев. Вновь и вновь дешифровальщики из Блетчли-Парка просеивали перехваченные и прочитанные шифровки немцев в поисках данных о любых изменениях в численности и дислокации немецких частей, а также малейших признаков того, что противнику стали известны точное место и время высадки англо-американских войск в Нормандии. Таких указаний не было.

В ночь с 5 на 6 июня 1944 года, когда армада английских и американских кораблей вышла к берегам Нормандии, Гарри Хинсли сидел в своем кабинете в Блетчли-Парке, положив перед собой карту Франции. Хинсли было всего 25 лет, но он уже успел довольно высоко подняться по служебной лестнице, превратившись из простого аналитика, занимавшегося составлением информационных сводок для командования военно-морскими силами Англии, в помощника самого Эдуарда Тревиса, начальника английского дешифровального центра.

В эту ночь Хинсли было поручено очень ответственное задание. Он должен был немедленно информировать английских и американских военачальников, находившихся в Лондоне, когда в перехваченных и дешифрованных немецких сообщениях впервые будет упомянуто о том, что десантные корабли союзников замечены в море. К моменту высадки англо-американских войск в Нормандии дешифровальщики из Блетчли-Парка в совершенстве овладели искусством взлома «Энигмы». В течение нескольких месяцев подряд при вскрытии ключевых установок для «Энигмы» они использовали сообщения, которые посылала немецкая метеорологическая станция в районе Бискайского залива. Эти сообщения неизменно начинались одной и той же фразой: «Метеопрогноз для Бискайского залива...»

Фраза служила отличным «подстрочником», который день за днем позволял оперативно читать шифровки противника. Впервые с успехом применить его для чтения шифровок, циркулировавших в немецкой сети связи «Тритон», английские дешифровальщики сумели в октябре 1943 года. До этого им приходилось сначала читать шифровки, перехваченные в другой немецкой сети связи — «Гидра». И лишь потом, зная, что некоторые сообщения «Гидры» дублировались в «Тритоне», использовать прочитанные шифровки в качестве «подстрочников» при взломе «Тритона». Это означало, что шифровки «Тритона» читались с задержкой в один или два дня.

В январе 1944 года англичане перехватили немецкую шифровку, которая была послана Службой связи немецких военно-морских сил и адресована метеорологической станции немцев в районе Бискайского залива. В этой шифровке говорилось:

> «Прогноз погоды для Бискайского залива передается ежедневно в одно и то же время, причем тексты прогнозов почти идентичны...»

В Блетчли-Парке, затаив дыхание, ждали ответной реакции немецкого связиста с метеостанции на критику в его адрес. Однако никакой реакции не последовало, и все продолжалось, как прежде.

Еще одной причиной, по которой англичане и американцы смогли существенно ускорить процесс чтения немецких сообщений, засекреченных при помощи военно-морской «Энигмы», являлось то, что в результате исследований, проведенных американскими дешифровальщиками, удалось сократить количество проверяемых ключевых установок. Например, выяснилось, что в течение полугода порядок следования дисков в «Энигме» не повторялся. В результате вскрытые ключевые установки для «Энигмы» можно было на шесть месяцев исключить из рассмотрения при тестировании на «Бомбах». Кроме того, если какой-то диск был использован в определенной позиции (скажем, диск 2 был установлен в крайнюю левую позицию), то на следующий день с вероятностью 0,8 в этой позиции должен был появиться один из дисков под номерами 6, 7 или 8 (то есть диски, которых не было в «Энигмах» люфтваффе и сухопутных войск). На сбор подобной статистики ушло много времени, однако в Блетчли-Парке и в «ОП-20Г» надеялись, что это позволит более оперативно читать немецкие шифровки и тем самым спасти жизни многим солдатам и морякам в ходе высадки союзных войск в Нормандии.

Положительную роль сыграло и увеличение количества «Бомб», находившихся в распоряжении английских и американских дешифровальщиков. В 1944 году их общее количество достигло 330 против всего 12 в конце 1941 года. По настоянию Фрэнка Берча, начальника секции военно-морской разведки английского дешифровального центра, в Блетчли-Парке были установлены антенны для перехвата немецких сообщений, посылавшихся по радио. Как следствие, время между перехватом сообщения и его чтением значительно сократилось.

Первая немецкая шифровка, в которой упоминалось о начавшейся операции по высадке англо-американских войск в Западной Европе, была прочитана в 3 часа утра 6 июня 1944 года. Она была послана Гитлеру и Рундштедту немецким военно-морским штабом, который располагался в Париже. В ней сообщалось о начавшемся вторжении союзников в Нормандию. Рундштедт счел это блефом и, все еще веря во вторжение по кратчайшему пути, на всякий случай приказал поднять по тревоге 15-ю армию в Па-де-Кале.

Хинсли немедленно сообщил о содержании немецкой шифровки в Лондон. Вскоре один из трех телефонов, стоявших на рабочем столе Хинсли, зазвонил. На другом конце провода женский голос спросил:

— Это мистер Хинсли?

— Да.

— С вами будет говорить премьер-министр. Не отходите от аппарата.

Ожидая, пока трубку возьмет Уинстон Черчилль, Хинсли припомнил визит премьер-министра в Блетчли-Парк в 1941 году. Воспоминания Хинсли были прерваны голосом, знакомым по многочисленным эфирным выступлениям:

— Противник уже пронюхал, что мы начали наступление?

Хинсли ответил, что первая немецкая шифровка на этот счет была недавно прочитана и информация о ней уже отправлена в Лондон по телеграфу. Не сказав ни слова, Черчилль неожиданно повесил трубку. Через полтора часа снова раздался телефонный звонок. Это опять был Черчилль.

— Как дела? Нас ждут какие-то неприятности?

Хинсли обстоятельно изложил последние данные, полученные дешифрованием немецкой переписки. На основе этих данных из Блетчли-Парка в английское адмиралтейство ушла телеграмма, которая начиналась словами:

> «Немецкая торпедная флотилия получила приказ немедленно атаковать наши десантные корабли...»

К полудню 6 июня английские и американские десантники сумели закрепиться в районе высадки. Только тогда Хинсли покинул свой пост в Блетчли-Парке, на котором находился почти сутки, и оправился домой, чтобы немного отдохнуть.

Около полудня в Блетчли-Парке была перехвачена радиограмма Роммеля с приказом использовать 21-ю танковую дивизию против англо-американских союзников, высадившихся западнее Кана. Радиограмма была послана из Германии.

Распоряжение Гитлера о передаче Роммелю 12-й танковой дивизии из резерва главного командования было перехвачено во второй половине дня. План Роммеля заключался в том, чтобы отразить вторжение англо-американских войск танковым ударом. Однако 12-я танковая дивизия не осмелилась начать движение до наступления сумерек, опасаясь английских и американских самолетов, которые кружили в небе над Нормандией.

Поздно вечером Роммель доложил верховному командованию, что наступление противника на Кан остановлено и что две танковые дивизии заняли оборону в окрестностях города. Одновременно Рундштедт распорядился перебросить в район Кана еще одну резервную танковую дивизию. 9 июня Рундштедт приказал Роммелю контратаковать противника. На что Роммель ответил следующей радиограммой:

> «12-я танковая дивизия прибыла с горючим на исходе... и совершенно не готова к боевым действиям. При сложившихся обстоятельствах немедленно выбить противника с занимаемых позиций не представляется возможным, поэтому необходимо перейти к обороне... пока не будет завершена подготовка к контрудару».

Это была важная информация, которая свидетельствовала о том, что англичане и американцы получили в Нормандии желанную передышку.

Из дешифровок «Энигмы» англичанам стало известно, что Гитлер сам определяет стратегию для отражения начавшегося вторжения союзных войск в Нормандию. Когда американцы приблизились к Шербуру, он отправил начальнику городского гарнизона Шлибену шифровку такого содержания:

> «Даже если случится самое худшее, Ваш долг состоит в том, чтобы обороняться до последнего и оставить противнику не порт, а груду развалин. Немецкий народ и весь мир следят за Вашими боевыми действиями. От них зависит исход операции по ликвидации союзнического плацдарма, а также честь немецкой армии и Вашего имени».

В ответ Шлибен прислал Гитлеру следующую радиограмму:

> «Ввиду огромного превосходства противника в самолетах, танках и артиллерии, а также вследствие обстрела города из корабельных орудий, я считаю своим долгом заявить, что дальнейшие жертвы ничего не смогут изменить».

Вместо Гитлера на это послание ответил Роммель:

> «Вы будете продолжать сражаться до последнего патрона в соответствии с приказом фюрера».

Из дешифровок «Энигмы» англичане узнали, что три немецкие танковые дивизии, передислоцированные в окрестности Кана, полностью готовы к ведению активных боевых действий и что туда с Восточного фронта направляются еще две танковые дивизии — 9-я и 11-я. Вскоре последовала еще одна радиограмма верховного командования Рундштедту и Роммелю о том, что к ним из Бельгии прибывает дополнительное подкрепление в виде двух танковых дивизий.

В ночь с 27 на 28 июня командующий 7-й армией генерал Пауль Хауссер послал Рундштедту и Роммелю радиограмму, в которой сообщил о своем намерении 29 июня в 7.00 нанести контрудар по противнику. Радиограмма Хауссера была прочитана в Блетчли-Парке и доведена до сведения всех командиров на местах как раз вовремя, чтобы они успели привести в боевую готовность тактическую авиацию. Незадолго до 7 утра английские летчики нанесли удар по выбранным целям настолько удачно, что Хауссер был вынужден доложить Роммелю:

> «...Как только наши танки вышли на исходные позиции, они были атакованы вражескими истребителями-бомбардировщиками и дезорганизованы до такой степени, что нам пришлось отложить наступление на семь часов».

В результате контрудар немцев был отражен артиллерийским огнем с подоспевших военных кораблей англичан и обе воюющие стороны опять перешли к обороне.

Когда немецкие контратаки не принесли желаемого успеха, Рундштедту стало совершенно ясно, что помешать англо-американским союзникам наращивать свои силы на завоеванном плацдарме в Нормандии не удастся. Рундштедт и Роммель попытались разъяснить Гитлеру сложившуюся обстановку, но он настаивал на том, чтобы ни в коем случае не отступать, и даже не разрешил Рундштедту произвести перегруппировку войск по собственному усмотрению. В результате немецким войскам пришлось вести бои на невыгодных рубежах. Радиограмма Гитлера подтвердила его решение:

> «Теперешние позиции надо удерживать любой ценой».

Так с помощью дешифровок «Энигмы» англичане получили первое указание на то, что Рундштедт и Роммель почуяли опасность и решили начать отступление.

Давление англо-американских союзников в Нормандии усилилось, и Гитлер решил отстранить Рундштедта и заменить его фельдмаршалом Клюге[1], находившимся на Восточном фронте. Первым свидетельством отставки Рундштедта стала радиограмма Клюге, посланная им как главнокомандующим Западным фронтом. Она слово в слово повторила приказ Гитлера о том, что все позиции следует удерживать любой ценой.

Приняв бразды правления у Рундштедта, Клюге первым делом составил доклад об обеспеченности войск и отправил его верховному командованию в Берлин. Его радиограмма, которую англичанам удалось перехватить, не только стала бесценным источником самых свежих сведений о численности различных немецких соединений на Западном фронте, но и позволила получить точное представление о потерях, понесенных немцами.

10 июля американцы начали наступательную операцию с целью овладеть французским городом Сен-Ло. 2-й парашютно-десантный корпус, противостоявший американцам, входил в состав немецкой группы армий «Б» в Нормандии под командованием Роммеля. Ожесточенное сопротивление 2-го парашютно-десантного корпуса заставило американцев временно приостановить попытку овладеть Сен-Ло. Однако англо-американским союзникам было крайне необходимо захватить этот город и использовать его как плацдарм для продолжения своего наступления, прежде чем на этот участок будет переброшена одна из немецких танковых дивизий. 17 июля командир 2-го парашютно-десантного корпуса запросил у Роммеля разрешения отойти. Обычного бескомпромис-

---

[1] Клюге Ганс (1882—1944) — немецкий военачальник. Во время Второй мировой войны командовал армиями в ходе вторжения немецких войск в Польшу и Францию. В 1941—1943 гг. — командующий группой армий «Центр» на советско-германском фронте.

сного приказа Роммеля удерживать позиции любой ценой не последовало, и 2-й парашютно-десантный корпус отступил от Сен-Ло. Это было первое указание на то, что с Роммелем что-то случилось. Второе указание англичане получили, когда прочли шифровку Клюге о том, что он вступил в командование группой армий «Б». Через некоторое время стало известно, что 17 июля автомобиль Роммеля подвергся обстрелу самолетов противника, а сам Роммель взрывной волной был выброшен из машины и получил тяжелые ранения.

25 июля американская 1-я армия начала наступательную операцию под кодовым наименованием «Кобра». Развить ее успех предстояло только что высадившейся американской 3-й армии под командованием Паттона. Немцы бросили в бой свои последние резервы, стремясь остановить продвижение войск противника. 31 июля американские войска прорвали оборону немцев. Танки Паттона устремились в образовавшийся прорыв.

По мере того как разгром немцев на Западном фронте набирал силу, англичанам, благодаря дешифровкам «Энигмы», стало ясно, что Клюге не имеет представления о том, что происходит. Его радиограммы в штаб 7-й армии с требованием доложить обстановку оставались без ответа. 31 июля Клюге был вынужден сообщить Гитлеру, что обстановка совершенно не ясна, что активность авиации противника беспрецедентна и что, по-видимому, Западный фронт прорван.

Гитлер ответил Клюге, что принимает на себя командование Западным фронтом. Следующая радиограмма Гитлера, перехваченная в Блетчли-Парке, была адресована так называемой организации Тодта[1]. В этой радиограмме содержался приказ переключиться на строительство оборонительных укреплений. Затем Гитлер разослал следующее распоряжение всем немецким войскам на Западе:

---

[1] Военно-строительное ведомство, занимавшееся возведением пусковых позиций для ракетных установок «Фау» в районе Па-де-Кале. Названо по имени немецкого министра военной промышленности, погибшего в авиакатастрофе в 1942 г.

> «В случае получения приказа об отступлении следует немедленно разрушить все железные дороги, локомотивы, мосты и мастерские, а войскам, обороняющим укрепленные порты, сражаться до последнего солдата, чтобы не допустить использования этих портов противником».

2 августа в своей длинной радиограмме Гитлер приказал Клюге снять танковые и пехотные дивизии из района Кана, чтобы молниеносным ударом расчленить американские войска и оттеснить их к морю. Англо-американским союзникам оставалось только выяснить, где и когда Гитлер планирует нанести свой молниеносный удар. Имея в распоряжении два-три дня, англичане и американцы могли подготовиться к этому удару, лишив его фактора внезапности.

Клюге ответил Гитлеру такой же длинной радиограммой, изложив свои опасения относительного планируемого удара:

> «Помимо вывода необходимых для обороны танковых дивизий из района Кана, такое наступление, если оно не принесет немедленного успеха, поставит все наступающие войска под угрозу быть отрезанными с запада».

Клюге прямо заявил, что последствия контрудара могут быть катастрофическими. Чуть позже англичане перехватили строгий приказ Гитлера продолжить подготовку к контрудару.

7 августа Клюге радировал в Берлин:

> «Наступление остановлено. Потеряно более половины всех танков».

Далее он рекомендовал Гитлеру отдать приказ о подготовке к общему отступлению. Однако Гитлер отказался сделать это. В его очередной радиограмме, перехваченной англичанами, говорилось:

> «Я приказываю, пренебрегая опасностями, смело и дерзко продолжать наступление до самого моря».

Гитлер по-прежнему не хотел слышать никаких возражений по поводу своих требований:

> «Наше наступление было начато слишком рано и было очень слабым. 11 августа необходимо предпринять новое наступление».

16 августа Клюге радировал верховному командованию, прося разрешения начать отвод войск и предупреждая, что:

> «...промедление с принятием этого решения приведет к последствиям, предугадать которые невозможно».

Однако приказ Гитлера об отступлении запоздал и был получен только 17 августа. В результате 20 августа сразу шесть немецких дивизий попали в окружение близ французского города Фалеза. Было убито 25 тысяч и взято в плен около 40 тысяч немцев, а те части, которым удалось вырваться из окружения, были вынуждены оставить все свое тяжелое оружие и боевую технику.

В ночь на 17 августа последовал приказ Гитлера об отставке Клюге с постов главнокомандующего войсками Западного фронта и командующего группой армий «Б». Клюге получил от Гитлера короткое письмо, в котором говорилось, что он переутомился за недели боев, а потому для восстановления здоровья на некоторое время переводится в резерв. Рано утром 18 августа Клюге попрощался со своими штабными офицерами и на автомобиле выехал в Германию. По пути он приказал водителю остановиться и принял яд, после чего был доставлен в местный госпиталь, где вскоре скончался.

## На службе у КГБ

Сверхсекретная информация, которую английские дешифровальщики добывали во время Второй мировой войны с помощью взлома «Энигмы», попадала и в Москву. Происходило это двумя путями.

Во-первых, через советских агентов в Англии, имевших к ней доступ. Одним из таких агентов являлся Лео Лонг. Благодаря прекрасному знанию немецкого языка, в декабре 1940 года Лонг был зачислен в отдел «МИ-14» английского министерства обороны. Этот отдел занимался сопоставлением и анализом разведывательной информации о боевых порядках немецких войск. Здесь Лонг регулярно знакомился с дешифровками «Энигмы». Однако вскоре он уволился из «МИ-14», отошел от дел и стал противиться попыткам советской разведки продолжить контакты с ним. Отказ Лонга от сотрудничества объяснялся, в основном, изменениями в семейной жизни. Его первая женитьба на коммунистке оказалась неудачной. Лонг женился снова, и семейные дела поглотили его целиком, не оставив места для работы на советскую разведку.

Во-вторых, Лондон сам в завуалированной форме поставлял в Москву разведывательные данные, добытые из дешифровок «Энигмы». О немецком плане «Барбаросса» англичане были осведомлены задолго до его осуществления. Английский офицер Сесил Барклей был одним из немногих сотрудников посольства Англии в Москве, знавших о существовании дешифровального центра в Блетчли-Парке. Без ссылки на источник информации он официально предупредил одного из представителей высшего военного командования Советской России о планировавшемся вторжении Германии. Насколько там обратили внимание на это предупреждение и во что такое пренебрежение к предоставленным сведениям обошлось Советской России, хорошо известно.

После нападения Германии на Советский Союз англичане не спешили делиться достигнутыми успехами со своим восточным союзником по антигитлеровской коалиции. Дело в том, что Соединенные Штаты и Англия приняли согласованное решение, которого твердо придерживались в течение всей войны. Оно заключалось в том, чтобы ничего не сообщать Советскому Союзу об «Энигме». Одной из главных причин стало опасение, что применяемые Советской Россией шифры были слишком слабыми. Из-за их ненадежности Стюарт Мензис, руководитель Секретной разведывательной службы Англии, категорически не советовал Черчиллю передавать в Москву материалы, полученные в результате чтения немецких шифровок. По мнению Мензиса, сообщить советской стороне, что англичане взломали «Энигму», было равносильно тому, чтобы доложить об этом прямо немцам. В конце июня 1941 года в Блетчли-Парке стало известно, что немцы читали шифровки советских морских судов и 17-й авиационной армии, дислоцированной под Ленинградом. Не было никаких гарантий, что та же участь не постигла советские шифры, применявшиеся для защиты сообщений стратегической важности.

Предвоенные чистки среди высшего командного состава советских вооруженных сил, обвинения и расстрелы за шпионаж в пользу Германии породили в Англии справедливые опасения, что немецкие шпионы проникли в советское военное руководство. Кроме того, первоначально у американцев и англичан было мало уверенности, что Советская Россия сможет выстоять против сокрушительной немецкой военной мощи. А когда стало ясно, что русские имеют все шансы на победу в войне против немцев, сыграли роль взаимное недоверие и соперничество союзников по антигитлеровской коалиции.

Тем не менее полностью игнорировать Советскую Россию было невозможно, и уже 24 июля 1941 года Черчилль, несмотря на все протесты, отдал Мензису распоряжение передавать Сталину разведывательные данные, полученные путем взлома «Энигмы», через английскую военную миссию в Москве при условии, что любой риск компрометации их источника будет исключен. После этого при виде важного перехвата, касавшегося событий на Восточном фронте, Черчилль непременно спрашивал: «А это показали русским?» Происхождение таких данных англичане обычно маскировали фразами типа: «По сообщению высокопоставленного источника в Берлине...», или «От очень надежного источника нам стало известно, что...», или «Как сказал сотрудник министерства обороны Германии...» Обозначения вражеских частей, соединений и другие детали, которые могли раскрыть, что информация получена с помощью дешифрования, опускались.

Летом 1941 года офицер английской разведки доставил в Москву оперативные коды, навигационные пособия и позывные люфтваффе. Аналогичные материалы он получил взамен. Через некоторое время пособие по организации радиосвязи в немецких войсках и инструкцию по взлому ручных шифров немецкой полиции в Москву привез другой английский офицер, которому в обмен были отданы некоторые захваченные у немцев документы. По мнению англичан, эти документы не представляли большого интереса. В Лондоне были обеспокоены таким односторонним обменом полезной информацией. Кроме того, в Блетчли-Парке считали, что в Москве недостаточно эффективно использовали предоставленные сведения. Один из английских дешифровальщиков впоследствии вспоминал:

> «В период крупных танковых сражений в 1942 году мы предупреждали русских о немецкой западне, но они все равно гнали туда живую силу и технику. Трудно поверить, что русские доверяли этим предупреждениям, иначе они смогли бы избежать тех огромных потерь, которые в результате понесли».

С лета 1942 года поток передаваемой в Москву оперативной информации, полученной в результате взлома «Энигмы», значительно сократился. Исключение составляли лишь сообщения особой важности. В декабре 1942 года в критический момент Сталинградской битвы в Москву была передана инструкция по взлому ручных шифров абвера в надежде получить взамен что-либо равноценное. Ожидания не оправдались. Постепенно контакты с советской разведкой стали еще больше ослабевать, а после высадки англо-американских войск в Нормандии прекратились вовсе. И это вполне объяснимо. Англичане и американцы попросту боялись усиления советского влияния в послевоенной Европе, а Советская Россия с самого начала войны имела все основания не слишком доверять своим западным союзникам по антигитлеровской коалиции.

Тогда же, летом 1942 года, одновременно с сокращением количества официально поставляемой из Лондона в Москву разведывательной информации ее стал тайно переправлять туда Джон Кернкросс, советский агент, завербованный в 1935 году. В марте 1942 года Кернкросс поступил на работу в Правительственную криптографическую школу. И хотя провел там меньше года, его пребывание в ПКШ совпало с наступлением решающего периода в ведении боевых действий на Восточном фронте.

В круг профессиональных обязанностей Кернкросса в ПКШ входил, главным образом, анализ перехвата радиообменов люфтваффе. По мнению Кернкросса, его звездный час как агента советской разведки настал летом 1943 года — перед Курской битвой, когда немцы начали операцию «Цитадель». 30 апреля англичане отправили в Москву предупреждение о готовившемся немецком наступлении, а также материалы немецкой разведки о советских силах в районе Курска, полученные англичанами с помощью взлома «Энигмы». А Кернкросс предоставил советской разведке оригинальные открытые тексты немецких шифровок, в которых впрямую указывались воинские части и соединения, упоминание о которых всегда изымалось англичанами из материалов, присылаемых в Москву.

Больше всего внимание Москвы привлекла информация Кернкросса о расположении немецких эскадрилий. За два месяца до начала немецкого наступления под Курском советское военное командование нанесло три упреждающих бомбовых удара по семнадцати немецким аэродромам в полосе протяженностью более тысячи километров от Смоленска до Азовского моря. Цели были выбраны с учетом полученной от Кернкросса информации. Эта серия из трех массированных бомбовых ударов стала крупнейшей операцией советской авиации во Второй мировой войне. Было совершено полторы тысячи самолето-вылетов, уничтожено пять сотен самолетов противника, советские потери составили сто двадцать два самолета. За предоставленные данные Кернкросс получил благодарность из Москвы. Однако к этому времени возникли непреодолимые трудности, которые мешали Кернкроссу оперативно передавать добытую им информацию в Москву. В результате накануне Курской битвы по заданию советской разведки Кернкросс сменил место работы.

С отказом Лонга от сотрудничества, а позднее с уходом Кернкросса из ПКШ советская разведка не только лишилась ценных источников информации, но и потеряла возможность оценивать достоверность данных, которыми с ней делилась английская военная миссия в Москве.

После окончания Второй мировой войны возник один миф, связанный с ролью дешифровок «Энигмы» на Восточном фронте. Согласно этому мифу, англичане очень старались, чтобы Советская Россия извлекала максимальную пользу из информации, почерпнутой из дешифровок «Энигмы» и имевшей отношение к событиям на Восточном фронте. Но это надо было сделать таким образом, чтобы одновременно и обезопасить источник этой информации, и убедить Сталина в ее важности и надежности. Проблема якобы была решена путем перекачки содержания дешифровок «Энигмы» через советскую разведывательную группу «Люси», действовавшую в основном на территории Швейцарии. Таким образом, истинный источник информации был скрыт, а советское руководство могло поступать соответственно обстановке, доверяя сведениям, полученным от собственных агентов.

В этой версии нет ни грамма правды. Дело в том, что радиоперехваты с Восточного фронта всегда являлись большой проблемой для Блетчли-Парка. Немцы очень часто использовали для связи свои наземные линии, и далеко не вся связь шла по радио. Но даже в тех случаях, когда для передачи немецких шифровок задействовался эфир, расстояние и иные объективные факторы неблагоприятно влияли на качество приема на английских станциях перехвата. На обработку шифровок с искажениями уходило слишком много времени. Кроме того, их чтение никогда не рассматривалось в Блетчли-Парке в качестве первоочередной задачи. Там работали в первую очередь с материалами, имевшими оперативное значение для английского командования. Поэтому ключевые установки для «Энигмы» частей сухопутных войск, воевавших на Восточном фронте, в Блетчли-Парке вскрывали довольно редко. Полученная в результате информация была весьма отрывочной и служила лишь для получения общего представления о масштабах, целях и результатах немецких наступлений, да и поступала она с большой задержкой. Далее эта информация должна была из Блетчли-Парка попасть в Лондон, потом — в руки радиста группы «Люси» в Швейцарии и только затем — в Москву, что лишало ее всяческой актуальности.

Однако все эксперты по истории разведки в годы Второй мировой войны сходятся в том, что ценность информации группы «Люси» состояла именно в оперативности. В большинстве случаев эта информация приходила в Москву в течение двадцати четырех часов после того, как становилась известна в Берлине. Ясно, что дешифровки «Энигмы» никак не могли служить источником сведений для группы «Люси». Разведывательные данные большой важности и достоверности добывал для «Люси» генерал Фриц Тиль, который возглавлял шифровальный отдел в главнокомандовании сухопутных войск вермахта. Будучи вторым человеком в службе связи немецкой армии, в случае необходимости он использовал предоставленные ему возможности для установления контакта по радио со своим связным.

Две трети немецкой военной мощи было сосредоточено на Восточном фронте против Советского Союза. Тем не менее именно там роль дешифровок «Энигмы» до сих пор остается тайной за семью печатями. Возможно, что долгое сохранение этой роли в секрете призвано скрыть послевоенное политическое значение взлома «Энигмы». А состоит оно в том, что нежелание англичан поделиться плодами своей операции по чтению немецких шифровок с Советской Россией, взвалившей на себя основные тяготы войны с Германией, усугубило недоверие советских руководителей к Западу и послужило одной из причин развязывания «холодной войны».

## Эпилог

В небольшом сосновом лесу в южном пригороде Берлина расположено малоприметное кладбище. На нем покоится прах Йоханны Шмидт, в девичестве — баронессы фон Кёниц. На надгробном камне надпись — имя усопшей, даты рождения и смерти. Рядом находится безымянный могильный холм. Там похоронен сын Йоханны Ганс Шмидт. Он не был идейным борцом с фашистским режимом. За украденные руководства по «Энигме» и ключевые установки для нее он получал от французов крупные суммы денег, а первое предательство совершил еще за два года до прихода Гитлера к власти.

Рудольф Шмидт, занимавший высокий пост, был с позором отправлен в отставку в апреле 1943 года, когда Гитлер узнал о предательстве его брата Ганса Шмидта. Министр пропаганды Германии Геббельс сделал по этому поводу следующую запись в своем дневнике:

> «Гитлер сыт по горло своими генералами... Они его предали... Например, брат генерал-полковника Шмидта был арестован за измену, и в его доме найдены письма от генерал-полковника, в которых он весьма пренебрежительно отзывался о фюрере. А ведь до последнего времени он являлся одним из немногих генералов, которых особенно высоко ценил фюрер».

После войны выяснилось, что когда немцы потерпели поражение под Москвой в 1941 году, Рудольф Шмидт приказал произвести массовый расстрел советских военнопленных. Англо-американские союзники выдали Рудольфа Шмидта Советской России. Он был приговорен к тюремному заключению. Из тюрьмы вышел в 1955 году, скончался двумя годами позже.

Ежи Розицкий погиб 9 января 1942 года — корабль, на котором он и его коллеги-криптоаналитики возвращались из Алжира во Францию, был потоплен немецкой подводной лодкой.

Гвидо Лангер был освобожден из плена союзными войсками и приехал в Англию. Но польские офицеры, находившиеся в Англии в эмиграции, не захотели встретиться с Лангером, когда он попытался предоставить им свой отчет о случившемся. Они возложили на Лангера всю вину за неудавшийся побег польских криптоаналитиков из Франции. В 1946 году Лангер написал мемуары, чтобы оправдаться, изложив свою версию событий. Однако в 1948 году, задолго до того как об «Энигме» было позволено поведать всю правду, Лангер скоропостижно скончался, так и не дожив до того времени, когда мог восстановить свою репутацию.

Максимилиан Ченжский тоже не дождался, чтобы ему воздали должное за достигнутые успехи. Он предпочел остаться в Англии, где умер в 1951 году.

Генрих Зыгальский и Мариан Режевский приехали в Англию в 1943 году и принимали участие во взломе немецких шифров. Однако им так и не было разрешено снова заняться взломом «Энигмы».

После окончания Второй мировой войны Режевский вернулся в Польшу, где ему было предложено занять пост руководителя среднего звена в промышленности. В 1967 году Режевский закончил первую часть своих мемуаров. В 1978 году был награжден орденом. Скончался в 1980 году.

В 1983 году в память о заслугах Режевского, Зыгальского и Розицкого в Польше была выпущена марка. Но к тому времени все трое уже покоились на кладбище.

Рудольф Лемуан ответил отказом на предложение немцев стать двойным агентом, заявив, что слишком долго пробыл под арестом, чтобы попытаться обмануть французов. При отступлении из Франции немцы забрали Лемуана в Берлин, где в 1945 году он был арестован и допрошен французами. Лемуан умер в октябре 1946 года.

Густав Бертран вышел на пенсию в 1950 году. Он стал мэром небольшого городка на юге Франции. В 1973 году опубликовал в Париже книгу «“Энигма”, или Самая большая загадка войны 1939—1945 годов», в которой первым подробно описал контакты Шмидта со Вторым бюро и вклад французов во взлом «Энигмы». Скончался в 1976 году.

Поль Пейоль ушел с поста начальника французской контрразведки, чтобы возглавить промышленную фирму. В 1985 году выпустил книгу, в которой еще более подробно, чем Бертран, описал события, связанные со Шмидтом.

Дилли Нокс в 1942 году лег в госпиталь — у него был обнаружен рак лимфатических узлов. Он вбил себе в голову, что непременно поправится, если отправится жить в Вест-Индию. Прошел даже слух, что премьер-министр Англии Уинстон Черчилль согласился снарядить крейсер, чтобы доставить туда Нокса. Насколько этот слух соответствовал действительности, неизвестно. Но в Вест-Индию Нокс так и не уехал. Умер 27 февраля 1943 года.

Алан Тьюринг в ноябре 1942 года был командирован в Соединенные Штаты, чтобы консультировать американцев, которые работали над проектом создания собственной «Бомбы». После окончания Второй мировой войны Хью Александер, занявший место Тьюринга, так написал о нем в официальной истории английского дешифровального центра Блетчли-Парк:

> «Утверждать, что кто-то незаменим, всегда трудно. Но если кто-то и был незаменимым в Блетчли-Парке, так это Тьюринг. Достижения первопроходца, как правило, забываются, как только благодаря опыту и рутине все начинает казаться простым и понятным, и многие из нас считали, что истинная значимость достижений Тьюринга никогда не будет в полной мере осознана за пределами Блетчли-Парка».

В 1945 году Тьюринг принял участие в проектировании и построении одного из первых в мире компьютеров, воплотив на практике теорию, разработанную им еще в 30-е годы. В 1952 году, заявляя в полицию о совершенной у него краже, Тьюринг простодушно поведал, что состоял в гомосексуальной связи с приятелем человека, который эту кражу совершил. В результате против самого Тьюринга было заведено уголовное дело по обвинению в непристойном поведении. Не помогло ни заступничество Хью Александера, ни то обстоятельство, что он был кавалером ордена Британской империи[1]. Тьюринг избежал тюрьмы, только согласившись пройти курс органотерапии. Два года спустя Тьюринг был найден мертвым у себя дома. Вскрытие показало, что смерть наступила в результате отравления цианистым калием. Следствие не смогло прийти к однозначному выводу о том, покончил ли Тьюринг с собой, отравился ли по неосторожности, или был отравлен.

Гордон Уэлчмен после окончания Второй мировой войны эмигрировал в Соединенные Штаты, где долгое время работал в компании, выполнявшей заказы министерства обороны. В частности, участвовал в разработке системы радиосвязи с самолетами. В 1983 году Уэлчмен опубликовал книгу, в которой поведал историю о том, как в ходе войны была взломана «Энигма» люфтваффе. Многие бывшие коллеги осудили Уэлчмена, посчитав, что он разгласил данные, которые все сотрудники Блетчли-Парка обязались хранить в секрете. Американское правительство, очевидно, пришло к такому же мнению, поскольку вскоре после публикации своей книги Уэлчмен был лишен допуска к секретным документам. В 1985 году Уэлчмен подготовил статью, в которой более подробно описал методы, использовавшиеся английскими дешифровальщиками для взлома «Энигмы». Директор английского Центра правительственной связи Петер Мэричерч, которому статья была передана для ознакомления, заявил, что поведение Уэлчмена представляет прямую угрозу безопасности страны и что он подает пагубный пример остальным. Тем не менее статья Уэлчмена была опубликована. В том же году он умер от рака.

---

[1] Учрежден в 1917 г. в качестве награды за выдающиеся заслуги перед государством.

Гарри Хинсли в 1944 году по протекции начальника Секретной разведывательной службы Англии Стюарта Мензиса стал преподавателем в Кембридже. В послевоенные годы принял активное участие в написании пятитомной «Истории английской разведки во Второй мировой войне». В ней, в частности, рассказывалось о роли, которую во время войны играла разведывательная информация, полученная с помощью чтения немецких шифровок. В 1985 году Хинсли было пожаловано рыцарское звание. В 1998 году он скончался от рака легких.

Летом 1974 года в Англии вышла книга Ф. Уинтерботэма «Операция “Ультра”». Основное внимание в своей книге Уинтерботэм уделил тому, как англо-американские союзники использовали информацию из дешифровок «Энигмы» против фашистской Германии. Этой информации англичане присвоили кодовое наименование «Ультра». Основываясь на личных записях и воспоминаниях, Уинтерботэм подробно рассказал, какие именно тайны немецкого верховного командования англичанам и американцам удалось разгадать с помощью дешифрования. Однако в истории, поведанной Уинтерботэмом, было много пробелов и неточностей. В частности, Уинтерботэм даже не упомянул о событиях, описанных годом ранее в книге Густава Бертрана, а изложил другую, английскую версию, согласно которой «Энигма» была взломана исключительно благодаря усилиям англичан. Польским и французским дешифровальщикам в «Операции “Ультра”» отводилась второстепенная роль.

В военной истории Англии трудно отыскать факты, сравнимые с событиями вокруг «Энигмы» как по степени секретности, так и по продолжительности во времени. Черчилль, после Первой мировой войны пространно написавший о роли дешифрования в достижении победы над Германией, обошел «Энигму» молчанием в своих мемуарах о Второй мировой войне. Его примеру последовали многие другие английские политики и военные. Этот обет молчания был нарушен лишь 12 января 1978 года, когда министр иностранных дел Англии сделал официальное заявление. Оно касалось тех, кто во время Второй мировой войны работал в Блетчли-Парке. Отныне люди, занимавшиеся взломом «Энигмы», могли открыто заявить, что они участвовали в этой операции. Однако им по-прежнему запрещалось раскрывать технические подробности своей работы.

После победы над Германией популярным времяпрепровождением английских военных стала охота за «Энигмами». Наградой за добытую целой и невредимой немецкую шифровальную машину был внеочередной отпуск. Найденные «Энигмы» англичане по немалой цене сбывали другим странам. Даже в конце 70-х годов XX века сотни этих шифраторов все еще использовались по всему миру. Известие о том, что «Энигма» поддается взлому, не могло не разочаровать тех союзников Англии, которые приобрели эту шифровальную аппаратуру. Одновременно английское правительство не желало, чтобы английские дешифровальщики публично признались, что взломать «Энигму» было бы нельзя, используйся она правильно. Успешное чтение немецких шифровок в ходе Второй мировой войны полностью зависело от качества перехвата, от знания стандартных языковых оборотов в перехватываемых сообщениях и от ошибок немецких связистов.

Подытоживая сказанное об «Энигме», можно выделить несколько основных причин, обусловивших успех английских дешифровальщиков.

Во-первых, на всем протяжении Второй мировой войны немцы в основном использовали единственную шифровальную машину. Это означало, что англичане могли сосредоточить свои усилия на одном, главном направлении. Отсюда также следует, что английские дешифровальщики располагали очень большим объемом шифрованной переписки противника, несомненно облегчавшей им работу над взломом «Энигмы».

Во-вторых, англичанам была известна схема «Энигмы». Эта шифровальная машина поступила в свободную продажу еще в середине 20-х годов. И хотя впоследствии была неоднократно модифицирована с целью повышения стойкости, а также несмотря на то что разные военные ведомства и спецслужбы Германии оснащались различными модификациями «Энигмы», англичане всегда успевали вовремя составить представление как о ее схеме в любой модификации, так и о применявшихся немцами процедурах шифрования сообщений.

В-третьих, по собственной беспечности или неосторожности немцы зачастую способствовали успешному решению задач, стоявших перед английскими дешифровальщиками.

В-четвертых, для дешифровальной работы англичанам удалось привлечь наиболее способных и интеллектуально развитых людей. При этом квалифицированные кадры были сконцентрированы в одном месте — в дешифровальном центре в Блетчли-Парке.

В-пятых, для автоматизации и ускорения дешифровальной работы англичане активно применяли электромеханические устройства, позволявшие значительно повысить скорость подбора ключевых установок для «Энигмы».

И наконец, последнее: англичанам очень везло. Список подарков судьбы, без которых их успехи не были бы столь впечатляющими, можно продолжать довольно долго.

Итак, в 70-е годы XX века была предана гласности одна из наиболее тщательно скрываемых тайн Второй мировой войны. Спустя тридцать лет после ее окончания широкая публика узнала о том, что генерал Эйзенхауэр считал, что именно «Ультра» внесла «решающий вклад в победу», а Черчилль не мог на нее нарадоваться и полагал, что «Ультра» — это то, «чем мы выиграли войну».

Чтобы понять истинное значение беспрецедентного во всей военной истории проникновения в замыслы противника, которое имело место в годы Второй мировой войны благодаря взлому «Энигмы», потребовалось время. Восторженные оценки, появившиеся после вынужденного тридцатилетнего молчания, мешали трезво оценить значение «Ультра». Действительно ли роль «Ультра» в достижении победы была столь значительна? Если английские и американские генералы, превозносимые за блестящее проведение военных кампаний, знали заранее о планах противника, то не уменьшает ли это блеск их побед? И еще вопрос: неужели немцы так и не узнали о том, что их шифровки читаются врагом?

Сейчас со всей определенностью можно сказать, что во Второй мировой войне «Ультра» не сыграла той роли, которую ей пытаются приписать. Только от пяти до десяти процентов дешифровок «Энигмы», отосланных на места ведения боевых действий, были использованы в деле. Никаких сведений «Ультра» впрямую не поступало ниже уровня командования английской армией. Ее нижние эшелоны получали эту информацию лишь косвенно — в виде оперативного приказа. По материалам «Ультра», содержавшим данные о передвижениях немецких танков или кораблей, запрещалось немедленно начинать боевые действия. Сначала приходилось проводить наблюдение с воздуха, причем в такой открытой форме, что немцы при всем желании не могли его не заметить, и только после этого наносить огневой удар по вражеским танкам или кораблям.

Английское верховное командование иногда не могло взять в толк, почему подчиненные офицеры с таким нежеланием выполняют его распоряжения. Генерал Лукас, командовавший корпусом при высадке англо-американского десанта в Нормандии, не имел прямого доступа к материалам «Ультра», но его непосредственные начальники знали, что немцы не смогут оказать серьезного сопротивления Лукасу, если он решит пойти в глубь побережья. Однако начальники не имели права прямо сказать об этом своему генералу. Они принуждали его атаковать, но их оптимизм выглядел фальшиво при сопоставлении с имевшимися у самого Лукаса данными. Поэтому Лукас проявил осторожность и остался на занятых позициях. Немцы собрали все силы и задержали высадившиеся на побережье войска. Лукас, вскоре освобожденный от командования за проявленную нерешительность, записал в своем дневнике: «Похоже, всем были известны намерения немцев, кроме меня». Справедливое замечание.

С другой стороны, существовала опасность, что распространение слишком большого количества материалов «Ультра» будет контрпродуктивно. «Ультра» не могла подменить кропотливую работу со всеми имеющимися данными и превратить посредственного командира в военного гения. Командирам на местах по-прежнему приходилось разрабатывать детальные планы операций, стимулировать активность подчиненных и приспосабливаться к менявшимся условиям. А начальство, свободное от всей этой рутины, считало себя вправе не только давать советы, но и убирать непослушных. Так случилось с двумя отличными английскими генералами, которых Черчилль в начале африканской кампании отстранил от должности, полагая, что благодаря «Ультра» знал о немцах столько же, сколько знали генералы, и поэтому счел их действия неверными.

Иногда можно услышать, что из материалов «Ультра» англичане узнавали обо всем, что при помощи радио сообщал противник. Но военные тоже подвержены человеческим слабостям. Они преувеличивают, утаивают, хвастают, обманывают сами себя и без видимых причин меняют мнение. «Ультра» же не принимала во внимание эмоции. Например, Роммель часто нарушал приказы сверху или сообщал Берлину одно, а делал совершенно другое. Он обладал великолепной интуицией и, если обстоятельства ему благоприятствовали, менял свои планы, не удосужившись предварительно уведомить начальство. Причиной сокрушительного поражения англичан, которое они потерпели в феврале 1943 года в Северной Африке, было то, что по линии «Ультра» прошел немецкий приказ о наступлении в одном направлении, а Роммель, нарушив его, двинулся в совершенно другом.

Оценка англо-американскими союзниками военной мощи немцев, с которой они должны были столкнуться с началом боевых действий в Западной Европе, может показаться более точной, чем оценка немцами сил союзных войск. Ведь благодаря «Ультра» англичане знали практически о каждой из немецких дивизий, находившихся во Франции. Немцы же приписывали противнику семьдесят пять дивизий, в то время как их было только пятьдесят. Переоценка сил противника не могла не сказаться на моральном духе немцев, а знание о такой реакции с их стороны, в свою очередь, оказало значительную поддержку англичанам и американцам. Но так ли все было в действительности?

В 1946 году англичане допрашивали одного немецкого полковника, не имевшего ни малейшего представления о существовании «Ультра». Полковник заявил:

> «К концу 1943 года меня с моим шефом как минимум раз в месяц вызывали на совещания в штаб верховного командования. Мы каждый раз поражались абсолютно нелогичной недооценке потребностей немецких сил обороны во Франции, Норвегии и на Балканах. Соединения постоянно перебрасывались с одного театра военных действий на другой. В конце концов, мы с шефом решили дать преувеличенную оценку количества дивизий союзников, чтобы как-то уравновесить сверхоптимистические прогнозы в штабе верховного командования. Поэтому наши оценки превышали реальные примерно на двадцать дивизий».

И не был дешифровальный центр в Блетчли-Парке тенью немецкого верховного руководства. Первый шаг в длинной цепочке, приводившей материалы «Ультра» в штаб английского командования, мог быть сделан лишь в том случае, если немцы использовали для связи радиопередатчики. Но немецкая армия во многом придерживалась сложившихся традиций. В начале Второй мировой войны большинство ее сообщений передавалось по телеграфу, и их невозможно было перехватить в Англии. Даже в самый разгар войны немцы все равно отдавали предпочтение телеграфу и телефону и, только если они отсутствовали, прибегали к помощи радио. Лишь от четверти до трети всех немецких сообщений было послано по радио, причем в основном не высокого стратегического, а среднего или низшего тактического уровня. Исключение составлял только абвер, который использовал радио даже для передач внутри страны, предпочитая его более безопасной кабельной связи.

Все ли перехваченные шифрсообщения могли быть прочитаны? Конечно нет. В течение всей войны в Блетчли-

Парке боролись с невероятно сложными немецкими шифрами для военных кораблей и субмарин. Но даже когда английским дешифровальщикам удалось совладать с «Тритоном», адмиралтейство не сумело справиться с хлынувшим потоком разведывательной информации. Глава секции, занимавшейся радиограммами с немецких подводных лодок, вскоре свалился от полного физического и психического истощения, хотя эта секция обрабатывала только дешифровки «Энигмы», имевшие срочное оперативное значение.

Учитывая количество необходимых операций (дешифрование, перевод, обработка и шифрование добытой информации для передачи ее потребителям), сотрудники Блетчли-Парка работали в постоянном напряжении, чтобы материалы «Ультра» не теряли актуальности. Ведь иногда даже задержка на час могла сделать эти материалы совершенно бесполезными.

Помимо большого потока информации в Блетчли-Парке приходилось разбираться с многочисленными аббревиатурами, ссылками на карты, а также со служебным жаргоном. Иногда дешифровальщики целыми днями просиживали над шифровками, которые в конечном счете оказывались пустячными. Примером может служить следующий случай. Абвер передал шифровку своему резиденту в Мадриде, офицеру с кодовым именем «Цезарь». После ее прочтения в Блетчли-Парке получили открытый текст такого содержания: «Осторожней с Акселем. Он кусается».

Что это? Может, хитроумный код с перешифровкой? Позже выяснилось, что речь шла о сторожевой собаке, присланной для охраны. Подтверждением этому стал дешифрованный ответ из Мадрида: «Цезарь в госпитале. Его укусил Аксель».

Многие английские командиры попросту игнорировали материалы «Ультра», если они не соответствовали их представлениям и планам. Например, из дешифровок «Энигмы» следовало, что бомбардировки Германии отнюдь не сломили морального духа немцев и не помешали им по-прежнему выпускать большое количество самолетов. Это означало, что воздушные рейды англо-американских союзников в 1943—1944 годах были напрасными, так как понесенные ими потери оказались несоизмеримыми с причиненным немцам ущербом. Все сведения были своевременно переданы из Блетчли-Парка в соответствующие инстанции, но налеты английской авиации продолжались. Видимо, правда, содержавшаяся в материалах «Ультра», не устраивала сторонников массированных бомбардировок Германии.

Другие командиры, напротив, настолько полагались на «Ультра», что если ее материалы отсутствовали, то они считали, что ничего существенного не происходит. Опасность такого подхода не замедлила сказаться при наступлении немцев в Арденнах в декабре 1944 года, когда ими была предпринята попытка остановить продвижение англо-американских войск. Немецкое нападение было внезапным. «Ультра» не смогла предупредить о готовившихся действиях, поскольку Гитлер наложил запрет на радиопереговоры.

Одной из причин невозможности дать исчерпывающую оценку влияния «Ультра» на ход Второй мировой войны является оставшийся без точного ответа вопрос о том, знали ли немцы о вскрытии «Энигмы» англичанами.

Конечно же немцы отдавали себе отчет в том, что взломать «Энигму» в принципе можно. Немецкий криптоаналитик Георг Шредер продемонстрировал такую возможность еще в 1930 году, лаконично заметив при этом: «“Энигма” — дерьмо».

Урок не пропал даром. Немецкие криптографы постоянно вносили в «Энигму» усовершенствования, так как знали, что она не являлась абсолютно надежной, особенно если в распоряжении противника имелся хотя бы один ее экземпляр. А в 1944 году немцы даже провели специальную конференцию по проблеме надежности своих шифров, на которой было указано на недостатки «Энигмы» и намечены меры по их устранению.

Явное предпочтение, отдаваемое немцами кабельной связи, заставляет предположить, что они осознавали возможность взлома «Энигмы». На ту же мысль наводит и использование немцами кодовых обозначений.

А зачем немцы в шифровках неоднократно пытались дезинформировать противника в отношении местонахождения своих подразделений, если не были уверены, что они будут перехвачены и прочитаны? В противном случае действия подобного рода были бы бессмысленными.

Итак, можно сказать, что в ходе Второй мировой войны «Ультра» сумела оказать существенную помощь лишь в отдельных случаях. «Ультра» не выиграла войну ни на Западном, ни на Восточном фронте. И весьма сомнительно, что благодаря ей значительно сократились сроки войны. Притягательность долго скрываемой военной тайны и бойкое перо людей, первыми рассказавших о том, что скрывала эта тайна, придали «Ультра» такую значимость, которой она явно не заслуживает.

# ЛИТЕРАТУРА


*Аненков А., Потресов С.* Вооружен, но не безопасен // Курьер. 2002. № 47.

*Анин Б.* Радиошпионаж. М., 1996.

*Анин Б.* Радиоэлектронный шпионаж. М., 2000.

*Берия С.* Мой отец — Лаврентий Берия. М., 1994.

*Гусаченко И.* Энигма // Зеркало недели. 2001. 27 окт.

*Ермаков Н.* Джон Кернкросс // Спецслужбы. 1998. № 6.

*Жельников В.* Криптография от папируса до компьютера. М., 1996.

*Кан Д.* Взломщики кодов. М., 2000.

*Леваков А.* Компьютерные «биополя» и шпионские страсти // Известия. 2001. 29 авг.

*Лекарев С., Порк В.* Радиоэлектронный щит и меч // Независимая газета. 2002. 26 янв.

*Павлов В.* Сезам, откройся. М., 1999.

*Полмар Н., Аллен Т.* Энциклопедия шпионажа. М., 1999.

*Попов А.* Гибель «Бисмарка» // Независимое военное обозрение. 1998. 9 янв.

*Уинтерботэм А.* Операция «Ультра». М., 1978.

*Штейнберг М.* «Ультра» против «Энигмы» // Зеркало недели. 1995. 28 окт.

*Эндрю К., Гордиевский О.* КГБ. История внешнеполитических операций от Ленина до Горбачева. М., 1992.

*Budansky S.* Battle of Wits: The Complete Story of Codebreaking in World War II. N.-Y., 2000.

*Frere-Cook G.* The Attacks on the Tirpitz. L., 1973.

*Harris R.* Enigma. L., 1995.

*Hodges A.* Alan Turing: The Enigma. L., 1992.

*Irving D.* The Destruction of Convoy PQ-17. L., 1968.

*Keegan J.* What the Allies Knew // New York Times. 1996. November 25.

*Sebag-Montefiore H.* Enigma: The Battle for the Code. L., 2001.

*Singh S.* Fermat's Last Theorem. L., 1997.

*Singh S.* The Code Book: The Secret History of Codes and Codebreaking. L., 1999.

# СОДЕРЖАНИЕ

**Лайнер Лев**

Л 18 Погоня за «Энигмой»: Как был взломан немецкий шифр. — М.: Молодая гвардия, 2004. — 316[4] с.: ил. — (Дело №...).

**ISBN 5-235-02664-0**

В книге рассказывается о беспрецедентном в военной истории проникновении в замыслы противника: о взломе немецкого машинного шифра «Энигма» западными союзниками по антигитлеровской коалиции. До последнего времени самый важный аспект этого события оставался невыясненным: действительно ли роль, которую сыграли дешифровальщики в достижении победы над Германией в ходе Второй мировой войны, была столь значительна? В книге также рассказывается о роли специальных операций по захвату ключевых установок для «Энигмы», предательстве высокопоставленного сотрудника немецкой шифровальной службы и многочисленных просчетах самих немцев.

**УДК 94(47+57)**
**ББК 63.3(2)622**

**Лев Лайнер**

ПОГОНЯ ЗА «ЭНИГМОЙ»

**Как был взломан немецкий шифр**

Главный редактор **А. В. Петров**

Редактор **Е. В. Смирнова**

Художественный редактор **И. И. Суслов**

Технический редактор **Н. А. Тихонова**

Корректоры **Л. М. Марченко, А. Г. Мартынова**

Лицензия ЛР № 040224 от 02.06.97 г.

Сдано в набор 09.01.2004. Подписано в печать 15.04.2004. Формат 84x108/32. Бумага офсетная № 1. Печать офсетная. Гарнитура «Таймс». Усл. печ. л. 16,8.+0,84 вкл. Тираж 5000 экз. Заказ 43025.

Издательство АО «Молодая гвардия». Адрес издательства: 127994 Москва, Сущевская ул., 21. Internet: http://mg.gvardiya.ru. E-mail:dsel@gvardiya.ru.

Типография АО «Молодая гвардия». Адрес типографии: 127994 Москва, Сущевская ул., 21.

**ISBN 5-235-02664-0**

ДЕЛО